エリア・スタディーズ
186

モルディブを知るための35章

荒井悦代
今泉慎也（編著）

明石書店

はじめに

青い海にサンゴ礁、白い砂浜。エメラルドグリーンの透き通る海に浮かぶ水上コテージ。高級リゾートの代名詞であるモルディブの空港に到着すると、首都のあるマーレ島がすぐそばに見える。ここはモルディブの全人口の3割以上が住む世界的にも有数の過密都市である。朝早くから夜遅くまで細い路地を人やバイクが行き来し、活気に溢れている。しかし観光客はここに立ち寄ることなく、空港島の港で待つスピードボートや飛行機でそれぞれの目的地であるリゾートへと直接運ばれてゆく。モルディブでは一つのリゾートホテルが一つの島を丸ごと占有していて、観光客はほとんどの時間をホテルのある島で過ごす。リゾートでは、色とりどりの魚が観光客を待ちかまえている。多彩なマリン・アクティビティや、豪華な食事に、観光客はリラックスしながら非日常的な空間や体験を堪能する。帰りもリゾートが用意した船や飛行機で空港に戻り、帰途に就く。

観光客はモルディブを満喫した、と感じるだろう。しかしこの間、観光客の多くはモルディブ人に会っていなかったかもしれない。実は観光産業に従事する労働者の半分以上が外国人だからである。モルディブ・リゾートのリピーターであってもモルディブが敬虔なイスラム教徒の国であることを知らない人もいるかもしれない。他方、観光業は漁業と共にモルディブの経済を支えるものだが、モルディブ人にとってもリゾートは縁遠い場所である。

筆者がモルディブに興味を持つようになったのはスリランカで中国の「債務の罠」が論じられてい

た時に、モルディブでも中国の存在感が増しているというニュースを目にしたからだ。インド洋の安全保障に対する関心も高まっていた。ところが観光に関しては旅行ガイドブックや個人のブログなどが最新のリゾートやダイビング情報を細かくフォローしているものの、観光以外の政治や経済・社会の基本的情報は極めて限られていた。そこでモルディブを学ぶための研究会を筆者の所属する独立行政法人日本貿易振興機構（ジェトロ）アジア経済研究所で立ち上げることにした。本書は、「モルディブの政治・経済・社会」と題して２０１８年度から２０１９年度にかけて実施した研究会の成果である。

いざ始めてみるとモルディブに関する日本語の書籍は少なく、英語の書籍も少なかった。南アジアの国々の政治や経済を幅広く扱う本の中の一章としてかろうじて見つけることができた場合もあった。発展途上国・地域を専門とし、70万冊を所蔵するアジア経済研究所図書館ですら、モルディブの棚にある蔵書は20冊に満たない状況であった。だが現地調査などを通じて広く資料収集作業を進めるうちに、知られていなかった文献を掘り起こすことができたほか、インターネット上の情報を見つけることができた。これらの資料・文献から得られた知見は本書の多くの章に反映されている。

本書の執筆は、モルディブをフィールドとする研究者、青年海外協力隊や国際協力機構（ＪＩＣＡ）や民間団体から派遣されモルディブでさまざまな分野で支援を行った経験のある方々、事業活動などを通じてモルディブと長らく関わりを持ってきた方に広くお願いし、広い分野の貴重な体験や知見を含めることができた。ただし、政治経済などモルディブを専門とする研究者がいない分野についてはアジ研の他の地域を専門とする研究者の参加を得て研究を行った。民主化されて間もないモルディブが国内政治面で難しいかじ取りを迫られていること、対外的にはインド・中国という大国の狭間で関係を模索していること、一方で、気候変動など地球規模の環境問題の分野でイニシアティブを発揮していることを示すことができた。日本での先行研究が十分でないなかで、モルディブの豊かな歴史、生活・文化、宗教についての考察は十分とはいえないものの、観光だけではない、モルディブのもつ様々な側面を紹介することができたとひそかに自負している。そして何より本書が読者のみなさんにとって真のモルディブの姿をとらえるきっかけとなるとしたら、この上ない幸いである。

本書の出版準備中に新型コロナウイルス感染症のパンデミックが世界を襲った。２０２０年３月はじめにリゾートで外国人の感染が見つかり、４月15日にマーレ島でモルディブ人で最初の感染者が確認されて以降、感染者数は21年８月10日現在で７万８４６４人となっている。観光業に依存するモルディブには大打撃となった。保健庁は２０２０年３月に緊急事態宣言や外出禁止令を発令し、空港における水際対策や国内における感染防止策を徹底した。その結果、２０２０年７月半ばにはリゾート島における観光が再開され、10月には住民島のゲストハウスの営業も再開された。ワクチン接種がどの国でも始まっていない状態での再開であった。一島一リゾートで人との距離を取りやすい環境や、リモートワークの普及も観光客をモルディブに引き寄せたともいえるが、モルディブの観光業界が一丸となって安全性を高める努力をしたからに違いない。

モルディブは１９８０年代以降の観光業の促進によって急速な経済発展を進めてきたが、その道のりは決して順風満帆なものではなかった。たとえば、２００４年のスマトラ沖地震に伴う津波で甚大な被害が発生したほか、２００８年リーマンショックには景気停滞を経験した。だからこそ、モルディブがコロナ感染症という現下の荒波を乗り越えて発展していくことを期待したい。

本書は新型コロナウイルス感染症の蔓延がまだモルディブの社会に大きな影響を与えていない時期にとりまとめられたものである。コロナ禍がモルディブの社会にどのような影響を与えているかを明らかにすることは重要な課題ではあるが、基礎的な情報を提供するという本書の目的に鑑みて、大幅な修正を加えなかった。コロナ禍以降のモルディブの変化については今後の課題としたい。

本書の執筆にあたっては多くの方のご協力を得た。とくにイブラーヒム・ウェイス駐日モルディブ大使には我々の研究の意義を高く評価いただき、基礎的な質問に長時間おつきあいいただいただけでなく、貴重な助言をいただいた。また駐モルディブ日本大使館の遠藤和巳前大使、柳井啓子大使からは温かい励ましとともに現地の情勢を詳しく伺うことができた。現地で開発援助に従事してきたＪＩＣＡの方々からも多岐にわたる情報を得た。モルディブで事業をなさっていた方々のお話も大変参考になったことはいうまでもない。

最後になったが、現地でお目にかかったモルディブの方々から受けた多大な厚意と協力には最大の感謝を捧げたい。とりわけ、モルディブ計画省のアマン・カリール氏は知り合って間もない我々のために奔走してくださった。アミニーヤ・スクールの先生方との交流も我々のモルディブに対する理解を深めてくれた。またそれ以外の多くの方々一人一人のお名前をあげることはできないが、彼ら・彼女らの温かい支援がなければこの本は完成しなかった。改めてお礼を申し上げるとともに、彼ら・彼女らが示してくれたモルディブの姿を、本書がより多くの日本の読者に伝えられることを願っている。

２０２１年11月

編者

モルディブを知るための35章

目次

Ⅲ　暮らしと文化

Ⅳ　教　育

V 社会・環境

VI 政　治

VII 経済・産業

Ⅷ 国際関係

※本文中、とくに出所の記載のない写真については、原則として執筆者の撮影・提供による。
※地図中の島の位置はおおよその位置である。

I

モルディブ概観

1

モルディブの地理

★サンゴ礁からなる大小の島々★

モルディブは、26の環礁とそれを構成する1000以上の島からなるインド洋の島嶼国である。環礁とは、サンゴ礁（リーフ）およびサンゴ礁に囲まれた大小の島がネックレスのように連なっている様子で、中央部は大きなラグーン（砂州やサンゴ礁によって外海から隔てられた水深の浅い水域）となっている。一つの島で構成される環礁もある（たとえば、トッドゥやカーシドゥ）。環礁を意味する英語のatoll（アトール）は、モルディブで用いられるディベヒ語のatollonに由来し、ファロ（faroあるいはfaru）（中央に浅く小さな礁湖をもつドーナツ状のサンゴ礁）とともに英語の辞書に採用された数少ないディベヒ語である。

モルディブは、インドの南、スリランカの西にあって、東にアラビア海を臨む。モルディブの26の環礁は、赤道を挟んで南北868キロメートル、東西120キロメートルに広がっている。すべての島の面積を足し合わせると298平方キロメートル（2万9800ヘクタール）で、これは東京都23区の面積の半分ほどである。他方、領海は11万5300平方キロメートル、排他的経済水域は85万9000平方キロメートルとなる。これは日本の国土面積の2・27倍に相当する。

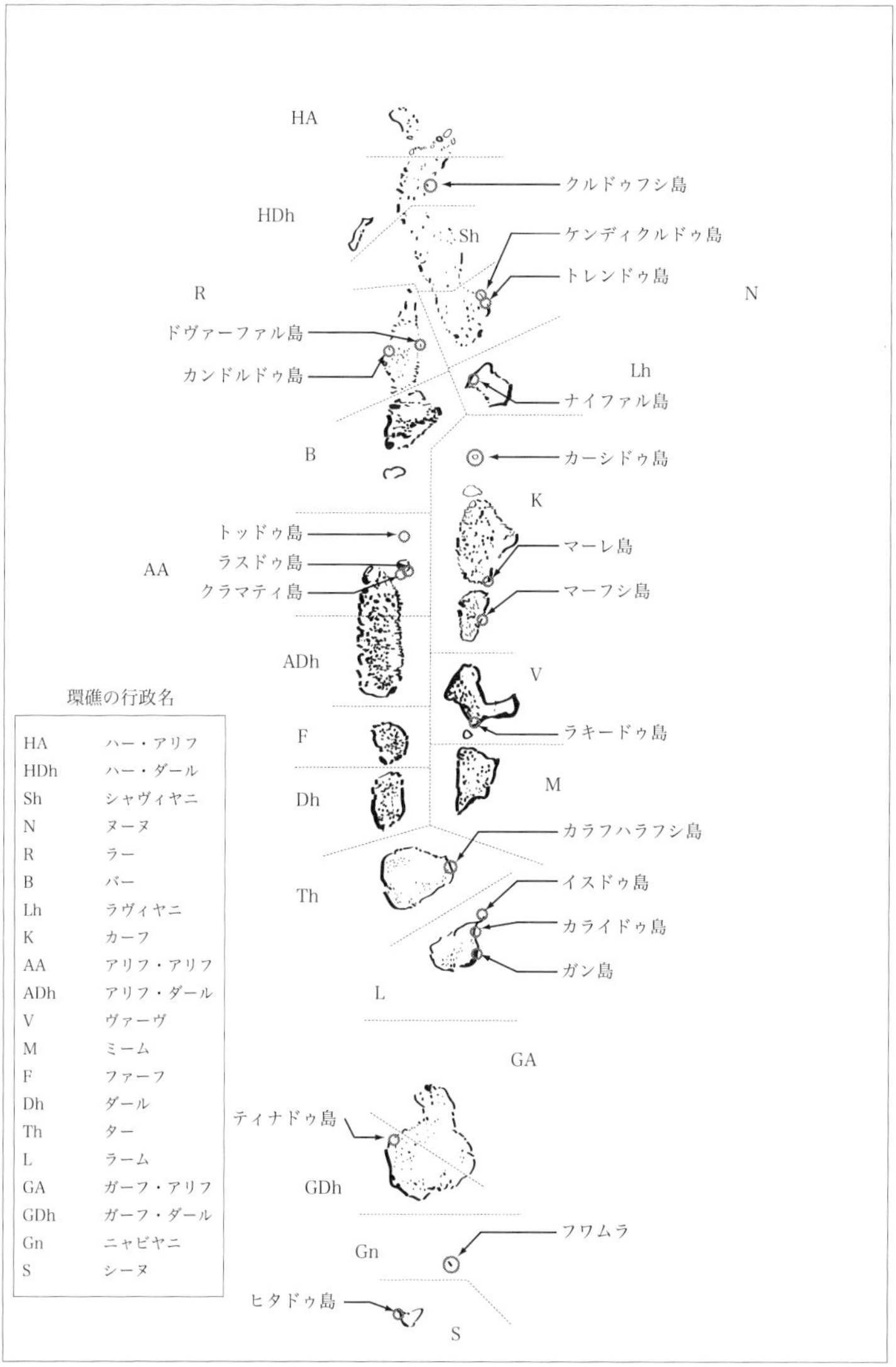

環礁の行政名

HA	ハー・アリフ
HDh	ハー・ダール
Sh	シャヴィヤニ
N	ヌーヌ
R	ラー
B	バー
Lh	ラヴィヤニ
K	カーフ
AA	アリフ・アリフ
ADh	アリフ・ダール
V	ヴァーヴ
M	ミーム
F	ファーフ
Dh	ダール
Th	ター
L	ラーム
GA	ガーフ・アリフ
GDh	ガーフ・ダール
Gn	ニャビヤニ
S	シーヌ

モルディブ最大の産業は高級リゾートを中心とする観光業であり、日本人を含めて年間100万人を超す観光客が訪れる。日本からは直行便はなく、シンガポールやスリランカのコロンボを経由しておよそ10時間かかる。日本との時差は4時間である。

モルディブには何らかの植生がある島々が1192(2018年、以下同じ)ある。このほかに砂州(サンドバー)や岩礁も含めるとその数は2000を超える。島は有人島と無人島に分けられる。有人島は住民島(ローカル・アイランド)と呼ばれ187あり、一般の住民が居住するが、この住民島の数は、行政上の理由で見た目の数と異なる。最小の行政サービスの提供単位である島評議会(アイランド・カウンシル)がカバーする範囲を1つの島として数えているからである。したがって埋め立てなどによって島と島がつながり、見た目は1つの島となっても、それぞれの島評議会をもつ別の島として数える。たとえばラーム環礁のイスドゥ島とカライドゥ島は1つの島であるが、2つの有人島と数える。

2011年より、人口1万人を超え一定の経済的発展を遂げた地区が都市(シティ)と指定され、都市評議会を持つ。都市はさらに区(ワード)やディストリクトに分けられる。マーレ、アッドゥ、フワムラ(2016年9月22日より)、クルドゥフシ(2020年1月1日より)の4つの都市がある。

有人島以外の島は無人島に分類されるが、たとえ分類上は無人島であっても、農業や貯蔵所、工業用地などに用いられており、人が立ち入らないわけではない。

モルディブ経済にとって観光業は大きな地位を占める。モルディブでは「一つの島に一つのリゾート・ホテル」を原則とする高級リゾートとして発展した。このリゾート島も無人島に分類される。2018年の統計によるとリゾート島は145島ある。リゾート島が多い環礁は、マーレ環礁、南アリ環礁、北アリ環礁である。モルディブ政府は、観光客の受け入れをリゾート島と首都マーレに限定する政策をとっていたが、住民島での個人経営のホテル・民宿であるゲストハウスを認める方針に切り替え、リゾート島以外でのゲストハウスが急増している。統計によればゲストハウスは５２１件登録されている。ゲストハウスが最も多いのは南マーレ環礁のマーフシ島である。なお、リゾートでもゲストハウスでもないホテル（マーレのビジネスホテルなど）は12、船に宿泊するタイプのサファリ船は１４７ある。

モルディブの島の数は増えたり減ったりしている。独立直後の１９６６年に国連が行った調査報告書には島の数は１００９とあり、その後50年あまりの間に１８１増えたことになる。第一の理由は、島が波で侵食されたり、逆に新しく形成されたりすることを繰り返すためだ。たとえば１９５５年の暴風雨でシャヴィヤニ環礁に新しい島が３つ生まれた。逆に１９６０年頃、マーレ環礁のフェードゥフィノル島は自然の侵食と砂採掘によってほとんどなくなってしまった。興味深いことに、この島は後に再び現れた。また、２００４年の津波によって、ター環礁のカラフハラフシ島は２つに分かれた。第二に、１つの島の周辺を埋め立てて面積を増やしたり、隣接する島の間を埋め立て、人工的に大きな島にしたりすることもある。マーレ島にほど近いグリーファル（ビリンギリとティラフシの間）はサンゴ礁しかなかったところを工業地帯として埋め立てて造られた。また、廃棄物処理のための島として知られるティラフシ島は、１９９２年より廃棄物による埋め立てが続けられ、造成された土地の一部は工業団地などにあてられ、民間に貸し出されている。

環礁を構成する島は死んだサンゴのかけらが堆積して作られており、そのため海水面高度は低く、高低差も極めて小さい。このことが理由で、暴風雨や自然の侵食などで島が消えたり、現れたりする。最も標高が高いのは、国際空港のあるフルレ島（空港島）の北に埋め立てられたフルマーレ島で、標高は2メートルである。

おのおのの島は小さく、1平方キロ（100ヘクタール）以上の島は33しかない。最大の住民島は、ラーム環礁のガン島で、698ヘクタール、最小の住民島は、ヴァーヴ環礁のラキードゥ島で6・3ヘクタールである。

地理学的な意味での環礁は26（定義によって25とされることもある）ある（次ページ表の右側）が、行政上は首都マーレと20の行政区に分けられている。行政区は、基本的に地理的な意味での環礁を単位に設定されているので、その正式名称はそれを構成する主たる環礁の名称と同じである（次ページ表の左側）６つの大きな環礁は南北二つの行政上の環礁に分割され、小さな環礁は大きな行政区に含められている。行政区としての環礁はアトル・評議会を持つ。アトル評議会は、管轄する地域の島評議会を監督する。市評議会はアトル評議会から独立している。

行政区の正式名称はとは別に、各行政区にはディベヒ語のアルファベットに当たる文字が北から順に当てはめられていて、その文字の読み方に従った通称も広く用いられている。たとえば、北ティラドゥンマティ環礁はディベヒ語の最初の文字のハー（H）が割り当てられていて、ハー・アリフ環礁と呼ばれ、同様に南ティラドゥンマティ環礁は、ハー・ダール（HDh）環礁と呼ばれる（表参照）。島の名前を表記する場合には、同じ名前の島が複数あるので、島の名前の前に、その島が属する行政区の略称をつけて表記される。

表　モルディブを構成する環礁：行政名と地理的名称

環礁の行政名			行政環礁を構成する環礁の地理的名称
正式名称	別名	別名の略称	
Thiladhunmathi Uthuruburi ティラドゥンマティ　ウトゥルブリ	Haa Alifu ハー・アリフ	HA	Ihavandhippolhu, Thiladhunmathi イハヴァンディッポロ、ティラドゥンマティ
Thiladhunmathi Dhekunuburi ティラドゥンマティ　デクヌブリ	Haa Dhaalu ハー・ダール	HDh	Maamakunudhoo , Thiladhunmathi マーマクヌドゥ、ティラドゥンマティ
Miladhunmadhulu Uthuruburi ミラドゥンマドゥル　ウトゥルブリ	Shaviyani シャヴィヤニ	Sh	Thiladhunmathi ティラドゥンマティ
Miladhunmadhulu Dhekunuburi ミラドゥンマドゥル　デクヌブリ	Noonu ヌーヌ	N	Thiladhunmathi ティラドゥンマティ
Maalhosmadhulu Uthuruburi マーロスマドゥル　ウトゥルブリ	Raa ラー	R	Maalhosmadhulu Uthuruburi, Etthingili-Alifushi, マーロスマドゥル　ウトゥルブリ、エッティンギリ・アリフシ”
Maalhosmadhulu Dhekunuburi マーロスマドゥル　デクヌブリ	Baa バー	B	Maalhosmadhulu Dhekunuburi,　Fasdhoothere, Goidhoo マーロスマドゥル　デクヌブリ、ファスドゥティエレ、ゴイドゥ
Faadhippolhu ファーディッポル	Lhaviyani ラヴィヤニ	Lh	Faadhippolhu ファーディッポル
Male’ マーレ	Kaafu カーフ	K	Kaashidhoo, Gaafaru,　Male Atholhu Uthuruburi, Male Atholhu Dekunuburi カーシドゥ、ガーファル、マーレアトルウトゥルブリ、マーレアトルデクヌブリ
Ari Atholhu Uthuruburi アリ　アトル　ウトゥルブリ	Alifu Alifu アリフ・アリフ	AA	Ari Atholhu、Rasdhoo Atholhu, Thoddoo アリアトル、ラスドゥアトル、トッドゥ
Ari Atholhu Dhekunuburi アリ　アトル　デクヌブリ	Alifu Dhaalu アリフ・ダール	ADh	Ari Atholhu アリアトル
Felidhe Atholhu フェリデ　アトル	Vaavu ヴァーヴ	V	Felidhe Atholhu, Vattaru Falhu フェリデ　アトル、ワッタルファル
Mulak Atholhu ムラク　アトル	Meemu ミーム	M	Mulak Atholhu ムラク　アトル
Nilandhe Atholhu Uthuruburi ニランデ　アトル　ウトゥルブリ	Faafu ファーフ	F	Nilandhe Atholhu Uthuruburi ニランデ　アトル　ウトゥルブリ
Nilandhe Atholhu Dhekunuburi ニランデ　アトル　デクヌブリ	Dhaalu ダール	Dh	Nilandhe Atholhu Dhekunuburi ニランデ　アトル　デクヌブリ
Kolhumadulu コルマドゥル	Thaa ター	Th	Kolhumadulu コルマドゥル
Haddhunmathi ハッドゥンマティ	Laamu ラーム	L	Haddhunmathi ハッドゥンマティ
Huvadhu Atholhu Uthuruburi フヴァドゥ　アトル　ウトゥルブリ	Gaafu Alifu ガーフ・アリフ	GA	Huvadhu Atholhu フヴァドゥ　アトル
Huvadhu Atholhu Dhekunuburi フヴァドゥ　アトル　デクヌブリ	Gaafu Dhaalu ガーフ・ダール	GDh	Huvadhu Atholhu フヴァドゥ　アトル
Fuvammulah フワムラ	Gnaviyani ニャビヤニ	Gn	Fuvammulah フワムラ
Addu Atholhu アッドゥ　アトル	Seenu シーヌ	S	Addu Atholhu アッドゥ　アトル

ウトゥルブリおよびアリフは北を意味する。デクヌブリおよびダールは南を意味する

気候

モルディブの気温は通年25～32℃で、日本と比べると季節の変化は少ないものの、北東からの季節風が吹く乾期（12～3月）、南西からの季節風が吹く雨季（4～11月）がある。4月が最も暑い。降水量には地域差があり、国のほぼ中央に位置する首都マーレの年間降水量は1664ミリ・メートルであるが、南部のガーフ・ダール環礁では2319ミリメートルと降水量が多く、南部ではココナツやパンノキなどの植物もよく育つ。

人口

2014年のセンサスによればモルディブの人口は40万2071人で、このうち12万人、31%がマーレ島一島に集中している。近隣の島を含むマーレ市には15万人、38%となる。40万人のうち外国人は6万3637人で全人口の15・8%を占め、マーレ市に2万4000人、リゾート島や政府が工業用地に指定した島に2万3000人、それ以外に1万6000人が居住している。外国人労働力はモルディブ経済にとっても不可欠な存在となっている。

マーレ以外で人口の多い島は最も南に位置するアッドゥ（行政区分上はシーヌ）環礁のヒタドゥ島に1万1129人、ニャビヤニ環礁のフワムラ島に8510人、ハー・ダール環礁のクルドゥフシ島に8440人、ガーフ・ダール環礁のティナドゥに5230人、ラヴィヤニ環礁のナイファル島に4103人と南の島がやや多い。環礁ごとの人口数は、アッドゥ環礁が最多の1万9319人だが、ハー・ダール環礁が1万8515人、ラー環礁が1万4862人、ハー・アリフ環礁が1万2939人と北

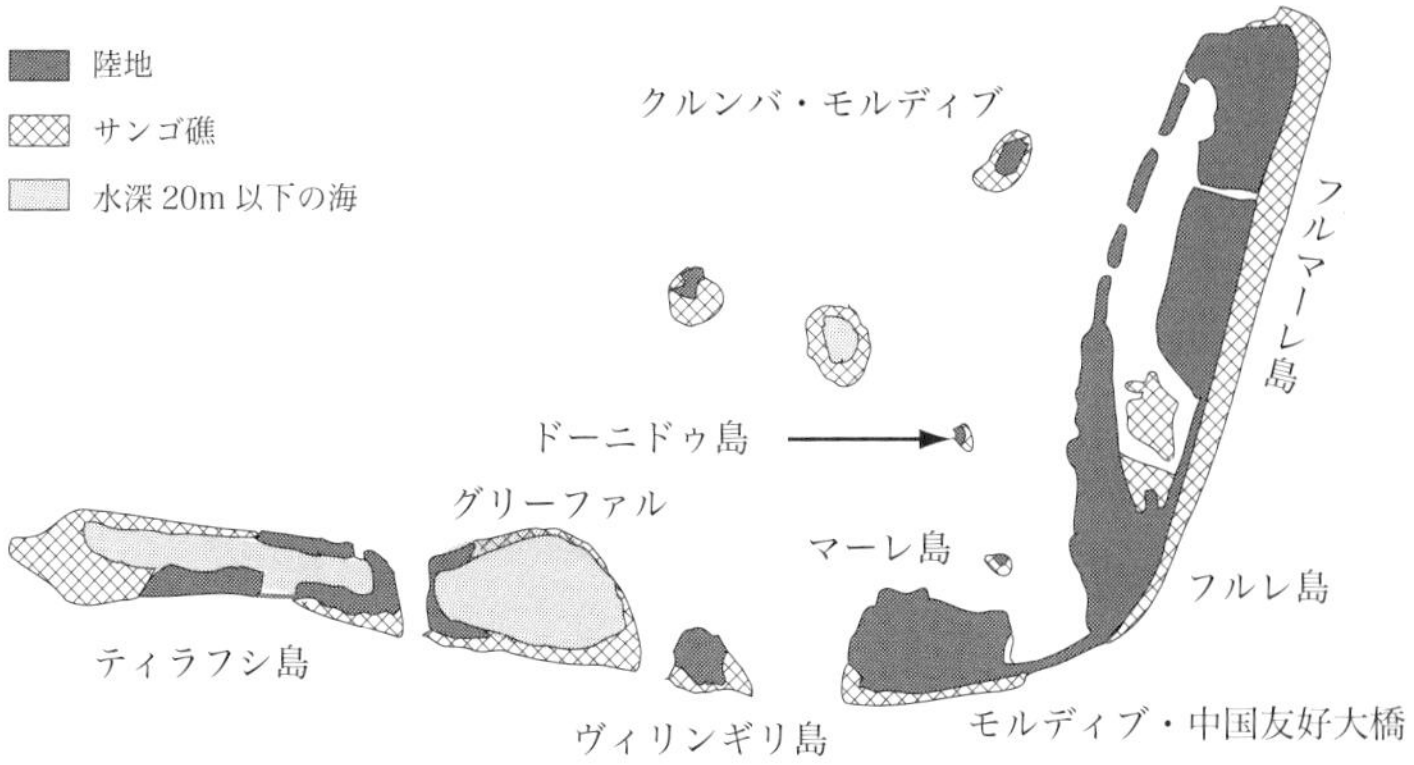

マーレ島周辺

の環礁が続く。中部のヴァーヴ環礁は１６０１人、ファーフ環礁は４１１９人、ミーム環礁が４７０５人、ダール環礁５３０５人と人口は少ない。ヴァーヴ環礁には住民島は５つしかない。

　興味深いのは、さまざまな理由から島民全員が別の島に移住することによっても人口の変化が生じることである。たとえば、１９９３年にヌーヌ環礁トレンドゥ島の住民がケンディクルドゥ島に移住したのは深刻な侵食が原因であった。２００４年の津波においても被害が深刻な地域からの人口の移動が見られ、ラー環礁のカンドルドゥ島の住民はそれまで２００年間ほど無人島だったドゥヴァーファル島に移動した。他方、リゾート島のなかにもかつて住民がいた島もある。たとえば、北アリ環礁のクラマティ島の住民は１９６９年にラスドゥ島に移動し、無人島になっていた元の島は１９７７年にリゾートとなった。

（荒井悦代）

2

サンゴ礁とサンゴ洲島

★独特なサンゴ礁地形をつくるインド洋の気候★

青い海にドーナツ型のサンゴ礁。モルディブを象徴するサンゴ礁、ファロ（faro）とよばれる小環礁である（写真1）。ディベヒ語のfaruはサンゴ礁を示すが、これがファロの語源となった。サンゴ礁は、刺胞動物門に属する動物である造礁サンゴや藻類であるサンゴモなどの造礁生物が、何千年もの時間をかけてその骨格を積み上げながらつくってきた地形である。ファロは直径数百メートル、大きくても2～3キロメートルで、中央部に浅く小さな礁湖を湛える。中央に島を載せた円形のサンゴ礁も多い。モルディブ諸島中北部では、環礁の縁が連続せず、このようなファロや円形のサンゴ礁が連なって環礁の縁がつくられる。ファロは環礁内の深い礁湖（ラグーン）の中にも散在する。マルコポーロはモルディブを「インド洋の花」と称した。サンスクリット語で花輪の島を意味する“malodheep”がMaldiveの語源ともいわれる。花輪を連ねたようなサンゴ礁地形は、世界でもモルディブ諸島中北部だけにみられる独特の地形である。南北に長いモルディブ諸島では、サンゴ礁の地形が南北方向で変化する。モルディブ南部の環礁は、太平洋の環礁のように縁が連続した環礁となり、ファロの数は少ない。最南

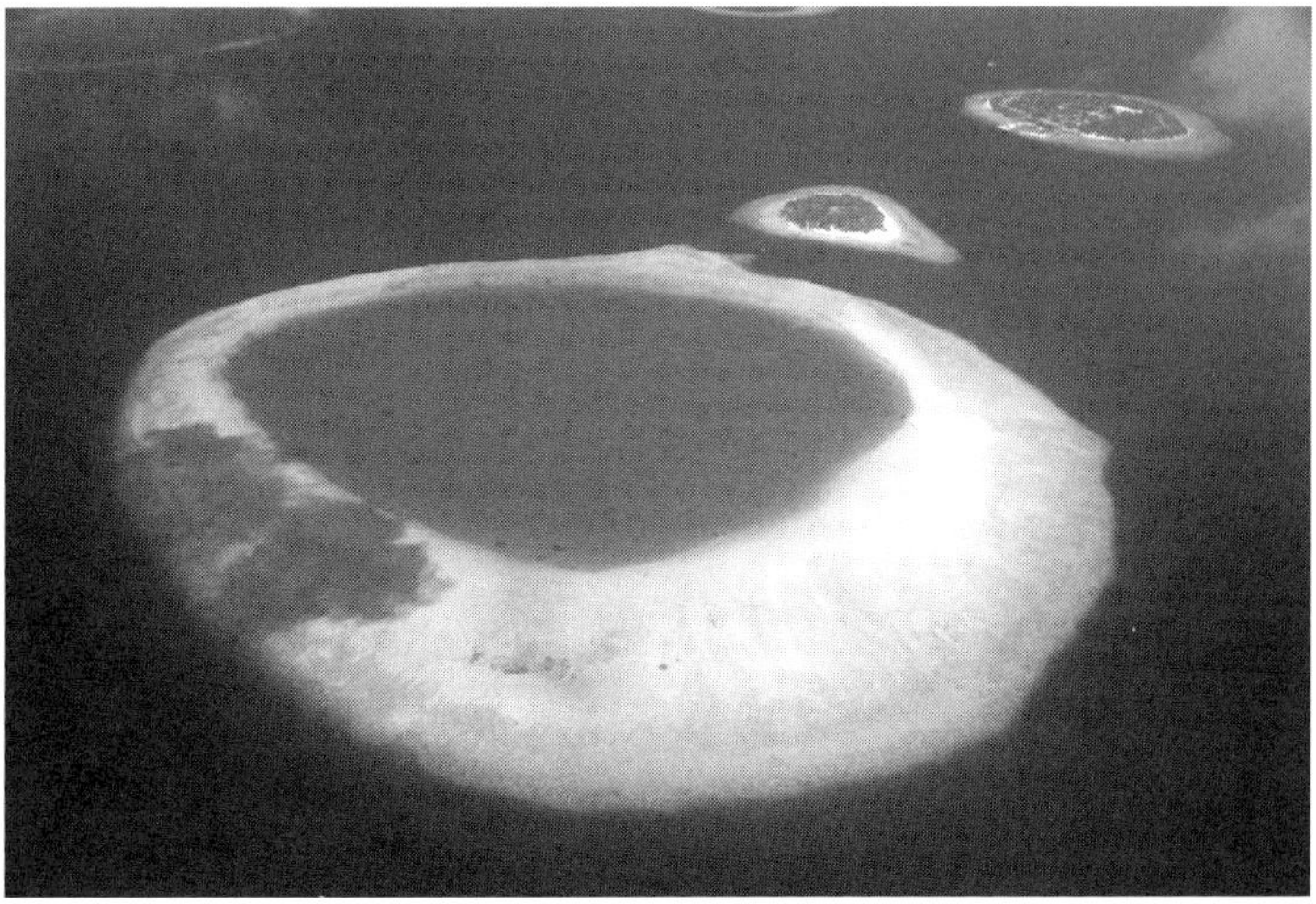

写真1　モルディブ諸島で特徴的に見られるドーナツ状のサンゴ礁「ファロ(faro)」(北マーレ環礁、右上はバンドス・アイランドリゾート、2005年2月撮影)

端のアッドゥ環礁ではファロは全くみられない。

モルディブ諸島は26の環礁で構成されている。南北に並ぶ環礁群は、最北部と南部は1列、北緯2度4分〜6度の間で東西二列に配する。一列ないし二列の環礁群の東西は、水深2000〜3000メートルの海洋底である。モルディブの環礁群はインド洋中央に南北に連なる海底山脈、ラッカディブ―チャゴス・リッジ上に載る。ラッカディブ―チャゴス・リッジの基盤は約6千万年前に海底から噴出した火山岩である。その後、火山岩の上にサンゴ礁石灰岩の堆積が始まり、現在のモルディブ諸島の概形がつくられた。石灰岩の厚さは2000〜3000メートル以上に達する。

二列の環礁の間は最深部で水深900メートルを超えるが、概ね水深300〜500メートルである。それぞれの環礁が内側に湛える礁湖は、北部で水深30〜40メートル、中部で水深40

〜60メートル、中南部から南部で水深60〜80メートルと南ほど深くなる。環礁上の洲島は約1200あり、このうち約990の島でなんらかの植生をもつ。

モルディブ諸島は北緯7度35・6分〜南緯0度42・4分の間に南北に連なる。この緯度差は気候条件の差として現れる。ただし、年平均気温は28℃で、緯度による気温差は顕著ではない。年平均降水量は北部で1786・4㎜、中部で1924・7㎜、南部で約2277・8㎜と南部ほど若干増加する。南北で最も違いがあるのは風である。インド洋はモンスーン（季節風）が卓越する地域である。北側に世界最大の大陸であるユーラシア大陸があるためである。大陸は海洋に比べて冷やされやすく、熱せられやすい。冬に温度が低くなったユーラシア大陸では、地上付近の大気が冷やされ、密度が高く重くなるため高気圧が発達する。インド洋ではユーラシア大陸と比べて温度が高いため、その上で上昇気流が発生し、相対的に気圧が低くなる。このためユーラシア大陸からインド洋へ向けて季節風が吹くことになる。モルディブ諸島では12月から3月に北東季節風が吹く。大陸からの季節風は水蒸気を多く含まないため、この時期に乾季となる。一方、夏季にはユーラシア大陸が熱せられ、大陸上で気圧が低くなるため、インド洋から大陸へ向かう季節風が吹く。モルディブ諸島では4月から11月に海洋上の湿った大気が南西季節風となって吹き、雨季となる。この時期にはときおり集中豪雨や強風、嵐が発生する。熱帯低気圧も発生する。インド洋の熱帯低気圧はサイクロンとよばれる。ただし、熱帯低気圧は赤道域で発生しない。地球は緯度によって自転速度が異なるが、この違いによって生じる転向力（コリオリの力）が赤道上では働かず、渦を発生しにくくなるためである。モルディブ諸島では、北部できわめてまれに熱帯低気圧が発生し通過する。また中北部の島々では、インド洋北部で発生す

第2章

サンゴ礁とサンゴ洲島

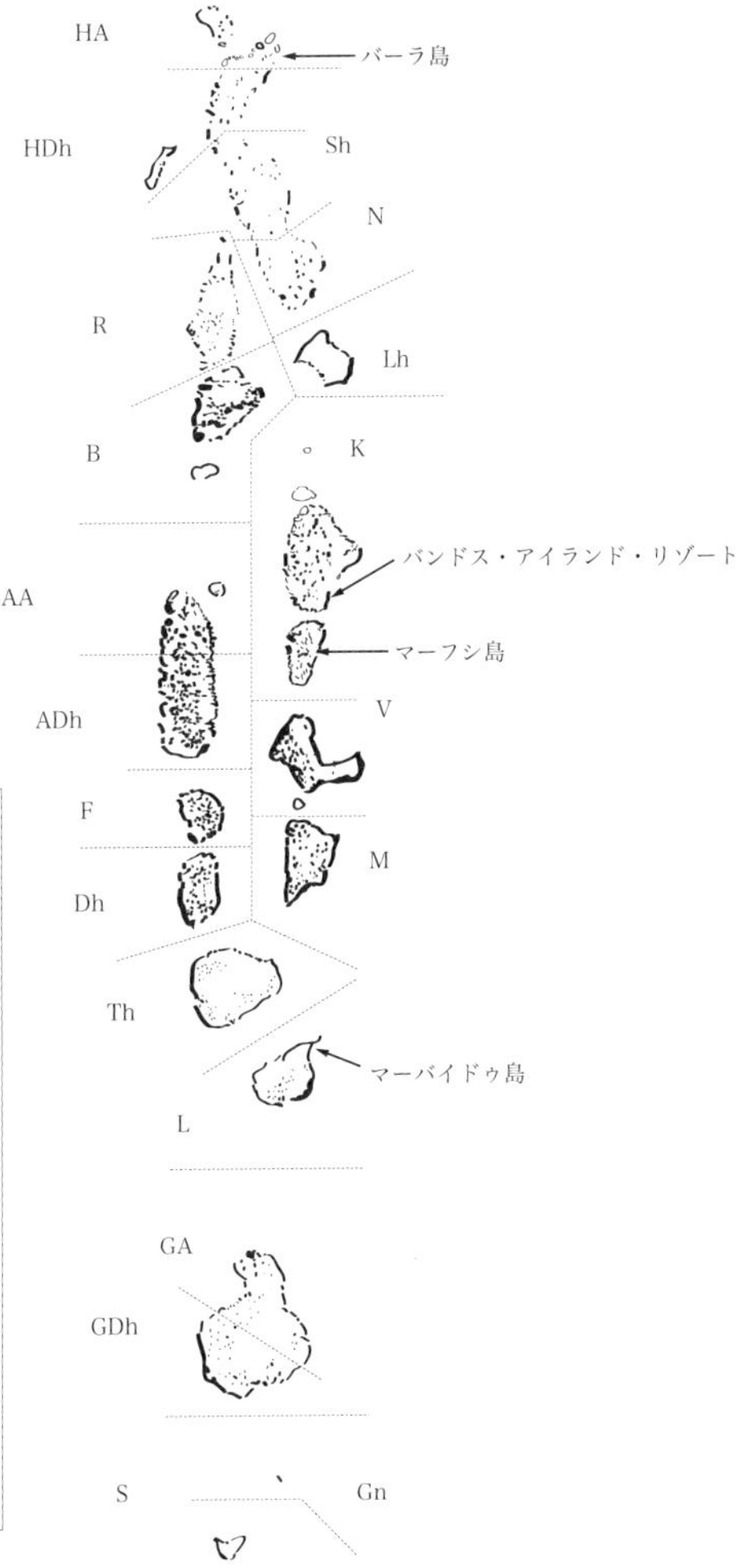

環礁の行政名

HA	ハー・アリフ
HDh	ハー・ダール
Sh	シャヴィヤニ
N	ヌーヌ
R	ラー
B	バー
Lh	ラヴィヤニ
K	カーフ
AA	アリフ・アリフ
ADh	アリフ・ダール
V	ヴァーヴ
M	ミーム
F	ファーフ
Dh	ダール
Th	ター
L	ラーム
GA	ガーフ・アリフ
GDh	ガーフ・ダール
Gn	ニャビヤニ
S	シーヌ

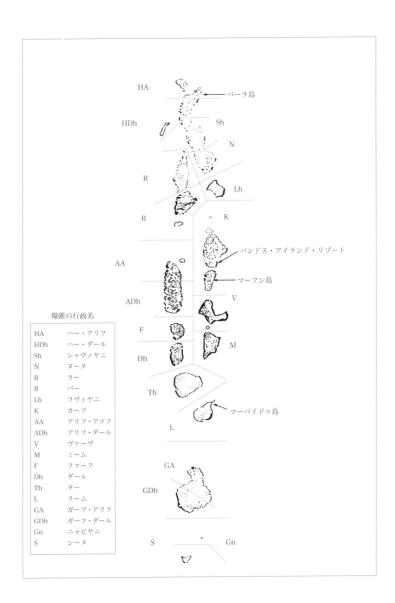

る熱帯低気圧の影響で高潮災害を受けることがある。

実は、環礁の上に載る洲島の発達には、季節風やサイクロンの影響が大きく関わってくるのである。モルディブ諸島のサンゴ礁は放射性炭素年代で約3000年前頃までに海面付近まで成長し、その後、サンゴ礁上で洲島が形成された。洲島は造礁サンゴなどのサンゴ礁生物の遺骸が砂礫となって集まったものである。季節風や熱帯性低気圧などによる暴風・高波のもと、造礁サンゴが波によって砕かれ、サンゴ礁地形の上に堆積する。これが、通常の波浪のもとで動かされ、再堆積をしながら島が成長していくのである。暴風・高波の頻度が高いほど洲島の高度が高くなる。

それではモルディブ諸島の北部と南部で、サンゴ洲島の地形にどのような違いが生じているのだろうか。モルディブの離島は外国人が許可なく立ち入ることができない島がほとんどであるが、私はインド洋大津波のあと、現地政府の人たちとともに北部から南部にいたる43島で調査を行い、洲島の地形観察や断面測量を行うことができた。

北部のハー・アリフ環礁バーラ島の地形断面（図1―上）をみてみよう。島の東端には高く突き出した地形が見られる。高さを強調して描いているが、高度が3・2メートルあるストームリッジとよばれる地形である。外洋に面し季節風が吹いてくる北東側に、サンゴ礫が積み上げられてできた高まりである。その西側は一旦少し低くなるが、また高度2メートルほどの高まりができている。島の中央部は高度が低く、ココヤシ林となる。このように大きな洲島では地形の多様性とそれらの帯状構造（分帯構造）が発達しており、それに対応して海岸植生やココヤシ林など、成熟した植生の帯状分布がみられる。島の西側、礁湖に面した場所が住民の居住域である。居住域の高度は1・5～1・7

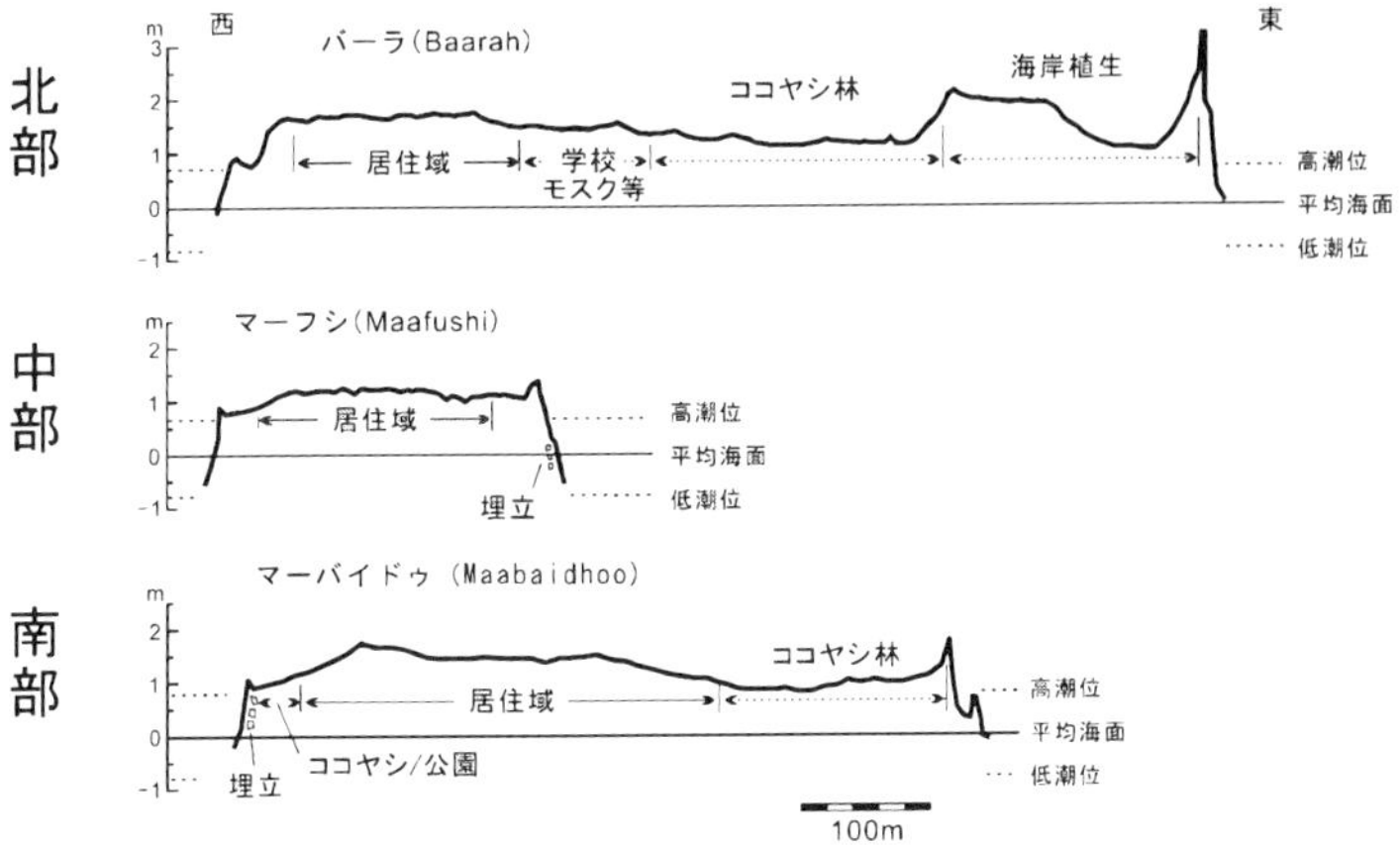

図1　サンゴ洲島の地形断面

メートルである。北部の島の多くでは島の規模が大きく、外洋側にストームリッジが発達しているため、礁湖側の居住域は嵐や季節風の影響を受けにくい。

中部の南マーレ環礁にあるマーフシ島（図1―中）は島の規模が小さい上に平坦で、最高高度が1・4メートルしかない。島のほとんどが住民の居住域であるが、居住域の高度は1・0〜1・2メートルである。ここでいう高度は平均海面からの高さであり、満潮時の水位は平均海面から0・7メートル高い。人々は満潮時の水位からわずか0・5メートルの高さに住んでいることになる。いくつかの島で地形測量を行ったが、島の高度や地形の特徴はどの島も同様であった。

南部のラーム環礁マーバイドゥ島（図1―下）には東側にわずかな高まりがあるが、高度は2メートル未満と低い。北部のように熱帯低気圧の影響を受けないため、ストームリッジが発達しないのである。しかし島は500メートルを超える幅があり、高度が低い島の東部はココナツが林をつくる。この島での人々の居住域は1～1・7メートルと高い。南部の島はストームリッジが発達していないものの、島の幅が広いのが特徴である。

以上のように、モルディブの多くの島では、人々は満潮時の水面から高さ1メートル以内の土地で生活していることがわかる。

図2にモルディブ諸島のサンゴ礁や洲島の地形および気候条件などの緯度勾配を表した。環礁の縁は北部で不連続であり、南ほど細長く連続する。ファロの数は北部で多く南部で少なくなる。礁湖の水深は北部で浅く、南部で深い。これは氷期に海面が下がった際に、降水量の多い南部で石灰岩の侵食が進んだためと考えられている。風に関わる条件では、北部で北東季節風と南西季節風の交替が顕著であり、サイクロンの影響などによる暴風・高波の頻度も多い。洲島の高度は、ストームリッジが発達する北部で高く、南部で低いが、これは暴風・高波の頻度と関係する。また、洲島の面積は北部と南部で大きく、中部で小さい。北部は気候条件が洲島を大きくするとみられる。南部では、洲島の土台となる環礁の縁が連続していて大きいため、洲島の規模が大きくなるのであろう。南北に長いモルディブのサンゴ礁と洲島の地形は、インド洋の気候とその緯度勾配を雄弁に物語っている。

（菅　浩伸）

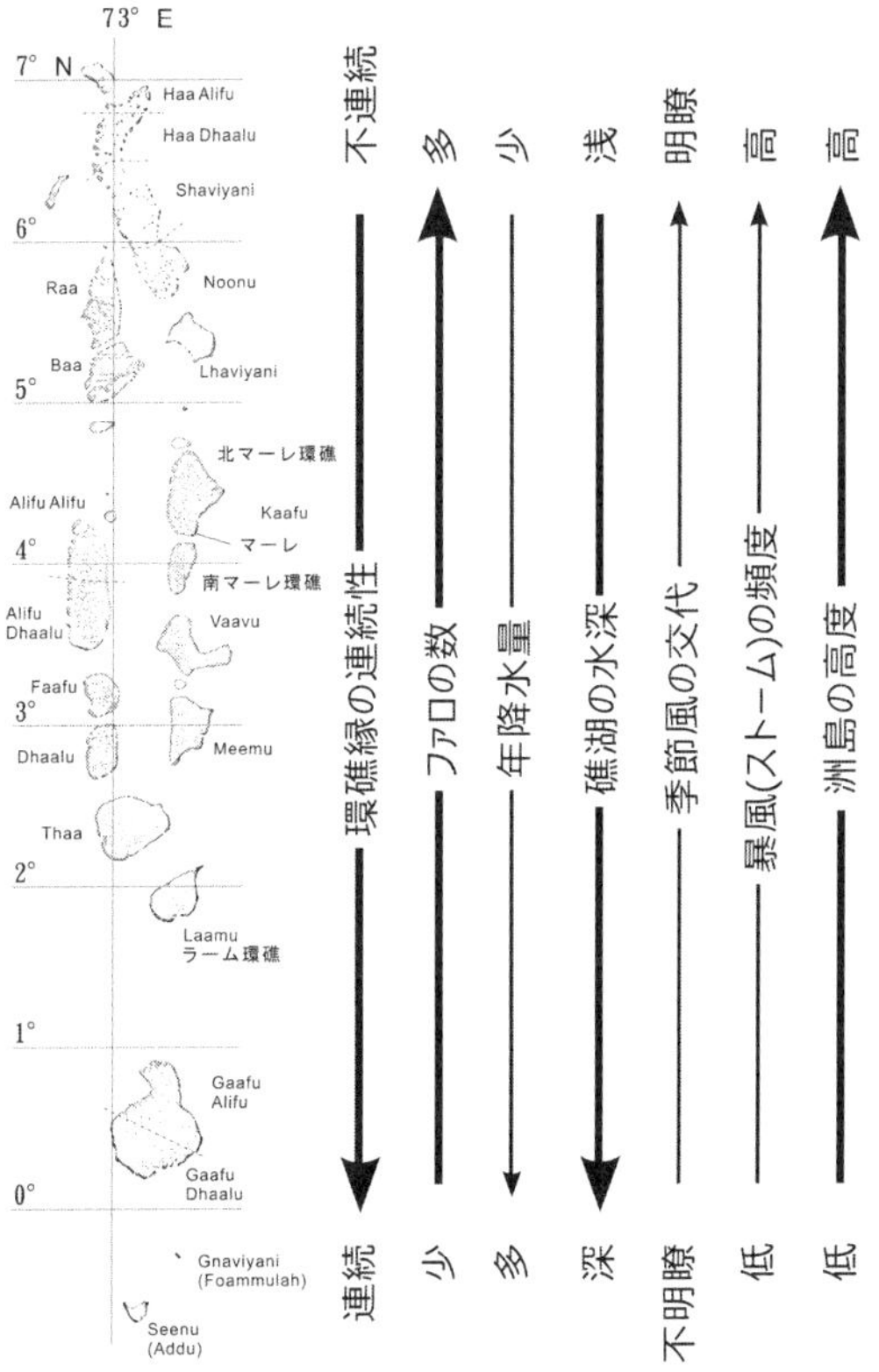

図2　サンゴ礁や洲島の地形・気候条件の緯度勾配（太矢印は地形の特徴、細矢印は気候の特徴をあらわす。）

Ⅱ

歴　史

3

イスラム教改宗以前のモルディブ

★伝説と外国人の目に映った島国★

モルディブは1153年に仏教からイスラム教に改宗し、その後はスルタン（イスラム国の君主）による統治が行われた。自国の文字（ディベヒ文字）による記録が残されているのはこれ以降である。それより前、とくにモルディブ人の起源などに関しては、近隣国の記録・伝承や遺跡の考古学的調査から解明してゆくするほかはない。遺跡等の発掘が始まったのは20世紀以降であり、しかも部分的にしか発掘調査が進んでいないため、歴史に関して不明確な点が多い。

モルディブ人によってモルディブの歴史が記された最も古い本（アハメド・シハーブディン Ahmed Shihabuddin 1588〜1658年没）によれば、はじめてモルディブに住み始めたのは、西インドのカーリバンガン（現在のラージャスターン州）から渡ってきたデーヴィス(Dheyvis)であるとされる。デーヴィスは、ラーム環礁のイスドゥ島に住み着き、太陽や月、星などの自然を信仰の対象とし、サワミア（Sawamia）と呼ばれる宗教指導者がいた。その後レディ族やクンビ族と呼ばれる人々も住み着いたという、民間伝承が残るがはっきりしたことはわかっていない。

そして紀元前6世紀ごろには、アーリヤス（Aryas）が住み着き、ヒンドゥ教を持ち込んだと考えられている。アリ環礁アリヤドゥ島からリンガ（男根をかたどった像）が見つかり（1959年）（諸説あり）、ヒンドゥ教も信仰されていた裏付けとされる。

一方でモルディブの北部には、インドの西海岸（ケーララ州）からドラヴィダ系の人々が住み着いていたとされ、北部の島の古い名前にヴァラム（varam）というドラヴィダ語系の名前がついている理由とされている。デーヴィスの住んでいた南部のフヴァドゥ環礁（行政名はガーフ環礁）にはセレンディブ（スリランカ）から移住もあったとされている（Shihabuddin）。

前述のアハメド・シハーブディンによればモルディブ最初の王は、紀元前5世紀頃にインドのカリンガ（現在のオディシャ州）からディーワ・マーリ（Dheeva Maari, 当時のモルディブをさすと思われる）に追放されたスールダッサルナ・アディーティヤ（Soorudasaruna Adheettiya）王子で、アーディータ（Aadheetta, 太陽）朝を興した。ちなみに隣国スリランカの叙事詩マハーワンサでは、同じころヴィジャヤ王の一行がインドからスリランカに追放された際、別の船がモルディブに向かったとある。

仏教の伝来はこの後で、スリランカに駐在したイギリス人ベルは、1920、1922年にモルディブで調査を行い、1940年の著書でモルディブにはアショカ王による布教と同じ頃の紀元前3世紀に上座部仏教が広まっていた可能性が高いと指摘した。

1996年から1998年にかけてモルディブ政府とオスロの研究者によってカーフ環礁カーシドゥ島で大規模かつ組織化された発掘調査が行われた。カーシドゥ島は大きな島でかつて航行の要衝に位置しており、多くの船が立ち寄った。発掘により大規模な僧院跡やストゥーパ（仏塔）らしき跡などが発見され、研究者たちは紀元後3世紀には仏教が信仰されていたと結論づけた。モルディブは

II

歴　史

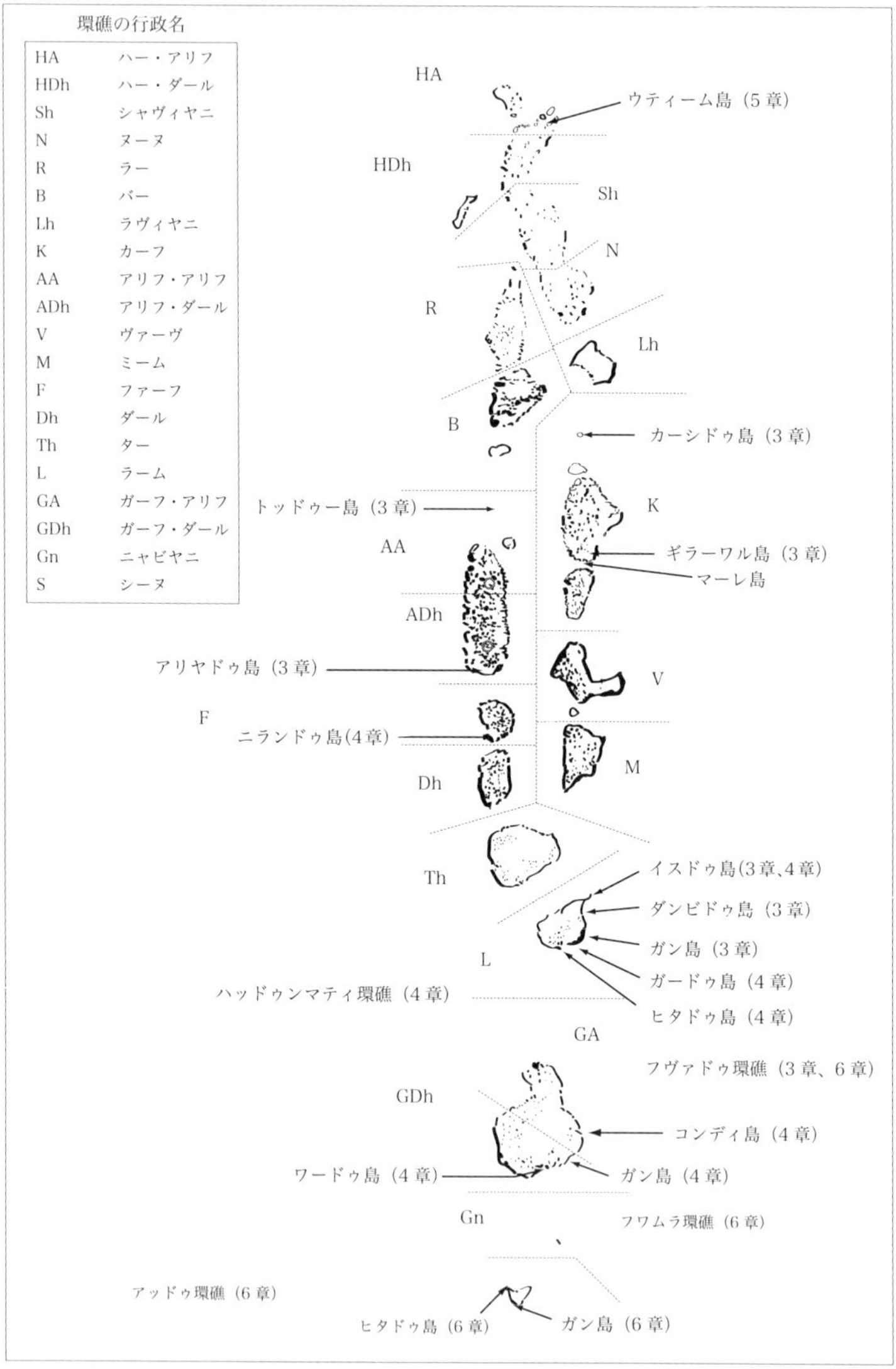
環礁の行政名
HA ハー・アリフ
HDh ハー・ダール
Sh シャヴィヤニ
N ヌーヌ
R ラー
B バー
Lh ラヴィヤニ
K カーフ
AA アリフ・アリフ
ADh アリフ・ダール
V ヴァーヴ
M ミーム
F ファーフ
Dh ダール
Th ター
L ラーム
GA ガーフ・アリフ
GDh ガーフ・ダール
Gn ニャビヤニ
S シーヌ
HA
ウティーム島（5章）
HDh
Sh
N
R
Lh
B
カーシドゥ島（3章）
トッドゥー島（3章）
K
AA
ギラーワル島（3章）
マーレ島
ADh
アリヤドゥ島（3章）
V
F
ニランドゥ島(4章)
Dh
M
Th
イスドゥ島(3章､4章)
ダンビドゥ島（3章）
ガン島（3章）
L
ガードゥ島（4章）
ハッドゥンマティ環礁（4章）
ヒタドゥ島（4章）
GA
フヴァドゥ環礁（3章、6章）
GDh
コンディ島（4章）
ワードゥ島（4章）
ガン島（4章）
Gn
フワムラ環礁（6章）
アッドゥ環礁（6章）
ヒタドゥ島（6章）
ガン島（6章）

交易が行われたインド洋上に位置し、季節風を利用してやってくる商人や旅行者らが立ち寄る場所となっていた。

外国人旅行者による紀行や商取引・外交の記録によって、当時のモルディブの姿が明らかになっている。ローマ帝国後期の軍人アンミヌアス・マルケリヌスは、4世紀に、Divi（モルディブと考えられている）という国からローマ皇帝ユリアヌス（Julian）に贈り物があったと述べており、モルディブの人々が当時の世界情勢を認識していたことがわかる。

6世紀にエジプト人キリスト教徒によって書かれた書物では、モルディブとおぼしき国がタカラガイ、アンバーグリス（竜涎香、マッコウクジラの結石で香料の一種）、鼈甲、ココヤシロープなどを輸出していると記述がある。島はタカラガイを産出する島とコイア（ココナッツやしの外皮の繊維）を産出する島に分類されていた。浅瀬にココナツの葉で編んだマットを敷いてそこに集まってくる貝を収穫した。タカラガイは、4～5世紀頃からインドなどで貨幣として用いられるようになり、モルディブが独占的に供給したとされている。モルディブ産のタカラガイはサイズが小さく、貨幣として扱いやすかったと推測され、タカラガイ供給地として栄えた。ベンガル（現在のバングラデシュとインドの西ベンガル州）のコメ一袋とタカラガイ一袋が交換された。しかし、貨幣としてのタカラガイは、18世紀末頃を以て役割を終えその後のモルディブは一転して漁業に頼る経済構造になった。

7世紀には、モルディブ太陽朝の王が中国の唐の皇帝に658年と662年に贈り物を届けたという記録が残っている。一方、中国からは絹や陶器が持ち込まれた。

9世紀前半のスレイマン（Sulaiman, 850ADペルシャ人商人）によれば、1900の島からなるモルディブを支配していたのは女王であったこと、タカラガイとアンバーグリス、ココナツの交易が行われていたことのほか、モルディブの機織り、建築技術や造船技術を賞賛している。モルディブの造船は、ダウ船(アラビア海・インド洋で用いられた木造帆船)と同様に木片をヤシロープでつなぎ合わせ(縫合船)、継ぎ目をマッコウクジラの油で埋める手法がとられた。

再びアハメド・シハーブディンによれば、イスラムへの改宗の約150年前に、太陽朝の最後の女王ダマハル(Damahaar, Damhara とも)が、月王朝の王子(インドのカリンガ出身、現在のオディシャ州の一部)と結婚し、モルディブに月王朝を新たに興した。

月王朝のマハバーラナ(Mahaabarana)王(在位1121(1117?)~1141)は北部の環礁に侵攻していたインドのチョーラ朝を排除し、モルディブを統一し、14環礁・2000の島の王と呼ばれた。その後甥が1142年(諸説あり)に後を継ぎ、1153年にイスラム教に改宗し、ティームゲ(Theemuge)王朝(~1388年)を興し、イスラム教国の君主であるスルタンとなった。

月王朝に関しては、外国の書物の他、モスク建造の際に銅版にエヴィーラ文字(ディベヒ語の古い表記)で記録された寄進目録ローマ・ファーヌ(Loamaafaanu)(ラーム環礁のイスドゥ島で発見されたもの、同環礁のダンビドゥ島で発見されたもので、それぞれ1195年、1196年の記録)によっても知ることができる(別の伝承では、モルディブの初代王は、1117年にモルディブに到着したコイマラ(ダルマワンタ・ラスゲファァーヌ)で、インドの王子であった。北マーレ環礁ギラーワル島の住民が彼の船を見つけ歓待し、コイマラ一行は魚の血で赤く染まった島(マーレ)に住むようになった)。

銅版にはモスクを建設した王、および先代の4人の王の名前、王の業績や大臣の名前、当時の風習が書かれている。銅板によれば、仏教の僧院は王の命令によって取り壊され、島にあった仏教団体は解散させられた。僧院跡にモスクが建設され、モスク維持のために土地が与えられた。

政治に関しては、主要な一族が地方の島の行政を担当していたこと、貧困層には施しが与えられていたこと、王は離れた島の情報について正確に把握し、各島の有力者に土地を付与していた。なお銅板に記された大臣職は20世紀半ばまで継続した。

銅販には司法制度が整っていたことを示す記述もあり、イスラム教に改宗する以前から紛争解決のための慣習法および制度があったことを示している。改宗以降は、イスラム法と慣習法に基づいて判決が下された。慣習法は、第一次憲法（１９３２年）で廃止されるまで残った。

外国人の旅行記にも銅板と同様の記述がみられる。Al Jawaliqi（１１３５ＡＤ）によれば、太陽朝の最後の女王は、金のローブをまとい、兵隊を従えていた。王や大臣たちは離れて彼女の後に従った。多くの住民が住むマーレに居を構えた。アラブ人の地理学者 Al Idrisi（１１５０ＡＤ）は王が島々を支配し、外敵から島々を保護した。王の妻は仲裁を行い、人前から姿を隠すことはなく、税金を徴収しその収入を貧者に分配したと記述している。儀式の際、女王は象に乗り、奴隷の少女たちが彼女の後に従った。女王が通る進路は従者が絹の布で覆ったという。そのほか、鼈甲、ココナツ、タカラガイが取引され、その収入は王が得ていた。袖とポケットのついた服作り、ダウ船を作った。建物は堅い石で作られていた。スリランカとモルディブとの距離は船で７日と記録されている。

（荒井悦代）

モルディブの島々――特色や人々

コラム１　荒井悦代

それぞれの環礁は、行政名と昔から使われてきた名前がある。さらに行政名は正式な名前と短い名前（コード・ネーム）がある。ここでは行政名の短い名前を用いた。行政名の正式名称や昔から使われてきた名前は本書第1章の表にまとめたので参照されたい。

1．ハー・アリフ（Haa Alifu）環礁のドナクリ島（Dhonakulhi）は、何世紀もの間インド南西部マラバール海岸を拠点にする海賊の基地として用いられた。現在はIsland Hideaway at Dhonakulhiというリゾートとなっている。

2．バーラ島（Baarah）は、1558～1573年の間ポルトガル支配の拠点であった。

3．ハー・ダール(Haa Dhaalu)環礁のノリヴァランファル島（Nolhivaranfaru）には、北アフリカおよび中東のアラブ人の墓があるものの、子孫が残っているかどうかは明らかではない。マラバール海岸からヤシ酒の技術を伝えるためにやってきた外国人の墓も残っている。南ティラドゥンマティー環礁のココナツロープは、スリランカ産やインド産よりも強靭で、高品質と見なされ高い値段で取引された。

4．シャヴィヤニ（Shaviyani）環礁のフィーヴァ島（Feevah）は、農業が盛んである。キーキミニ島（Keekmini）は魚加工工場がある。ナランドゥ島（Nalandhoo）は特殊な形をしており、汽水の池がありナマコ養殖が行われている。エカスドゥ島（Ekasdhoo）にも汽水の池があり、農地として用いられている。

5．ラー（Raa）環礁のアリフシ島（Alifushi）、インナマードゥ島（Innamaadhoo）、イング

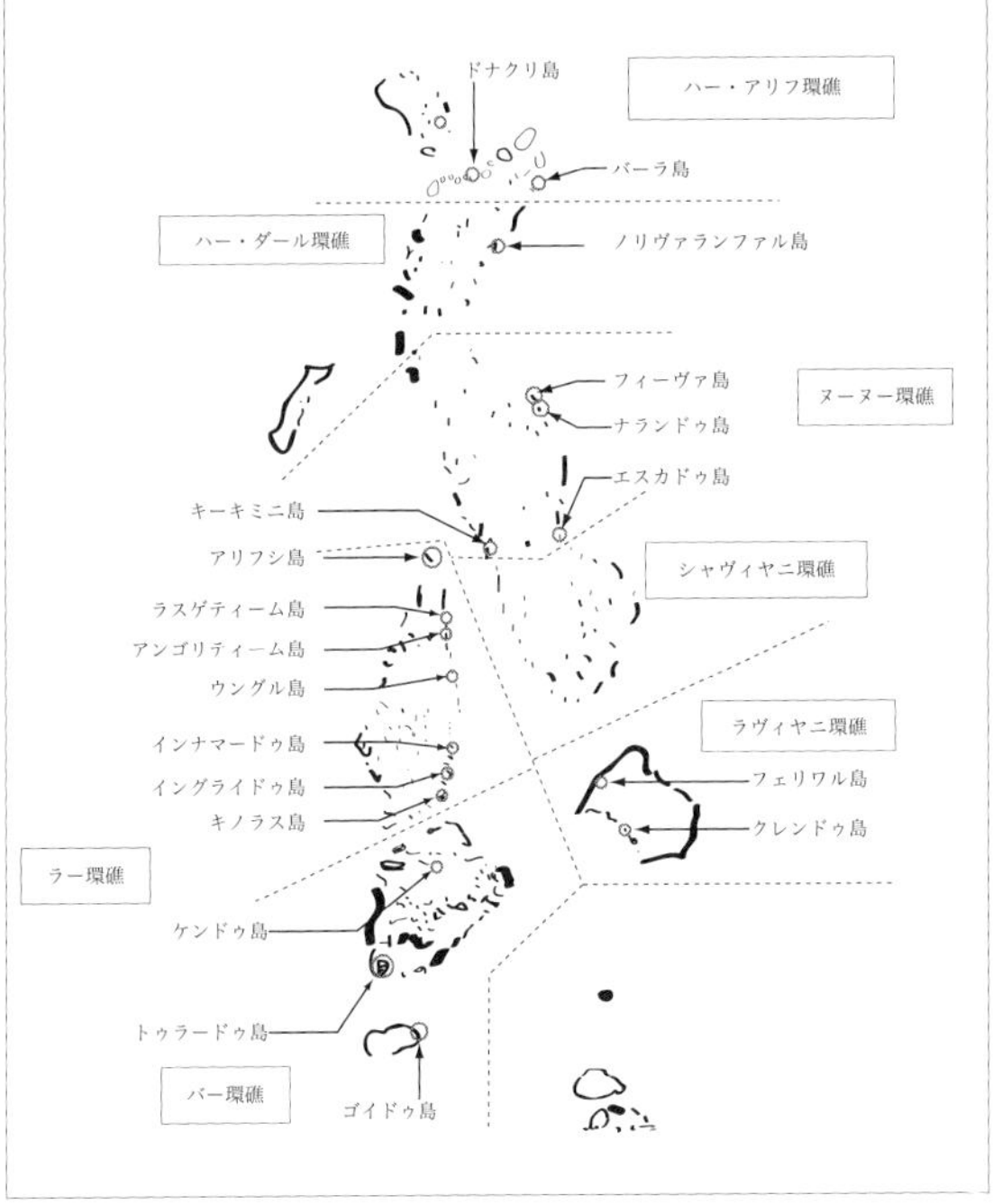

ラードゥ島（In'guraidhoo）は造船技術を持つ職人が住む島として知られている。キノラス島（kinolhas）は、航行者や商人らが拠点として用いた。ラスゲティーム島（Rasgetheemu）は、モルディブの初の王コイマラ・カロとその一族がモルディブ到着後に住み始めた島とされている。アンゴリティーム島（An'golhitheemu）は、コイマラの召使や付き人たちが住んでいたと信じられている。ウングル島（Ungulu）は、レディン族（Redhin）が住んでいたとの言い伝えがある。

6．バー（Baa）環礁のトゥラードゥ島（Thulhaadhoo）はモルディブ唯一の漆器つくりで有名。この環礁はマンタの乱舞でも有名である（コラム6参照）。ゴイドゥ環礁（Goidhoo）は160ヘクタールの広さがあり、野菜の栽培で有名で、チリ、スイカ、キュウリ、キャベツ、パパイヤ、バナナを生産する。ケンドゥ（Kendhoo）島は、1153年にモルディブをイスラム教に改宗した聖人が船から泳いでやってきて奇跡のようにカツオを捕まえたという言い伝えが残っている。

7．ラヴィヤニ（Lhaviyani）環礁のフェリワル（Felivaru）島には1978年に国内初の缶詰工場が作られた。クレンドゥ（Kurendhoo）島には、東アフリカ出身の聖人、Al Hafiz Yousuf Najiibul Habushee の墓が残されている。

8．カーフ環礁（Kaafu）のギラーワル Giraavaru 島は現在はリゾートだが、民話が多く残る。島民たちは、ドラヴィダ系タミル人であると主張しヒンドゥー教の慣習に似たものが残っている。南マーレ環礁のロスフシ島（Lhosfushi）には1200年前の人骨が残されていた。北マレ環礁のフラー（Huraa）島は、フラー王朝（1757〜1965）の発祥地である。この王朝の祖先は難破船に乗っていたフランス人である。マーレ島は、多くの外国人が訪れた。ポルトガル支配の終わった1573年にポルトガルに協力したマラバール出身のインド人らは、結婚し子どももいたためイスラム教に改宗後、マーレ島に住むことを許された。

9．アリフ・アリフ（Alifu Alifu）環礁のトッドゥ（Thoddoo）島はスイカを生産する。フェリドゥ（Feridhoo）島は、アフリカより連れてこられた奴隷が先祖であるといわれており、現在も人気の音楽やダンスのルーツになっている。

10．アリフ・ダール（Alifu Dhaalu）環礁のフェンフシ（fenfushi）島とマーミギリ（Maamigili）島は砂採掘職人の島として知られている。ディグラ（Dhigurah）島には19世紀後半、座礁した船からフランス父子がやってきた。父親は死に、子はその後、農地として用いられていたディッドゥ（Dhidhdhoo）島に移り住んだ。

11．ミーム（Meemu）環礁のディッガル（Dhiggaru）島とマドゥッヴァリ（Maduvvari）島は漁業の島として知られている。最長のリーフ（サンゴ礁）を持つ。19世紀に中国船が沈没し、2人がムリ（Muli）島に到着し、一人はそのまま住み着いた。

12．ダール（Dhaalu）環礁のリンブドゥ島（Rin'budhoo）とフルデリ（Hulhudheli）島は宝石加工・銀細工で有名である。

13．ラーム（Laamu）環礁のマーンドゥ

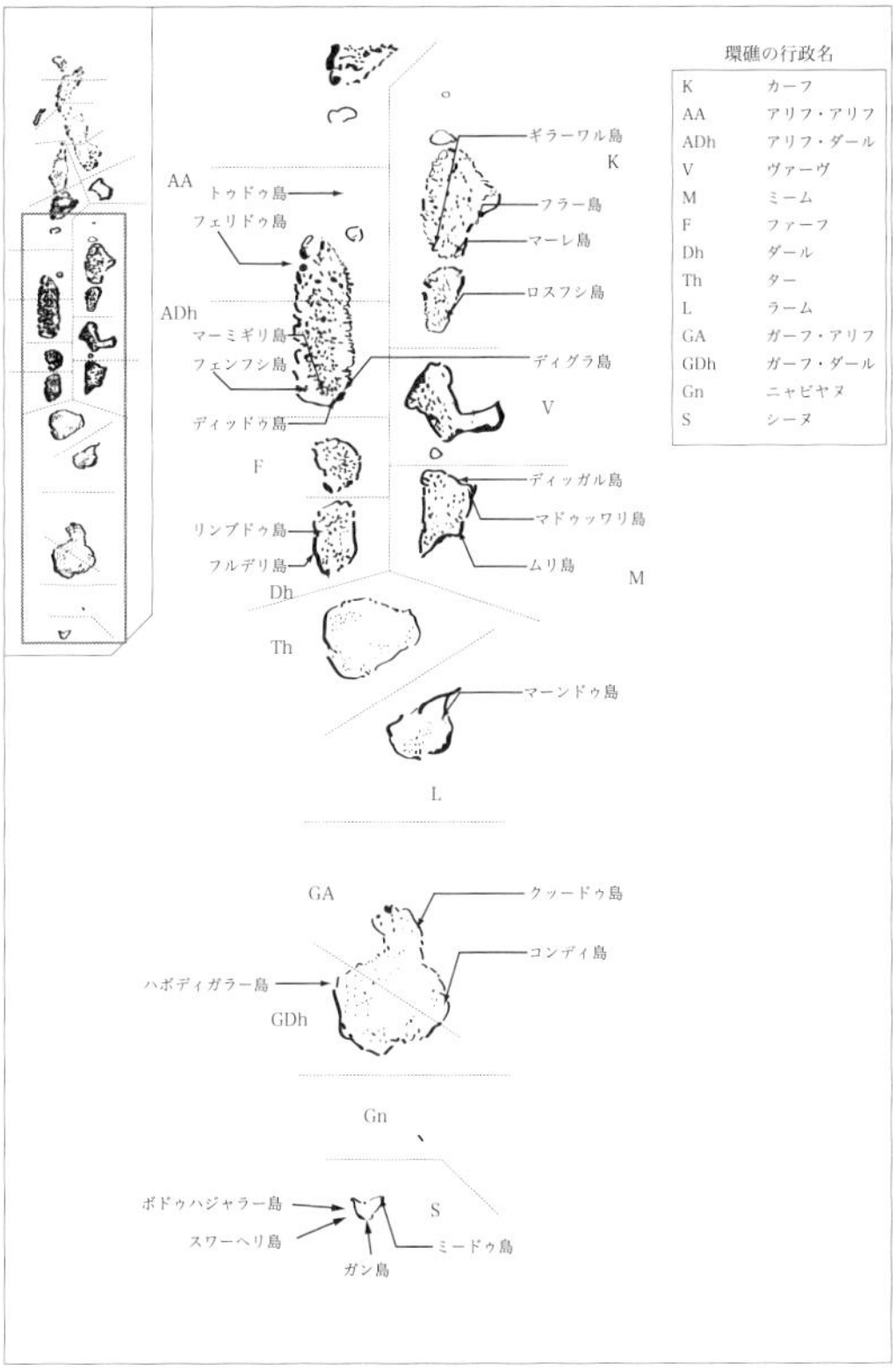

環礁の行政名	
K	カーフ
AA	アリフ・アリフ
ADh	アリフ・ダール
V	ヴァーヴ
M	ミーム
F	ファーフ
Dh	ダール
Th	ター
L	ラーム
GA	ガーフ・アリフ
GDh	ガーフ・ダール
Gn	ニャビヤヌ
S	シーヌ

（Maandhoo）島は魚の冷蔵貯蔵と加工工場・缶詰工場を持つ。ラーム環礁はリーフが長くつながり、環礁内部への水路は少ない。

14．ガーフ・アリフ（Gaafu Alifu）環礁のクゥーッドゥ（Kooddoo）島には缶詰工場、製氷施設がある。18世紀の後半に沈没したフランス船の乗組員のうち15歳の少年のみが生き延び、コンディ（Kon'dey）島に連れてこられた。その子孫は、周辺の島に移り住んだ。

15．ガーフ・ダール（Gaafu Dhaalu）環礁のハヴォディガ（Havodiga）島はアジサシの保護区である。マットは、カーフ・

ダール環礁の特産で、黒・黄・白の幾何学模様が美しい。

16. ニャビヤニ（Gnaviyani）環礁はフワムラ（Foammulah）島のみからなる。インドネシア船がマダカスカルへ向かう航路上にあった。そのため、島民にはインドネシアの人々に似ている容貌も見られる。島の人々は、奴隷として連れ去られるのを恐れて、女性や子供を島の中央部に隠した。

17. シーヌ（Seenu）環礁の正式名称であるアッドゥ（Addu）の名前の由来となったアッドゥ島は、ガン島の南にあったが、砂採取によって完全になくなってしまった。ボドゥハジャーラ（Boduhajaraa）島やスワーヘリ（Sawaaheli）島のようにアラブ系の古い名前を持つ島があるのは、古くからアラブ系の商人らが立ち寄ったものと推察できる。この環礁でのイスラム教への改宗は、1126年にミードゥ（Meedhoo）島でなされた。当時ミードゥ島に住んでいた、インドから来た仏僧の子孫もミードゥに住み着いた。

4

仏教遺跡

――★未知のまま消えゆくイスラーム以前の歴史遺産★――

破壊され続けた遺跡

モルディブは、1153年に改宗王（初代スルタン）のティームゲ・マハ・カラミンジャがイスラームへの改宗令を発布するまでは、スリランカと同様の仏教王国であった。

そのため、諸島各地に仏教遺跡が残されているが、それらの多くは、島々で家屋の建築や畑地の開墾が行われるたびに、歴史に無関心な住民たちによって破壊されてきた歴史を持つ。遺跡から出土する寺院建築の石材や仏像などは、ほとんどが海中からしか採れない珊瑚石灰岩を素材としており、加工や破砕もしやすいため、陸上にある手近な建築資材として家壁などに利用されてきたからだ。

そんなモルディブに初めて考古学調査の手が入り、遺跡保護の機運が生まれたのは、イギリス植民地時代の1879年のことである。その年、スリランカ（イギリス領セイロン）の初代考古局長だったイギリス人、H・C・P・ベルが、同じイギリス領のモルディブを初めて訪れ、南部環礁のいくつかの島に残る仏教遺跡を調査したのだ。

ベルはその後、1920年から22年にかけて何度も島々を訪れて、数か所で発掘調査も行い、その成果を大冊の報告書『THE MALDIVE ISLANDS. Monograph on the History, Archaeology, and Epigraphy』にまとめているが、それら一連の調査で採集した遺物をマーレに運んで保管させたのが、現在の国立博物館における出土品収蔵の始まりとされている。そして同時に、ベルが遺跡保護の必要性を官民に強く訴えたことから、それまでのむやみな遺跡破壊には一定の歯止めがかかることとなった。

ヘイエルダールが残したもの

とはいえ、国土の狭いモルディブにあって、住宅建設や畑地開墾に伴う遺跡破壊が止むわけはなく、その後も多くの遺跡が外国人や研究者らに知られることなく姿を消した。そのため、現在、私たちが仏教遺跡と認識して、その姿を見ることができるのは、主に南部環礁の、ベルの時代から残る比較的明瞭な「仏塔」の遺跡に限られている。

それらのうち、モルディブ最大の仏塔遺跡とされるのが、ハッドゥンマティ環礁（行政区名はラーム・アトル）のイスドゥ島北端に残る仏塔遺跡だ。ここでは、完全に崩壊して珊瑚石灰岩の瓦礫に覆われた遺跡が、高さ15メートル、裾直径30メートルほどの小山の姿で周囲に威容を誇っている。

このハッドゥンマティ環礁にはほかにも、ガン島の村落東方に高さ12メートル、裾直径18メートルの仏塔跡があるほか、ガードゥ島とヒタドゥー島にも小規模の仏塔跡が残されている。また、さらに南部のフヴァドゥ環礁（行政区名はガーフダール・アトル）ではコンデイ島やワードゥ島にも仏塔跡と見られる低い土盛りがあり、調べればさらに多くの島で仏塔遺跡は見つかるものと思われる。

しかし、これらの仏塔跡は、見た目はただの瓦礫の山であり、住民らにスリランカの白亜の仏塔の写真を見せて「かつてこんなものがあった」と説明しても信じる者は少ないのが現実だ。外国人が訪れても、発掘や修復を経ていない遺跡を「遺跡」として認識するのは困難だろうし、遺跡の元の姿を想像するのはさらに困難だろう。

ただし、数少ない例として、1982年にノルウェーの探検家トール・ヘイエルダールがフヴァドゥ環礁の無人島、ガン島で遺跡の発見と発掘を行った際には、事情が大いに異なったようだ。

この遺跡は、ヘイエルダールが当初、古代文明の太陽神殿（ピラミッド）を発見したとして世界に大きく報じられ、翌年に筆者が確認調査に赴いて、周辺の遺物に仏塔傘蓋の石片などがあるのを発見、小西正捷・立教大学教授や頼富本宏・種智院大学教授らの写真・図版鑑定を経て、実は仏塔跡であることが判明した遺跡だが、発掘された高い基壇の立派な石組みの表面に、白い漆喰（珊瑚石灰岩を焼いて作る古代セメント）の塗り跡が明瞭に残っていて、現物や写真を見たモルディブ人や外国人研究者らを驚かせた。発掘によって、瓦礫の山の下には一辺が24メートルの正方形の基壇と四方から上る階段があり、その上に伏鉢が高く聳えていたことも一目瞭然だったからである。

ヘイエルダールはその後、いくつかの島で発掘を行い、北ニランドゥ環礁（ファーフ・アトル）のニランドゥ島では、在家信者が寺に寄進する奉献小塔（石造のミニチュア仏塔）などを発見しているが、この寺院遺跡は完全には埋め戻さずに発掘跡を残したため、訪れる人はいまも基壇の建築様式などを見ることができる。また、これらの発見や発掘を含むヘイエルダールの活動は、それを機に世界の人々の目をモルディブの遺跡に引きつける役割を果たし、著書『モルディブの謎』（邦訳版）でマーレ国

写真は上より、ラーム環礁イスドゥ島の仏塔跡とスリランカの白亜の仏塔、夜叉像と仏像の頭部（マーレ博物館）

立博物館の収蔵品を多く紹介したことなどもあって、日本を含む各国からテレビや雑誌の取材が押し掛ける契機ともなった。

厳しい運命の仏教遺跡

こうして、ベルの最初の調査以来、60年を経た後にへイエルダールが改めてその存在を知らせることになったモルディブの仏教遺跡だが、逆に言えば、歴史上それぐらいしか集中的な調査はなされず、その後の研究も進んでいないため、世界的に内実がよく知られているとは言い難い。

たとえば、マーレの国立博物館にある仏像や菩薩像から、モルディブにもスリランカと同様に「密教」が伝えられていたことは分かっても、それがいつ伝わったのか、元来の上座部仏教やその後の大乗仏教との関係はどうだったのかなど、仏教史的な部分はまったく謎のままである。イスラームへの改宗時に、それまでの文献や経典類はすべて破棄されたと見られるからだ。これらを解き明かすには、遺跡の形状や出土品をスリランカやインドのものと丁寧に比較検討するか、インド、スリランカの古文献を精査するしかないのだろう。それには、まだまだ各島に残されているはずの未知の遺跡を発見・発掘して研究素材を増やしていくしか方法はない。

筆者自身、ヘイエルダールに触発されて調査を始め、1983年から98年までの間に12の島で16ヶ所の遺跡を確認して一部を拙著『モルディブ漂流』でも紹介したが、多くは瓦礫の山と化している仏塔跡で、発掘を伴わない調査では、それ以上の内実には迫れなかった。わずかに諸島北部にあるアリフアリフ・アトルのトッドゥ島で、住宅建築中の敷地から仏像頭部の破片を発見したものの、仏教寺院の跡地であるはずのその場所は宅地として整地され、遺跡としては見る影もなかった。

このように、島民の居住区域にある遺跡は今も調査などされないまま破壊され、住宅地を離れた場所の遺跡も、積極的な破壊はされないまでも、自然崩壊と風化が進むまま放置されているのが現状である。将来の研究のために保護や管理をしようにも、イスラーム以前の歴史や考古学について知識のある住民はほとんど皆無で、博物館などに籍を置くごく少数の専門家では、手の着けようもないというのが正直なところなのであろう。

それに加えて、近年はさらに遺跡や出土品の存在そのものを危うくする事態も出来している。モルディブ人のイスラーム信仰に原理主義の影が濃くなるなか、２０１２年にはマーレ国立博物館が暴徒に襲われ、仏像などの仏教関係展示物が壊滅的に壊されるという事件が起きた。博物館はそれ以前からイスラーム過激派を名乗る一派から、仏教遺品の展示をやめるよう脅されていたと、事件を取材した朝日新聞の庄司将晃記者は報じている（２０１３年10月３日付朝刊）。

こうした動きは一時的なものであってほしいが、ともかくモルディブというイスラームの国に残る仏教遺跡は、観光資源として活用されることもなく、政府が積極的に保護するわけでもなく、研究も進まないなか、厳しい風にさらされながら、ひっそりと存在していることを知っておきたい。

（岡村　隆）

5

スルタンの治世

★度重なる侵略★

モルディブ憲法はイスラム教を国教としている。イスラームへ教への改宗については次のような逸話が残されている。イスラム教を布教させるためにやってきたアブル・バラカート（Abul Barakaath）（現在のモロッコ出身）が、毎月若い女性を生贄として要求する海に住む魔物を退治したので、王が1153年に仏教からイスラーム教に改宗し国民もそれに従った、とされている。イスラム教への改宗に関する同様の伝承が、南インドやスリランカにも残っている。

マーレ島のメドゥ・ジヤーレイ（Medhu Ziyaaraiy、中央墓地）は、彼の墓である（建設は20世紀前半）1970年代まではここを通る人々は、アラーに感謝の言葉を述べたという。イスラム暦4月初日は、モルディブがイスラム教を受け入れた日として公休日に指定された（2000年より、1954~1967年の間も公休日だった）。モルディブ言語・歴史研究センターのナシーマ・モハメドは、当時モルディブで信仰されていた仏教は密教の可能性があり、改宗の逸話にあるような生贄を伴う宗教儀式を行っていたかもしれないと述べている。

14世紀初頭にモルディブを訪れた旅行者は、1316年の時点でモルディブは仏教からイスラム教に改宗して間もない様子だと述べている。一方で「三大陸周遊記」を記したイブン・バットゥータは、1343年にカーディ（イスラム法上の裁判官）として約1年モルディブに滞在した。モルディブ人は正直で信心深く、暴力を好まない、それぞれの島にモスクがあり、すべてのモスクは美しく塵一つなく清潔に保たれていると述べて、イスラム教が根付いていると述べている。バットゥータは、王族から妻を迎えるなど重用された。ただ、バットゥータが金曜日の祈りに欠席した者にむち打ち刑に処し、泥棒は右手を切り落とすなど厳格な法執行を求めたところ島民たちから反発を受けた。

1153年の改宗以降のモルディブの王は、イスラム教国の君主であるスルタンを名乗った。イスラームへ改宗した、ティームゲ（Theemugey）王朝は1117年から14世紀後半まで続き、モルディブで最も長く続いた王朝であった。

ティームゲ王朝に続くヒラーリー（Hilaalee）王朝が14世紀後半に成立したが、スルタンの座を巡って親子・兄弟間で諍いが続き、わずか数か月、時には数週間でスルタンが交代することもあった。たとえば、カル・ムハンマド（Kalu Muhammad）は1489年にスルタンになったものの9か月で兄弟に地位を譲ることになり、その兄弟も10週間しか在位できず、従兄弟に地位を奪われた。スルタンは、徴税による富やココヤシロープ、タカラガイ、干し魚などのモルディブ産品および外国船との優先取引権をもつものの、軍は持たず、決して強い権力があったわけではなかった。長期間安定的にスルタンの座を守るためには、結婚による姻戚関係の強化やさまざまな策略が必要だった。

国内政治に不安要素を抱える中で15世紀になるとモルディブは海外勢力との関係も考慮しなければな

らなくなる。具体的には大航海時代の先鞭をつけたポルトガル、およびインド西海岸の商人たちとの関係である。当時インド洋の制海権や商取引をめぐって勢力争いが行われており、モルディブのスルタンや有力者は、商人らにモルディブとの交易権という経済的恩恵を与える見返りに保護を求めたのだった。

たとえば前述のカル・ムハンマドは1489年に退位せざるを得なかったが、インド・カンナノール（Cannanore 現在のケーララ州）のアリ・ラジャ（Ali Raja, カンナノール地方のムスリム商人の長を意味する称号）に助けを求めた。アリ・ラジャは、この時すでにモルディブの北のラクシャドウィープ諸島を支配していた。アリ・ラジャは、モルディブから貢物を受け取る見返りに保護を与え、その結果、カルの二回目のスルタン在位は15年（1493～1508年）、三回目の在位は14年（1512～1527年）という長期になった。

その後カル・ムハンマドの妻と息子や孫が助けを求めたのはインドのアリ・ラジャではなく、1510年にインドのゴアを攻略して勢力を強めていたポルトガルであった。カル・ムハンマドの孫の一人で1550年にスルタンとなったハッサン9世（Hassan IX）はポルトガルに助けを求め、モルディブを離れ、インドのコチンでキリスト教徒に改宗した（クリスチャンネームはドン・マヌエル、Don Manuel）。

ポルトガルは三度にわたり遠征隊を送り込み、マーレを攻略した。三度目の遠征隊（1558年）は、ポルトガル人を父母に持ちモルディブで生まれ育ったアンディリ・アディリン（Andhiri Adhirin）が率いた。アンディリはスルタンを殺害し、ハッサン9世を飾りばかりのスルタンに据え、摂政となり、15年6か月に渡りモルディブを支配した。ポルトガルが島民にキリスト教への改宗を強制したことが住民の強い抵抗を招いた。

ウティーム島に今も残るタクルファーヌの生家

北ティラドゥンマティ環礁ウティーム（Utheem）島出身のタクルファーヌ（Thakurufaan）兄弟らは、ポルトガルにゲリラ攻撃を仕掛け、インドのアリ・ラジャの援助も得て1573年にポルトガルを駆逐した。この日はまさにポルトガルがマーレの人々に改宗しない者は殺害するとした日だった。この日はモルディブのナショナルデー（イスラム暦の3月の初日）となっている。

その後二度ほどポルトガルの遠征隊が現れたものの、当時のスルタンは要塞（フォート）を建設しポルトガルの侵入を防いだ。ウティーム島には今でもタクルファーヌの家が残されている（写真）。

このウティーム王朝は1697年まで続いた。この間、フランス人船員のピラール（Pyrard）が1602～1607年の5年間滞在し、貴重な記録を残している。

インドや欧米からの侵略

ポルトガルの支配は終わったもののモルディブは、ポルトガルとカンナノールのアリ・ラジャへの貢ぎ物を送り続けていた。セイロン（現在のスリランカ）が1645年にオランダの支配下に置かれた後は、ポルトガルとアリ・ラジャに対してではなく在コロンボ（スリランカ西岸）・オランダに貢ぎ物を送るようになった。モルディブとオランダは公式に外交文書を交わしたことはないが、モルディブがココナツロープ、アンバーグリス、マット、タカラガイを供給する見返りに、オランダはマラバール海岸からの攻撃に対しモルディブを保護し、胡椒、シナモン、クローブ、ナツメグ、アレカナッツを供給するなど、良好な関係にあった。オランダは、海難事故防止のため１６７１年にモルディブとラクシャドウィープ諸島の海洋調査を行っている。

西欧列強に加えて、インドの南西部のマラバール海岸を本拠地とする勢力からの攻撃が幾度となく繰り返された。１７５２年にはカンナノールのアリ・ラジャがマーレを襲い、宮殿を焼き、モルディブのスルタン・大臣らを拉致し、３か月と20日間ではあったが、モルディブを支配下に置いた。１７５３年ドン・バンダーレイン（Dhon Bandaarain）（のちのスルタン，ガージー・ハッサン・イズディン Ghazi Hassan Izzuddin）がインドを駆逐した。モルディブはポンディシェリー（インド内のフランス領）のフランス総督にも保護を求め、１７５４年までと短い期間ではあったが、28人のフランス部隊がモルディブに駐留した。

インド洋における覇権争いに遅れて参加したイギリスであったが、南インド東海岸の貿易拠点や荷物の集散地をめぐって争われた１７５７年のプラッシーの戦い（カーナテック戦争）以降、インドおよびインド洋におけるイギリスの勢力は強まり、マラバール海岸、カンナノールだけでなくラクシャドウィープ諸島もイギリスの支配下に収まった。さらに１７９６年にオランダはイギリスに敗れセイロンから撤退することになった。モルディブも南アジアにおけるイギリスの覇権を認め、セイロンとの交易を続ける権利を得るため、モルディブ側は毎年11月ごろにイギリスのセイロン総督に使いを送りマットや漆器などの貢ぎ物を献上した（献上は１９４７年まで継続）。

（荒井悦代）

6

イギリス保護領時代

★南部の分離独立運動とイギリスからの独立★

アミン・ディディの近代化政策

モルディブとイギリスは、しばらく正式な文書による取り決めなどはないままであった。オランダやイギリスは本拠地をセイロンに置き、間接的にモルディブを支配した。それは、モルディブが小さな島が広い範囲に散らばっていたこと、マラリアがあったこと、良い港や土地が少なかったからである。

1857年、モルディブはインドのボーア商人（ムンバイのシーア派ムスリム）を招き、マーレで商売を始めさせたが、間もなくしてボーア商人らに海外との交易を独占されることへの懸念が強まった。また、ボーア商人はモルディブ国内の有力者の対立をあおったため、政治的混乱を危惧したスルタンは、イギリスに働きかけ、1887年に正式に保護国となった。モルディブの国防と外交はイギリスが管轄する一方、国内問題に関しては干渉しないという取り決めであったが、実際は国内問題に関してセイロンのイギリス総督に助言を求めていた。以降、モルディブ政治の重要局面にイギリスの関与が見られるようになった。たとえば、スルタンのシャンスッディーン3世（ShamsuddeenIII、一期目の在位1893～93、2期目の在位190

3～34年）は、イギリスの後ろ盾を得ることで、30年余り在位した。

シャンスッディーン3世は、セイロンで1931年に制定されたドノモア憲法（男女普通選挙を定めるなど当時としては革新的）にヒントを得て、制憲議会を設立し、イギリスの助言も得て1932年12月に成文憲法を発布した。しかし、イギリスの積極的な関与がモルディブの人々にとって国内政治への介入と映った。また32年憲法では輸出入公社の設立を定めたことから、当時食料輸入を独占していた外国人商人たちが猛反発し、33年7月よりストライキを開始した。これにより食糧不足となり、新憲法に対する反発が強まった。その結果、憲法制定に関わった人々はコロンボに逃れざるを得なくなった。34年7月には次の憲法が制定されたものの、この憲法をめぐっても大臣やスルタンが対立した結果シャンスッディーン3世は10月に逮捕され、退位・島流しとなった。

その後新たなスルタンが即位したものの、海外にいたので1940年代は実質的なスルタン不在期間となり、首相としてアミン・ディディがモルディブ政治を率いた。アミン・ディディは、学校教育、保健サービスの改善、女性教育の推進、発電所・電話の導入などに取り組み、モルディブ近代化の父と呼ばれた。このほか外国人商人の活動を規制するため、モルディブ貿易公社（STO = State Trade Organization の前身）を設立した。国民の健康のためにたばこを禁止した。各島に広いメインストリートやサッカーグラウンドを整備したのも彼の発案である。メインストリートの整

アミン・ディディ

備は、地方での反乱などに早急に対応するためとされている。

アミン・ディディの首相在任中、1948年にセイロンが独立し、イギリス総督はセイロンを離れることになったが、モルディブのイギリス保護領としての地位は継続された。国防はイギリスが、外交はイギリスの助言を得て、モルディブが行うこととなり、在コロンボの英大使がモルディブを管轄した。これをもって、モルディブのセイロンへの使節派遣（朝貢）は取りやめとなった。

1952年、アミン・ディディ首相はスルタンに指名されたが就任を拒否し、それに代わり国民投票によりスルタン制廃止と共和制への移行を進め、1953年1月に自ら初代大統領に就任した。新憲法制定や女性の権利拡大に取り組んだが、保守派の反対にあう。1953年8月アミン・ディディ大統領が海外にいて不在中マーレで起きた食糧不足に対する抗議活動を理由に、副大統領が憲法を一時停止し、政権を掌握した。帰国したアミン・ディディはマーレ近郊のドーニドー（Dhoonidhoo）島に身を隠したがマーレに戻った際に、群衆に襲撃されそれが元で命を落とした。再び国民投票が行われ、98%の賛成によりモルディブは1954年にスルタン制に復帰した。新スルタンにモハメド・ファリード・ディディ（1968年のスルタン制廃止まで在位）、首相にイブラーヒム・アリ・ディディが就任した。

1950年代半ば、旧植民地諸国の独立が相次いだイギリスは、海外における軍事的影響力を保持する必要があった。1957年には、イギリスはセイロンの軍事基地から撤退することになっており、近隣における代替地の確保が急務となった。1956年、イブラーヒム・アリ・ディディ首相はアッドゥ環礁ガン島の空港（第二次大戦中に海軍基地としてイギリスが建設・利用）とアッドゥ環礁ヒタドゥ

(Hithadhoo) 島の一部を無線設備として100年間（56年12月15日より）年2000ポンドを支払い使用することをイギリスに許可する暫定的な合意に達した。

しかしながら、国会内での反発が強く最終的な承認は得られなかった。特に早期の独立を求めるグループからの反対は強かった。1957年12月イブラーヒム・アリ・ディディ首相は辞任し、イブラーヒム・ナシールが首相に就任した。ナシールは、リース期間の短縮とリース料の増額を求めて、イギリスとの見直しの交渉を行った。

アッドゥ環礁ではモルディブ政府はイギリス基地以外にもやっかいな問題を抱えていた。モルディブ政府は1930年代よりすべての対外商取引をマーレ経由とした。貴重な外貨を国として管理するのが目的だった。これに対し、それまでマーレを経由せずスリランカやインド、バングラデシュと直接交易していた南部の3環礁（フヴァドゥ (Huvadhoo)、フワムラ (Fuvahmulah)、アッドゥ）の人々は、不満を募らせていたのである。

マーレ政府は、1956年にアッドゥ住民に対してイギリスの行う事業への就業を禁止した。イギリスとマーレ政府の契約が完成していないという名目であったが、アッドゥ住民がイギリスから経済的利益を得られないようにするためと思われた。これを監視するためにアッドゥに事務所を設置したので南部の人々の、マーレ中央政府に対する不満はますます強くなった。

マーレ政府がイギリスと交渉している最中、1959年1月、アブドゥッラ・アフィフ（次頁写真）率いるアッドゥ住民は独立を宣言し、イギリスの施設で働く労働者への賃金支払い方法の変更、スリランカと直接交易を行った。これを見て、近隣のフヴァドゥ環礁やフワムラ環礁の住民も独立運動に

独立運動の中心となったアブドゥッラ・アフィフ

加わり、統一スワディブ共和国（United Suvadiv Republic）として1959年3月に独立宣言がなされた。当時の3環礁の人口は2万人ほどであった。イギリスは南部の独立運動に肩入れする一方で、施設使用にかんする取引を継続していたマーレ政府に対して、運動の平定を行うと持ちかけ、交渉を有利に進めようとした。

マーレ政府は1959年7月、フヴァドゥ環礁に対して武力で威嚇した。これによりフヴァドゥ環礁とフワムラ環礁が運動から外れたことによりで独立運動は終結したかのように見えた。

運動の失敗を目の当たりにしたイギリスは、独立運動の平定をちらつかせながらモルディブ政府と交渉してよりよい条件を引き出すことは難しいと判断した。その結果、1956年合意を改変し1960年2月14日に、イギリスはガン施設とヒタドゥ施設の両方を30年間（1956年12月15日より）使用することで合意に至った。基地の使用は、モルディブと他のコモンウエルス諸国の保護にのみ使用することとされた。島の使用は無料だが、イギリスはモルディブの経済発展のために、10万ポンドの即時支払い、1960年から65年までの期間に75万ポンドの支払いを行うこととなった。その資金で病院建設、救急船の購入がなされた。さらにモルディブは、イギリスに南部の独立運動を終結させることを求めた。

しかし、１９６１年６月に南部の独立運動は再燃した。１９６２年１月、ナシール首相はマーレより武装した警官隊を送り運動の活動家らを逮捕した結果、独立運動は終息した。アブドゥッラ・アフィフは１９６３年10月、当時イギリス領のセイシェルに逃げ、そこで政治亡命を認められた。

１９６３年には、１９６０年合意の見直しが行われ、ここでモルディブは正式にイギリスからの独立を求めた。モルディブは１９６５年７月26日に独立し１９６８年にはスルタン制を廃止して、共和国となった。

独立後もイギリスは、１９６０年合意に基づきガン島に１９８６年まで駐留することになっていたが、イギリス労働党内閣が１９６８年にスエズ運河以東からの撤兵を表明し、１９７６年４月にガン島から撤退した。

（荒井悦代）

Ⅲ

暮らしと文化

7

人々の暮らし

★リゾートだけでは分からない多様な文化★

モルディブと言えば美しいリゾートが思い浮かぶが、普通の人々の生活はどのようなものだろうか。首都マーレのダルマワンサ学校で教鞭を執るシファナ・アイシャットさんにモルディブの文化や魅力を語ってもらった。

モルディブはインド洋の重要な交差点にありながらも、独自の言語、独自の文字、習慣、伝統など文化的独自性を生み出しました。

料　理

モルディブ料理は美味しく、多くの料理はおもにツナなどよくある材料で作られていますが、味は一つ一つ違います。モルディブの主食は米とガルディヤ（魚のスープ）で、全てのモルディブ人に愛されています。タマネギ、ライム、チリと一緒に食べるとより美味しくなります。

モルディブ人は、カレーを含む多くの香辛料を多用します。ココナッツと魚は、ロシ（小麦粉の生地を薄くのばして焼いたもの）やマスフニ（削ったココナツ、魚、ライム、チリを混ぜ合わせたもの）など、伝統的な料理にも使われています。

さらに、いくつかの名物はツナなど魚の缶詰、塩漬けの魚、乾燥ナマコなどで世界中で利用される保存魚製品で、これらは国の収入源です。

これに加えて、さまざまな行事のために作られる料理があります。とても有名な料理の1つに、ボンディバイがあります。これは、コメ、パンノキ（ブレッド・フルーツ）などで作るデザートです。この料理は主に、子供のための命名式、子供たちが聖典クルアーンの本の読み方を修了したときなどの行事のために用意されます。この料理には、クリマス（チリ魚）のような辛い料理が添えられます。

伝統的なダンス

昔からモルディブには、多種多様なダンスがあります。最も人気があるのは、男性が陽気に腕と脚をスイングして、リズミカルなドラムのビートに合わせて踊るボドベルです。アフリカから伝わったとされています。この土着の音楽はメインボーカルやダンサーを含む15人のバンドによって演奏されます。

それに加えて、22人のバンドによって演奏されるターラも、昔から楽しまれています。女性のみが演じるマーハティネシュン、男性が演じるファティガンドゥ・ジェフン、女性が水瓶を持って踊るバンディヤ・ジェフンなど、数多くの伝統的なダンスがあります。

重要な日とお祝い

イード（アラビア語でお祝い・お祭）は、最も盛大に祝われるイベントのひとつです。ラマダン（イスラム教の断食）の終わりのクダ（小）イードと、巡礼のすべての儀式を完了した後に続くボドゥ（大）イードです。

これに加えて、預言者モハメッドの誕生日も祝われます。モハメッド・タクルファーヌが1573年にポルトガルを倒した日であるナショナルデー（イスラム暦の3月の初日）。勝利の日は、クーデター（第18章を参照）に打ち勝った1988年11月3日を祝います。11月11日の共和国記念日は、現在の共和国の設立を記念しています。

これとは別に、結婚式、命名式などのお祝いも、他の世界と同様に祝われます。ただし、100%イスラム教徒の国であるため、イスラム教以外の宗教的な儀式や行事は、おこなわれません。しかし、これは観光客がリゾート島で彼らの儀式を控える必要があることを意味しません。リゾート島では正式な結婚式はできませんが、観光客はビデオや写真撮影を目的として結婚式やその他のお祝いをすることができます。

服装

文化的または伝統的な服装は特別なまたは公式の機会に着用されます。伝統的な服装は非常にシンプルです。男性は、長袖の白いシャツを着てサロン（足首まで届く長さの布を腰に巻き付ける）を着ます。暑い国なので、モルディブの人々は厚手の布地の服を避けます。女性の伝統的なドレスはリバース（写真上）と呼ばれています。それは袖口と首まわりが金色の糸で飾られている長袖のドレスです。ドレスの大部分は膝下1～2インチに達します。カンディキ（足首まで届き、裾に白い線がある黒いまっ

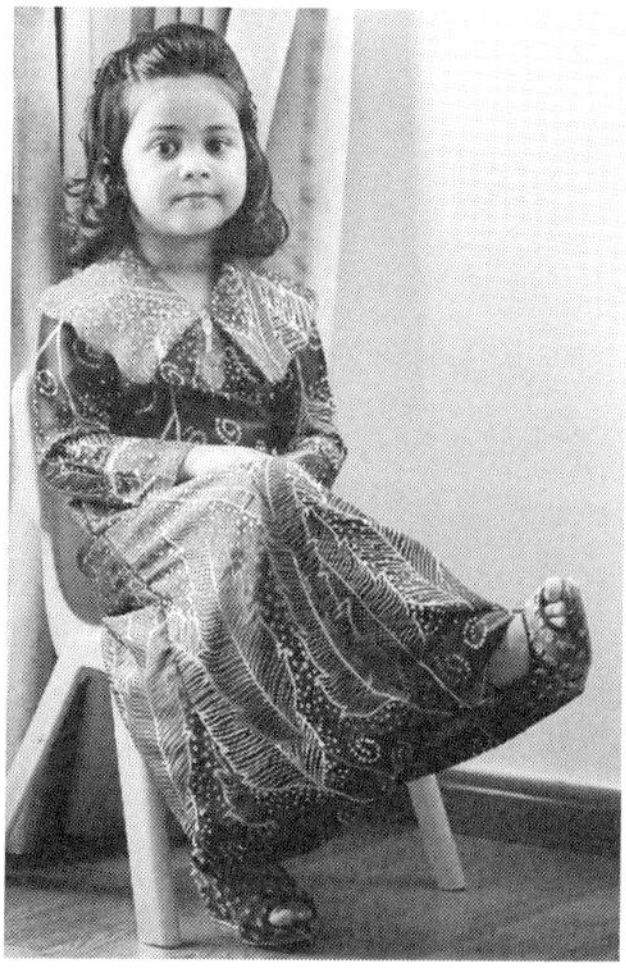

（出典：在日・モルディブ大使館提供）

すぐなスカート）も着用します。ファースクリヘドゥン（ディグヘドゥンとも、丈は足首に達し、波打った幅の広い襟付きの長袖ドレス）（写真下）を別にしてリバースはモルディブ人がこれまでに着ていた最も目を引くドレスです。

町中で露出の多い服を着ることは許可されていません。観光客はリゾートで好きなものを自由に着ることができますが、住民島に行きたい場合、観光客も裸の体を隠す必要があります。100％イスラム教徒の国であるモルディブ人は、きちんと服を身に纏っています。

モルディブの多彩な工芸品

モルディブには芸術と工芸の長い豊かな遺産があり、世界で最も熟練した職人がいます。古代の伝統は世代から世代へと受け継がれ、今日作られている芸術品や工芸品は古くからの技術の証です。モルディブの芸術品や工芸品は、ヤシの葉、芦、サンゴ、木材、貝殻、石、ココナツ繊維、天然オイル、塗料など、容易に入手できる原料を使用して作成され、伝統的なモルディブの工芸品にはリエラージェフン（漆塗り）マット織り、造船、椰子ロープ、およびファンギヴィユン（椰子の葉を椰子ロープを用いて編んだもの）が含まれます。

コミュニティ

モルディブ人は、個人間での絆が強固です。島の住民は家族として密接に結びついています。人々は血縁関係がなくても親類のように生活しています。何年も前から島の清掃は、金曜日の朝には必ず行われています。そして、すべての島民は、年齢や社会的地位にかかわらず、島をきれいにしようとしています。島民が掃除中に交流することで、絆は強化されます。また、モルディブ人の間では、助け合ったり、食べ物を共有することは非常に一般的です。

モルディブ人は、イスラムの行動規範を順守して長老と教育を受けた人を尊重するように育てられています。強い忠誠心は、個人を大家族に結び付けます。したがって、スペースの不足にもかかわらず、ほとんどの家族は一緒に住んでいます。ほとんどの家は、家のすべてのメンバーが1つの屋根の下で生活できるように建てられています。

しかし、最近では政治的対立により、この絆は少し弱まりました。この国が民主主義を始めたばかりで、安定するために苦労しているからです。

民俗と伝説

モルディブには非常に豊かな民話があり、それは何世代にも受け継がれています。そのうち、フール・ディグ・ハンディ、サンティ・マリヤンブの物語が最もよく使われています。これらの物語は架空のキャラクターに基づいており、子どもたちを怖がらせるために用いられます。サンティ・マリヤンブの物語は、汚れた歯を愛する魔女のお話です。魔女は就寝前に歯を磨かない人の歯を引っ張ります。この話は、子どもたちが寝ている間に歯を引き抜かれないよう、眠る前に歯を磨くようにするために用いられています。

モルディブの最も有名な伝説は、モルディブがどのようにイスラムを受け入れたかの背後にある物語です。12世紀初頭まで、モルディブの主要な宗教は仏教であり、民間伝承によれば、ランナマーリと呼ばれる海の悪魔が毎月現れ、村を破壊されたくなければ処女を生け贄に出すようもとめました。毎月一日に、女の子がくじで選ばれ、悪魔の犠牲になるために寺に残されました。そしてモルディブを訪れたモロッコの旅行者、ユーセフーアル・タブリジは、モルディブ滞在中貧しい家族の家に滞在しました。彼は、犠牲に選ばれた家主の一人娘を救うために、少女に変装し一晩中クルアーンを暗唱して寺に滞在しました。悪魔が海からやってきて、クルアーンの言葉を聞き、背を向けました。そして、タブリジは村人が神殿に到着するまでクルアーンを暗唱し続けました。彼は彼を救ったのは聖クルアーンの言葉の力であると確信していたので、悪魔の帰還から安全に保つためにイスラム教を受け入れるよう求めた。王が国全体にイスラム教を受け入れるように命じ、彼自身が回心し、名前も変えました。

モルディブは人口の１００％がイスラム教徒であるため、イスラムの慣習に従わない者はモルディブの市民になることはできません。モルディブ人は１９５４年にスルタン・モハメド・ファリードの一回目の統治下で、イスラムを受け入れた日（イスラム暦の4月の初日）を祝い始め、33年間続きましたが、その後中止されました。２０００年、マウムーン・アブドゥル・ガユーム大統領はそれを復活させました。

高級リゾート戦略の観光は、ここ数十年にわたって経済を強力に後押しし、モルディブは中所得の地位を獲得しました。したがって、特別なリゾートとしてのイメージと魅力を維持することがモルディブにとって重要ですが、同時にモルディブにはユニークで豊かな文化があります。そしてモルディブ人は、すべての訪問者を心から歓迎し、訪問者は自然の美しさを楽しみ、汚染、騒音、プライバシーの干渉から離れて休日を過ごします。モルディブでの滞在を決して後悔することはないでしょう。そしてこの美しい国が気に入ったら、もう一度訪れてみてください。きっと何度も来たくなるでしょう。

（アイシャット・シファーナ）

スクリューパインのジュース

モルディブには限られた資源しかありませんが、おいしそうな料理にかんしては決して引けをとりません。モルディブのカフェでは世界中のほとんどの種類の料理が食べられます。なかには純粋にモルディブ料理の料理があります。例えばスクリューパインから作られたデザートであるカシケオカンディやカシケオファニです。

カシケオファニのレシピ

1. スクリューパイン（沖縄のアダン）の皮をむきます。
2. スクリューパインの「肉」（赤い部分）を薄くスライスし、脇に置きます。残りを捨てます。
3. ５００㎖の水を鍋に注ぎ、沸騰させます。スライスしたスクリューパインを加え、５分間煮たのち冷ましておきます。
4. ゆでられたスクリューパインの混合物をジューサーに注ぎ、攪拌します。
5. ジュースを濾し、必要に応じて水を加えます。
6. 新鮮なミルク、コンデンスミルク、食紅、バニラエッセンスをジュースに加えます。
7. よく混ぜ、砕いた氷を加え、グラスに注ぎます。

8

言語

★ディベヒ語の起源と他の言語の影響★

モルディブの著名な学者であり、卓抜した作家、創造的な詩人、哲学者、そして政治家でもあったフッセイン・サラーフディーン（1881～1948年）は、かつて「豊富な文学を持つことは祝福された冠をいただくようなものだ」と述べた。言語はアイデンティティであり、独自の言語と文字を持つ国に誇りを与える。モルディブ人は、独自の言語であるディベヒ語とその文字を持つことでまさに祝福されているのである。

ディベヒの起源と発展に関する説――シンハラ語と姉妹なのか母娘なのか

ディベヒ語の歴史は長いが、記録の多くは仏教からイスラム教へ改宗した1153年以降のもので、それ以前のものは少ない。これまでに見つかった最古の碑文は、ヌーヌ環礁のランドゥ島の仏教遺跡で発見されたサンゴ石ブロックに刻まれたもので、建物を邪悪なものから守るための呪文とみられ、7世紀から8世紀のものと推定されている。12世紀から13世紀に銅版に書かれたローマ・ファーヌ（寄進者名簿）も最も古いものの1つである。言語学的研究によると、ディベヒ語はサンスクリットを

第8章
言　語

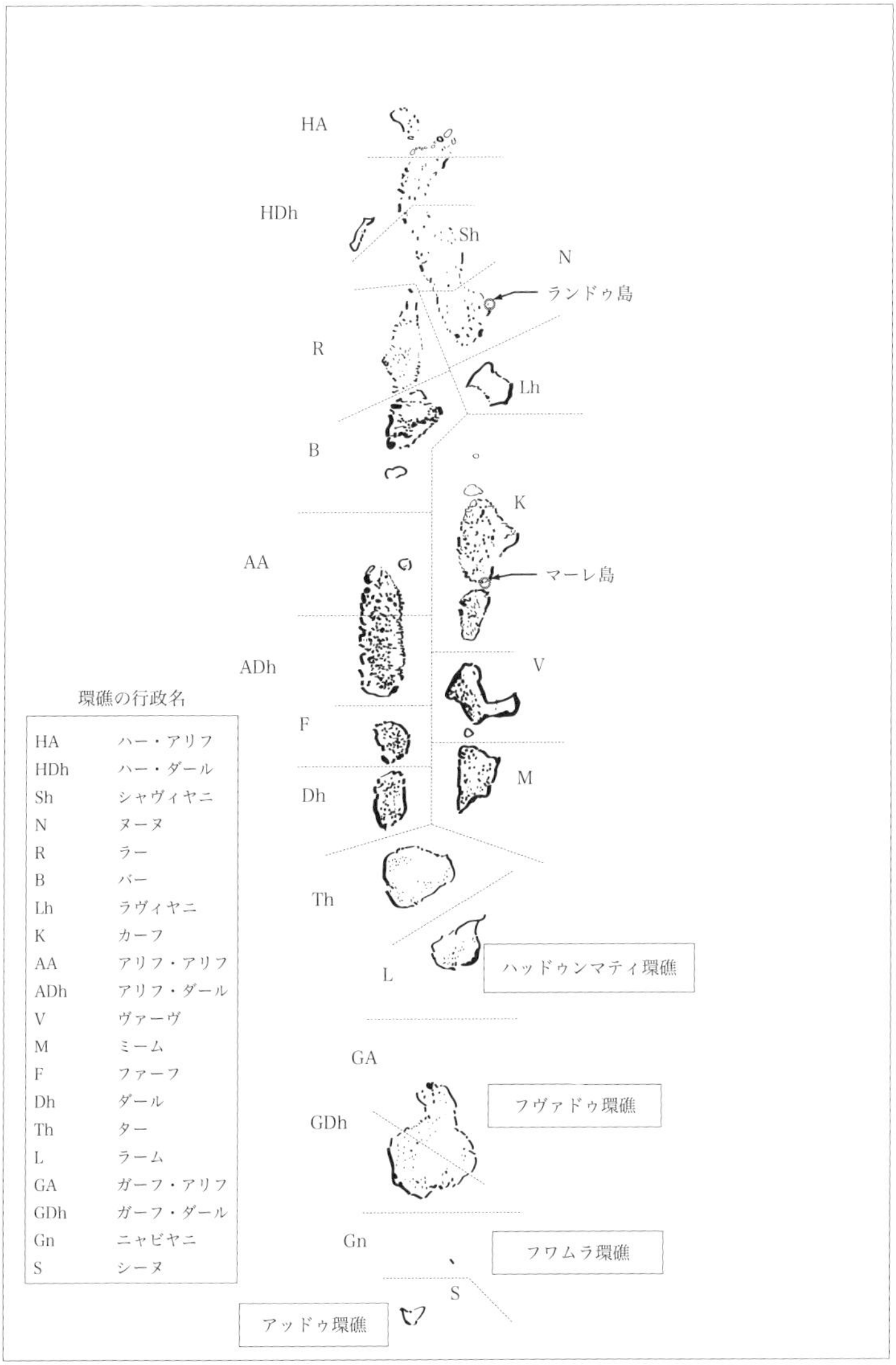
HA
HDh
Sh
N
ランドゥ島
R
Lh
B
K
AA
マーレ島
ADh
V
F
M
Dh
Th
L
ハッドゥンマティ環礁
GA
GDh
フヴァドゥ環礁
Gn
フワムラ環礁
S
アッドゥ環礁
環礁の行政名
HA ハー・アリフ
HDh ハー・ダール
Sh シャヴィヤニ
N ヌーヌ
R ラー
B バー
Lh ラヴィヤニ
K カーフ
AA アリフ・アリフ
ADh アリフ・ダール
V ヴァーヴ
M ミーム
F ファーフ
Dh ダール
Th ター
L ラーム
GA ガーフ・アリフ
GDh ガーフ・ダール
Gn ニャビヤニ
S シーヌ

基盤として、イスラム教への改宗まで比較的孤立した状態で発展した。歴史から明らかなように、スリランカで用いられるシンハラ語とディベヒ語、とくにその南部方言は定期的に接触していたと考えられる。

スリランカの言語学者ヴィタラナ（Vini Vitharana）は、ディベヒ語がシンハラ語から別の言語として進化したのは、モルディブがイスラムに改宗した12世紀以降であると示唆したが、イギリス人のレイノルズ（Christopher Reynolds）らは、そのずっと以前、すでに4世紀には分岐の兆候があると主張した。スリランカ人の言語学者デ・シルバ（De Silva）は、ディベヒ語とシンハラ語はさらにもっと早い時期に共通の母たる言語から枝分かれしたという見方を提示する。デ・シルバは、「ディベヒ語のもっとも古いインド語群の要素は、シンハラ語から枝分かれした結果というよりも、シンハラ語と同時にインド語群から分離した結果である」と述べる。デ・シルバは、古い地名などのディベヒ語に見られるドラヴィダ語の影響にも論及する。スリランカの叙事詩マハーワンサで語られたヴィジャヤ王子の伝説は、デ・シルバの理論を補強する。この伝説によるならば、インド大陸部からモルディブとスリランカへの移住が同時に行われたことになるからである。

つまり、ディベヒ語とシンハラ語が共通のプラクリット語（紀元前3〜8世紀頃にインドで用いられたインド・アーリア語族の言語）から進化した「姉妹言語」にほかならないことが示されている。しかしながら、近年のディベヒ語を対象とする諸研究の成果はこの言語の歴史の一部を解明したに過ぎない。ディベヒ語が先史時代にシンハラ語から別れた「娘の言語」かもしれないという説も根強いからだ。ディベヒの起源について諸説が分かれる理由は、ディベヒ語が比較的遅れて現れる特徴をシンハラ語と共有する一方で、早くから分岐したことの兆候も顕著だからである。ディベヒ語の起源が何であれ、ディベヒ語がシンハラ語と非常に密接に関連しているインド・アーリア語族であると同時に、古いインド語族の要素も持つことに言語学者の見解は一致する。

ディベヒ語に対する他の言語の影響

有史以来、ディベヒ語がその発展過程において多くの文化や言語の影響を受けてきたことは明らかである。イスラム教を受容して以降、アラビア語とペルシャ語はディベヒ語に大きな影響を与えた。特に宗教関連および司法用語にはアラビア語が広く借用されている。ローマ・ファーヌにもペルシャ語とアラビア語の単語からの借用がみられる。

16世紀にモルディブがポルトガルの植民地支配下に置かれた時期には、ディベヒ語はポルトガルの影響を受けた。たとえば「狩猟の槍」を意味するディベヒ語のロンシイはポルトガル語の「槍」(lança)に由来し、ディベヒ語で「テーブル」を意味するメーズはポルトガル語のメーザ（mesa）から来ている。

時代を下り、20世紀半ばにモルディブ人が留学のために海外に旅行し始めると、ディベヒ語はさまざまな言語の影響を受けた。インド、パキスタンおよびアラブ諸国に渡航し、帰国したモルディブ人は、著述のなかでウルドゥー語やアラビア語の単語を多く使用した。その結果、とくに文学や学術的なディベヒ語には、多くのウルドゥー語やアラビア語からの借用語が含まれている。たとえば、「春」を意味するバハール bahāru、「庭」を意味するグーシャン gulšan などがある。また、「ペン」を意味するガランはアラビア語起源である。

さらに、1970年代から1980年代にかけて、教育機会の拡大とともにモルディブ人の英語の知識が増加し、また、留学のため西洋諸国に渡航するモルディブ人の数が増加した。これに加えて、モルディブでの観光業の興隆により英語の必要性が増した。首都マーレの公立学校では英語が用いられた。ディベヒ語が英語の影響を強く受け始めたことは、英語からの多数の借用語があることから明らかである。たとえば、車をカール（kāru）、タイヤ（tayaru）、ビスケット（biskoadhu）などがある。祈り（namādu）や断食（rōda）、（ペルシャ語）、異教徒（kāfaru 'infidel／アラビア語 kafir）などの宗教用語の例もある。また、ペルシャおよびアラブの商人との絶え間ない接触があったので、航海および海運関連の多くの言葉を借りたことも明らかである。

ディベヒ語の敬語や方言

社会のさまざまな階層内で単語やフレーズに違いがみられるが、ディベヒ語には3つのレベルがある。最上位のリーティ・バスは、上層階級や全国向けのラジオやテレビで利用されている。第二のレベルは、年長者や有力者への敬意を示すために使用される。最も低いものは一般に使用される。

島が分散しているため、環礁によって語彙や発音が異なっていて、赤道に向かって南に移動すると、違いはとても顕著である。ディベヒ語には多様な方言があり、それぞれにストレスとイントネーションがあり、異なる単語やフレーズがある。

北方言は、インドのミニコイ島からハッドゥンマティ（ラーム環礁）まで話されている方言を指し、差異はそれほど多くなく、標準ディベヒ語に非常に近いものである。ディベヒ語の最北端の方言と言えるインドのミニコイで話されている方言はまだ標準ディベヒ語と意思疎通が可能である。南方言は、伝統的にフヴァドゥ環礁南北（ガーフ環礁）、フワムラ環礁（ニャビヤニ環礁）、アッドゥ環礁（シーヌ環礁）と呼ばれる3つの南環礁で話されている方言を指す。

これまでにディベヒ語においても標準化のプロセスが進んできた。ディベヒ語の多くの方言は、標準語と徐々に混ざり合い、ゆっくりと消滅しつつある。ディベヒ語の多様な方言と口承の豊かな伝統が失われつつあることが懸念される。

モダン標準ディベヒ語

すべての公式のコミュニケーションは、マーレの方言に基づいた標準語である現代の標準ディベヒ語を使用して行われている。

ディベヒ語の発音は、明らかに南インドの言語の発音と非常によく似ている。ほかの現代インド・アーリア言語と同様に、ディベヒ語の音素目録には、長母音と短母音、歯音とそり舌音、単子音と重複子音がある。

さらに、ディベヒ語の品詞体系を見ると、普通名詞、固有名詞、代名詞、形式名詞、数詞が含まれている。ディベヒ語の名詞は、人間と非人間の2つのカテゴリに分類され、その違いは複数形の語尾変化に最も明瞭に現れている。たとえば、「人」（単数形）を意味する mīhā の複数形は mīh -un（「人々」）になり、「鳥」（単数形）の dhooni の複数形は Dhoonitak になる。複数型の接尾辞 -men が親族を意味する用語とともに使用されることもある。たとえば、「母たち」はアンマメン（マンマ「母」+men）となる。

ディベヒ語の書記体系（ライティングシステム）

18世紀後半まで、ディベヒ語は、グランタ、エル、ヴァッテルットゥなどの南アジアの文字と強い類似性を持つ文字で書かれていた。この文字の初期の形式は便宜的にエヴィーラ文字と呼ばれ、12世紀から13世紀のローマ・ファーヌで使用されている。また、マーレの遺跡で見つかった古代仏教のいくつかの遺物に刻まれている。エヴィーラ文字は何世紀にもわたって多くの変化を遂げ、「島の文字」を意味するディヴェス（またはDhivehiディヴェヒ）文字と呼ばれる形式に進化した。18世紀初頭、ターナ文字と呼ばれる新しい書式が公式な記述に導入され、最終的に古いディヴェス文字に置き換えられた。ターナ文字は、初期の文字とは異なり、右から左に記述される。

ターナ文字体系（アルファベット）は24文字で構成され、最初の9文字は、アラビア数字の最初の9つから派生したものであり、次の9文字は古いディベヒ数字から派生したものである。ターナ文字では、子音字は固有の母音を持たない。母音は、文字の上または下に置かれたフィリと呼ばれる発音区別符号のストローク（短い線）で示されている。

世代のために言語を保存する試み——ディベヒ語と近代化

モルディブ人は短期間のうちに伝統的な生活を離れて現代の都市生活様式に適応しなければならなかった。今のような速度で生活様式が変化し続けるならば、ディベヒ語はモルディブ人が自分たちの過去につながるただ1つのリンクになるだろう。主として西洋世界からモルディブ社会に輸入される新たなアイデアや概念を表現するため、ディベヒ語は新たなことばを必要としている。特に英語はあらゆる分野、特に民間部門で広く使用され、教育も英語で行われている。したがって、モルディブ人が英語を学び、次の世代を教えるという巨大な社会経済的圧力が、私たちの母国語であるディベヒ語にのしかかっている。他方、教育レベルの向上に伴い、これまで以上にディベヒ語の本が書かれ、出版されている。この場合の書き言葉には標準ディベヒ語が用いられている。

モルディブ政府は、ディベヒ語の保存と促進に多大な努力を払ってきた。長年にわたり、政府は、ディベヒ語から遠ざかっている若い世代にその使用を奨励することを特に重視してきた。１９７９年に政府は、ディベヒ語と文学を振興し、言語研究を行う幅広い任務を与えられたディベヒ言語・文学評議会を設立した。１９８２年からはディベヒ語での弁論やクリエイティブ・ライティングなどの表現能力の向上のため、さまざまなコースや競技会が実施された。また、同評議会は、ディベヒ語や文学に関する多数の書籍の発表および出版を行ってきた。

（アイシャット・シファーナ）

首都マーレ住宅事情

重谷泰奈　コラム3

モルディブの首都マーレに住んで2020年で9年目を迎えた。青年海外協力隊の日本語教師としてモルディブ国立大学に配属されたのが住み始めたきっかけだ。モルディブに赴任する際「首都マーレは世界一の過密都市のひとつでバイクや車がハエのように狭い路地を走り回っている」という情報があり、水上コテージのあるリゾート地のイメージしかなかった私は一体どんな場所なのだろうと一抹の不安を覚えたのを昨日のことのように思い出す。

協力隊任期満了後個人的にモルディブへ戻り、協力隊時代に縁あり知り合った友人と旅行会社を立ち上げたため自身で住居を借りる必要があった。そこで初めてモルディブの住宅事情を知ることとなったのだが、衝撃的なことが多す

モルディブのイメージからかけ離れたコンクリートジャングルが広がる

ぎた。中でもそのうちの3つを紹介したい。

まず何といっても家賃の高さだ。日本でいう2LDK以上の間取りが主で家賃はなんと1000米ドルほどから。現地の人の平均月収が600米ドルほどであるのだから、どれだけ高いのかお分かりいただけるだろう。新築、セキュリティーあり、海が見えるロケーションの物件は1500米ドルで借りられたらラッキーだ。マーレ島は外周歩いて1時間半ほどと小さいがそこにモルディブ全人口の3分の1ほどにあたる13万人ほどが住んでいる。住居の需要と供給のバランスがとれておらず家賃が年々高騰している。

2つ目は他人と同居するスタイルが多くみられることだ。たとえば、3LDKの賃貸を借りて内2部屋は自分含む家族が住みもう一方の部屋を光熱費込み家賃600米ドルほどで貸すといった具合だ。リビングルームやキッチンの共用可否、洗濯機や冷蔵庫の使用不可等、条件は家主によって異なる。私が一時期間借りしていたアパートは6人家族の3LDK。1室は夫婦が使用し、1室は子ども3人と祖母、残り1室を私が使用していた。子ども部屋は2段ベッドを1~2台入れるのが一般的。家庭によってはそれでも収まり切れず雑魚寝も当たり前だったりする。

最後に紹介する驚きの光景はこちら（次頁写真）。まだ明らかに建設中もしくは工事が中断されているのにも関わらず何とかできあがった階には既に住人がいる。モルディブでは支払いができる範囲で建設を進めていくスタイルが多く当然に家主の支払いが滞ると一時中断となる。7階建てのアパートにはエレベーターが付く予定だという場所に1・5メートル四方ほどの空間が上から下までぽっかりと開いており異様な雰囲気を醸し出す。3か月後には完成すると聞いたのに3年たっても同じ状態だったりする。ただこのようなアパートはよく見られるため、賃貸契約を結ぶ際に障害になることはほぼない。

　ちなみにこのような住宅事情は首都マーレとヴェラナ国際空港に隣接するフルマーレのみで、それ以外のローカル島（リゾート島ではない現地の人が住む島）では事情が全く異なる。日本でいう平屋が多く庭を持つスタイルが多い。ある島で見かけた新築一軒家の賃貸物件（2LDK）の家賃は300米ドルほどだった。最近は少なくなってきたらしいが、婚姻関係を結んだ夫婦には土地がなんと無償で与えられる制度をもつローカル島もある（家は自分たちで建てる必要があるが）。

既に入居者がいる建設中のアパート

コラム4

ジョーリとモルディブ人

重谷泰奈

モルディブ人の日常生活を語るうえで切っても切れないものはいくつかあるのだが、中でも代表格なのは〝椅子〟に間違いないだろう。ここでいう〝椅子〟とは現地語で〝ジョーリ〟と呼ばれるものだ。〝ジョーリ〟に一度でも座ってみたら最後、散歩をしていて見かけたら座らずにはいられない、そんな快適度抜群且つ居心地のよさに体全体が包まれる魅惑の〝椅子〟なのだ。

モルディブ在住9年目を迎える筆者もジョーリが大好き。とくにビーチの木陰にあるものは最高。毎日争奪戦間違いなしの特等席だ。

〝ジョーリ（Joali）〟は木もしくは鉄の枠組みに太めの釣り糸や網を渡して座ることができる状態に整えたもので、日本ではちょっと一息つけるベンチのような感覚のものだ。他にはココナッツの木などにぶら下げているものもあり、こちらは〝ウンドーリ（Undhoali）〟、若しくは〝ジョーリ・ウンドーリ〟とよばれる。枠を小さめに作った子ども用サイズもある。どちらも座る部分が網目状で柔らかいため長時間座っていても蒸れ知らず、お尻や腰が痛くなることもない体にも心にも優しい構造なのである。

暑いモルディブでジョーリもウンドーリもローカル島（リゾート島ではない現地の人が住む島）では石を投げれば当たるほどある、といっても過言ではないほど各家庭の軒先や庭、島のビーチ、港には必ずと言っていいほど見られる。作るのはお父さんの仕事だそうで、日本でいうところの日曜大工なのだろう。もしくは大工さんに頼んで設置してもらうのだとか。

なぜどこもかしこもジョーリやウンドーリだ

波の音と穏やかな海風を独り占めできる超特等席

らけなのか。実は単に座り心地がいいという機能的な理由だけではなさそうだ。ほんの数十分だけでも座っていると見えてくるのは、そこは人と人との交流の場、そして新しい出会いが生まれる場である、ということが分かる。

軒先や庭にあるジョーリ・ウンドーリは家族皆が自然に集う場所。お母さんはウンドーリに座ってまな板も使わず器用に玉ねぎやニンニクを刻み晩御飯の下ごしらえをしたり、近所のお友達と一緒に雑談しながら水たばこを蒸かしたり。子どもたちはその横に座り今日一日学校であったことを報告。客人をまず通すのもリビングではなくウンドーリがある庭だったりするのだ。洗濯物干しなど本来の座る目的以外のことにも使われたりする。

皆が集まるビーチや港など公共の場にあるジョーリやウンドーリは友人との歓談の場の

みならず新しくそこで出会った人との情報交換の場。他の島から立ち寄った見知らぬ者同士お互い気兼ねなく声を掛け合う光景が見られる。そこら辺にあるジョーリを寄せ集め皆で座り男性たちはカードゲーム、女性たちはローヌ（ココナッツの殻の繊維を乾燥させたもので作られるロープ状のもの）作りをしながらおしゃべりを楽しむ。

このような島民同士の憩いの場をつくるべく、公共の場所にあるものは島の役所やNGOにより設置されたものもあるそうだ。

今日もまたさまざまな人が集うジョーリ。外国人である私たちも少しおじゃまさせて頂いて現地の人とのおしゃべりに興じてみるのもまた、旅のいい思い出となること間違いなしだろう。

夕方になると自然と人が集まってくる憩いの場

IV

教　育

IV

教　育

9

教育制度

――★すべての島で10年一貫のナショナルカリキュラム制度★――

モルディブの教育を知る上で重要であるのは、200あまりの住民島からなる小国であること、イスラームが信仰されていること、イギリスの保護国であったことである。

モルディブの人口は約50万人（2019年推計値：国連）であるが、外国人が3割ほどを占めていると思われる。最新のセンサス（2014年）によれば、モルディブ国籍の人口は34万人あまりである。そのうち、15歳未満の子どもは28％を占めている。6歳から15歳までの子どもで就学していないのは622人のみであり、学校教育の普及が進んでいる。母語であるディベヒ語の識字率は97・7％とされている。首都マーレには人口13万人が集中しているが、それ以外の地方アトルで住民島とされているところでは、総人口2000人以下のところが多い。そうした200あまりのすべての島々には国立の学校が設置されている。人口に対する学校数が非常に多く、教育行政は難事業であるといえるが、以上のような教育普及に関しては一定の成果が認められる。

モルディブでは、憲法において国民はイスラームを信仰することと定められている。伝統的教育は、イスラーム諸国と同様

第9章
教育制度

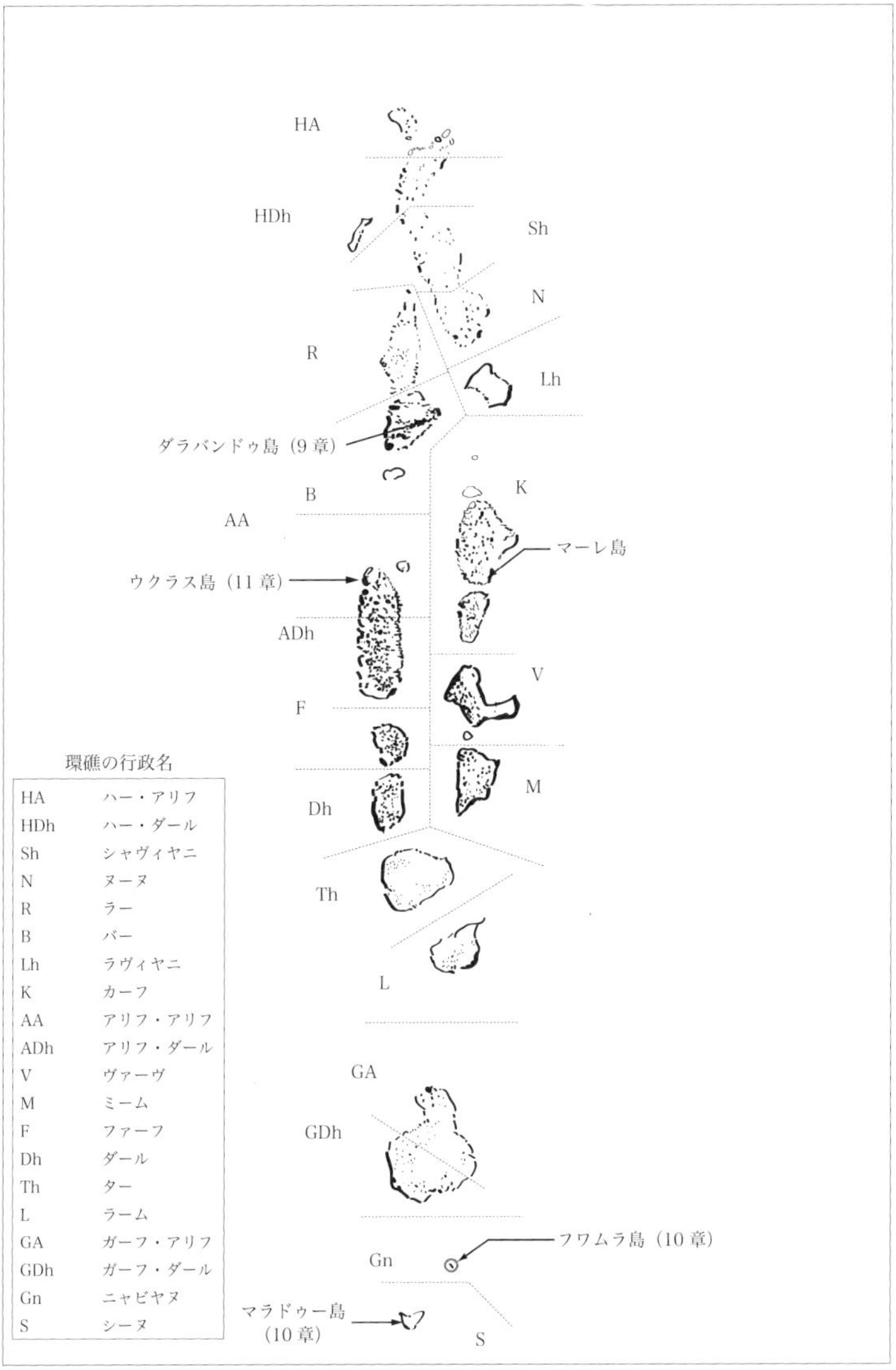

環礁の行政名

HA	ハー・アリフ
HDh	ハー・ダール
Sh	シャヴィヤニ
N	ヌーヌ
R	ラー
B	バー
Lh	ラヴィヤニ
K	カーフ
AA	アリフ・アリフ
ADh	アリフ・ダール
V	ヴァーヴ
M	ミーム
F	ファーフ
Dh	ダール
Th	ター
L	ラーム
GA	ガーフ・アリフ
GDh	ガーフ・ダール
Gn	ニャビヤヌ
S	シーヌ

に、アラビア語およびクルアーンの読誦の基礎を学ぶ寺子屋に類するマクタブや、カリキュラムが定められたマドラサの形態で行われてきた。近代的学校教育の創始は、マーレにおいて1927年に中等教育レベルのマジディヤ・スクール Majeediyya School が設立されたことによる。その後、1944年に女子校のアミニーヤ・スクール Aminiya School が設立され、両校とも中等教育レベルでモルディブの中核となる人材養成を担った。共和制移行後の1970年代にマーレを中心に学校整備が進められた。地方に学校が整備される以前には、学問の修得をめざす者たちは、インド、パキスタン、セイロン（現在のスリランカ）など南アジア地域の寄宿制学校で学ぶのが通例であった。そこから、高等教育へはイギリスや中東、インドの大学に進学した例が見られる。シニア教員の世代には、就学年齢時に地元の島で教育が受けられなかったということで、以上のような経歴が多く見受けられる。

1978年に初等教育完全普及政策が策定され、マーレ以外のアトルへの教育普及が推進された。初等教育7年間のナショナルカリキュラムが制定され全国統一とされるとともに、各アトルにアトル教育センター（Atoll Education Centre）とアトル学校（Atoll School）が整備された。このとき、日本の外務省による援助などで、1980年代前半に学校が各アトルに順次建設された。日本政府が戦後の海外で学校建設をした最初の例といわれる。その後も、多くの住民島で学校整備が進み、就学者数は1978年の約1・5万人から2005年の約10万人へ急激に拡大した。

2011年当時の教育制度は、イギリス式の初等教育7年、前期中等教育3年、後期中等教育2年であった。前述の教育機会拡大の成果が得られた背景には、観光業による収入によって経済が成長し、学校建設が進められる財源がえられたことが挙げられる。それでもなお、マーレと地方アトルの間の

住民島の学校　バー・アトルのダラバンドゥ島のバー・アトル・スクール

様々な格差の解決が課題となっている。マーレは、世界一の過密都市と言っても過言ではない。この島には就学前教育から後期中等教育の学校が25校ある。そこに、約２・５万人の児童生徒と約１５００人の教員がいて、この児童生徒のうち約1万人は地方アトルの出身であり、教員のうち28％は外国人教員であった（２０１1年現在）。逆に、地方アトルの住民島では、３００人以下の小規模校が約７割を占めている。１９９０年代までは、すべての学年を提供できない不完全学校も珍しくなかったようである。そして、どんなに小規模でも中等教育段階では教科別の教員が必要とされるため、教員の確保が課題となっている。そのため、地方島においても外国人教員が数多く採用されており、全教員の32％を占めている。フィールドで観察する限り、出身国はインド、バングラデシュ、ネパールが多く、ムスリムではない者が多数いる。

カリキュラムについてみると、後述のように２０１５年に初等教育から後期中等教育までの一貫的なナショナルカリキュラムが制定された。それまでのカリキュラムでは、初等段階（7年間）は国が定めており、教授用語は一部を除き英語であった。例外は、母語であるディベヒ語で教えられる「ディベヒ語」と「イスラーム」の2教科である。前期中等教育（3年間）はケンブリッジ国際試験（Oレベル）のコースシラバスにより教育課程が編成されていた。元々は１９６７年からロンドン大学の国際試験（Edexcel International）のＯレベルであった。その後、１９８２年に2年間の後期中等教育についてもEdexcelのＡレベル試験が導入され、カリキュラムもそのコースシラバスに従っていた。２００２年には、Ｏレベル試験のみケンブリッジ国際試験に移行した。人口規模の小さな国であるが故に、教科書などの教材開発や試験制度を外国に依存せざるをえず、教員不足を補う外国人教員が必要であることが英語で授業をする背景にあると考えられる。ブータンやブルネイなどの他の人口の少ない国とも共通している。

試験制度やカリキュラムはイギリス式で、英連邦諸国への大学への進学を容易にするものである。近年は、マレーシアの大学への留学が盛んになっている。しかし、すべての生徒に英語の国際試験を修了時に受けさせると、全体としては低スコアになるという結果を生じさせていた。教育省の要請によってこの問題を調査したYamadaらの研究（２０１５）では、生徒の家庭の社会的経済的状況がスコアに強く影響していることが明らかとなった。

就学の拡大に努めてきた教育省の政策が、質の向上に重点を移したのは、２０１５年の初等・中等教育段階を一貫するナショナルカリキュラムの策定であった。２０１２年7月までに原案がとりまとめられ、自国民用の教科書についても開発が進んだ。カリキュラム改革に先行して、初等・前期中等の一貫化には着手されており、２０１３年度に調査したときには、10年生までの義務教育を実質化するために、全国すべての初等学校・前期中等学校が第1学年から第10学年までを開設する政策が実施に移されていた。たとえば、マーレにある最も古い中等学校でも初等教育の学年が開設され、学年進行で完成が目指されている。また、人口５００人ほどの島の学校でも、すでに第10学年まであり、すべての島で第10学年修了程度のOレベル試験が実施される状況であった。また、全10学年のうち、第5学年までをprimary level、第6学年から第10学年までをmiddle levelとしていた。middle levelにおいては、教科担任制となっており、第7学年までが学級担任制であったことからの大きな改革点になった。

新カリキュラムでは、就学前教育2年、初等教育6年、前期中等教育4年、後期中等教育2年の制度へ改革されることになっており、2016年から段階的に進められている。重点は、学習者中心主義への学びの変革であり、いわゆるアクティブ・ラーニングが推進されている。知識の探究と創造、イスラームの信仰に基づく自己及び国民としてのアイデンティティの構築、家族・地域社会・グローバル社会に貢献する責任ある社会人の養成を目指すことをビジョンとしている。また、身につけるべき資質能力（キー・コンピテンシー）として、イスラームの実践、自己理解・管理、批判的創造的思考、人間関係、意味の理解（言語の運用）、健康的生活、持続的実践の利用、テクノロジーとメディアの利用の8能力を掲げている。教科書も2017年時点で初等教育用がほぼ出揃っていて、従来の知識伝達型から、児童の思考や活動を促す内容に一新されていた。自己の思考や判断を教科書に直接記入させるページが多数であり、思考力・判断力・表現力を伸ばす意図が明確になっている。

このように、モルディブの教育においては、近代的学校の歴史は浅く、小国であることの制約も多々ある。そのことは同時に、何か改革が実行されることになると一気に実現するような機動性が高いという強みでもある。官僚や現場教員は若く、伝統に縛られずに国際的で先進的な教育法を柔軟に取り込んでいて、今後の展開に期待が持たれる。

（森下　稔）

10

障害児教育

★特別ニーズ教育とインクルーシブ教育の同時実現★

モルディブの障害児に対するケアは、民主化後のナシード政権のもとで制定された「障害者法」（２０１０年）をきっかけとして、教育や保健の分野で取り組まれるようになった。それまでは、ほぼ家族に任されていたという。筆者は、２０１２年に訪れたフワァムラ島（Fuvahmulah）の住宅地で、車椅子に乗せられた10代前半と思われるダウン症の男児が母親とともに散歩している光景を見た。親戚にあたるという男性が語ったことには、以前の両親はその男児の存在を隠し、家から外に連れ出すことはなかったという。「障害者法」では、障害者の人権を尊重し、必要なケアや教育を受ける権利が定められた。また、障害児を養護する家庭には、月額２０００ルフィア（当時のレートで約1万円に相当）が支給されることになり、家族は積極的に医師による診断を受けるように促された。結果的に、行政による支援が必要な障害児の特定と適切な医療・サポートが行き届くようになった。上述のダウン症児も、医師による診断を受け、天気が良い日には外出するのが良いと勧められて家の外に出るようになったとのことであった。

他方で、多くの島が人口２０００人に満たない小さなコミュニティであり、親密な関係性があるので、どの家に生まれた子どもに障害があるのかは周知のことだという話もよくきくことである。家の中に隠しているといっても、何か後ろめたい気持ちがあると言うよりも、どのようにサポートして障害児に社会参加させるとよいかについて家族に知識がなかったからだという意見もあった。実際に、親たちに話を聞くと、我が子に障害があることが分かったときに、養育に関わる困難に対して立ち向かっていかせようとする神に与えられた試練であるとの語りがあった。イスラームの信仰において、神から授かったかけがえのない生命であり、むしろ神に感謝すべきとも捉えられている。いったん障害児や障害者の存在が日常的になると、家庭内でもできる軽作業の労働を紹介する業者も現れたとのことである。たとえば、リゾートホテルの装飾に用いるような小物類やお土産品になる「伝統的民芸品」の製作がある。障害者でも手先が器用な場合がある。海岸で拾えるサンゴや貝殻、あるいはココナツの皮を材料とする「民芸品」なら熱心に作れるということで、小遣い稼ぎにはなるということである。

「障害者法」以前におけるモルディブにおける障害児教育は、ごく限られていた。初めての取り組みは、聴覚障害児の親たちによる自主的な教育プログラムであり、1984年に首都マーレで始まった。1994年にはマーレの国立学校内に特別クラスが作られ、視覚障害、聴覚障害、その他の重複障害に対応したプログラムに展開した。地方アトルに展開し始めたのは2007年になってからであった。

同年、教育省の教育開発センター（Education Development Center: EDC）が障害児教育の教育政策立案のために調査や研究を始め、実施のための準備を進めていった。小国の政府機関であるため、専門担当官のアティフ（Ahmed Athif）氏が調査や政策立案から実施まで実質的に一人で担っていたと言っても過言ではない。アティフ氏はモルディヴ国内の高等教育で教員資格をとったのち、スリランカとオーストラリアに留学して障害児教育について学んだ。帰国後に教員に採用され、1年後には小さな島で校長に昇任し、4校歴任した。教育省に戻ってからは障害児教育のカリキュラム担当官、さらにはEDCの専門官となった経歴である。つまり、モルディヴ人で唯一の障害児教育の専門家という存在であったのである。

最初に取り組んだのは、支援が必要な子どもがどの島にどれだけいるかということの確認作業で、そのために各アトルから2名の教員と1名の保健職員を集めて研修し、2010年にかけて調査が進められた。その結果、18歳以下人口約10万人のうち、重度障害児が1542人いることが確認された。このデータを基に、障害児教育プログラムの立案が行われた。つまり、障害児教育の準備はガユーム政権末期から取り組まれ、ナシード政権が「障害者法」を制定したときには、すでに具体的な政策を立案・実施する準備が整っていたのである。そして、重度障害児を対象として、各アトルにつき少なくとも1校に、特別クラス（Special Education Needs Class：以下SENクラス）が置かれることになった。SENクラスでは、障害児教育についての専門的な研修を受けた教員が担任となり、すべての学年の児童生徒が一つの教室で学校生活をともにする。2012年末にはすべてのアトルでSENクラス設置が完了した。

SENクラスを置く学校の選定では、アトル内の他の島から就学させる事例に備えて、本人および家族が移り住む条件が考慮された。ボートで毎日通学するようなことは、例外的な場合を除いて現実的ではないためである。しかし、きょうだいの中で一人だけの障害児のために家族連れで故郷の島を離れることも、現実的ではないらしく、島を出るなら親戚縁者がいるマーレが選ばれる。だからといって、200の島の学校にSENクラスを整備するのも難しく、必然的にいかにしてすべての障害児の教育を受ける権利を保障するかの解決策にはならない。

世界の障害児教育の潮流においては、障害児をはじめとしてさまざまなニーズをもつ子どもにそれぞれ合理的な配慮のもとですべての子どもに開かれた教育（インクルーシブ教育・『包摂的教育』）へと

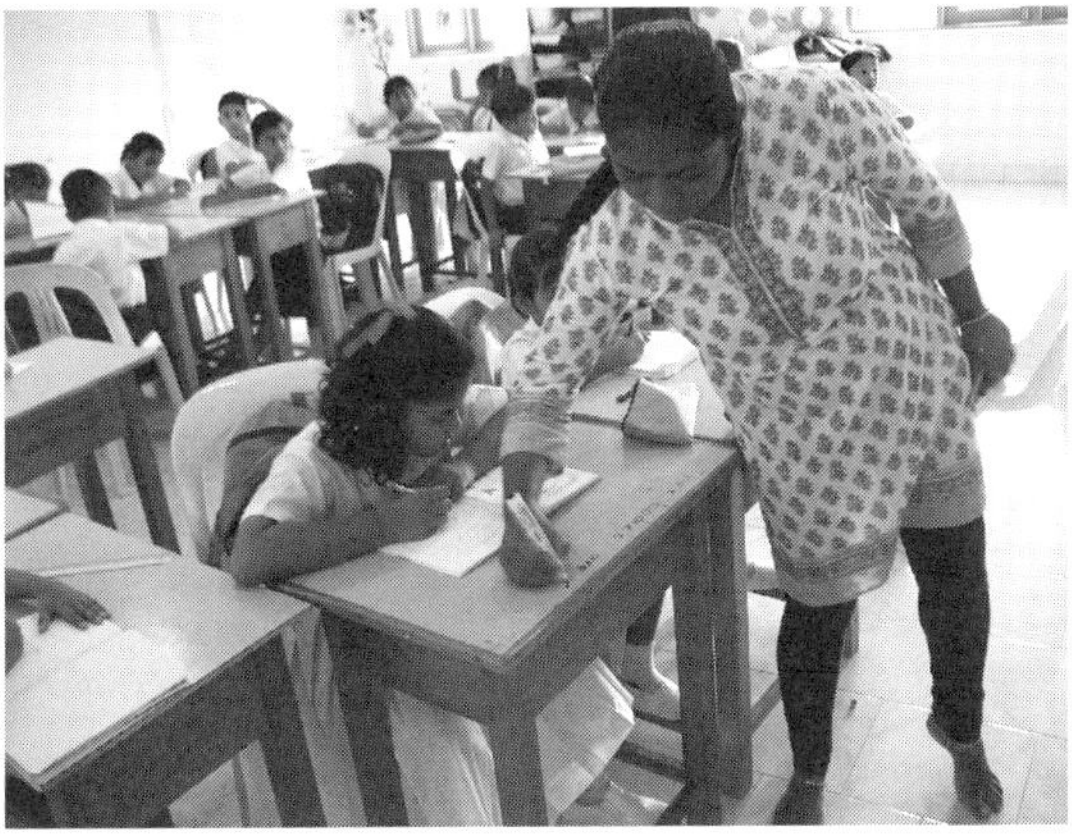

アッドゥ（シーヌ）アトルのマラドゥー島にあるイルシャディーヤ・スクール（インクルーシブ教育の例）

フワァムラ島にあるハフィズ・アーメド・スクール（SENクラスの例）

展開してきた。1994年サラマンカ宣言で提唱されたのがインクルーシブ教育の国際的な展開の起点とされ、2006年の国連障害者権利条約24条ではインクルーシブ教育を受ける権利の保障が締約国に義務づけられた。アトル1校のSENクラスの整備だけではすべての子どもに教育を受ける権利を保障できないというモルディブ固有の課題の解決ばかりでなく、国際法上はそもそもどの子も自分の生まれた島で学校に就学する権利があるといえる。教育省では、2012年に「インクルーシブ教育政策」を制定して、導入および普及を図った。同政策でも積極的な財政的措置がとられ、特別な支援が必要な児童生徒が在籍する学校には年額800ルフィア（約4千円）相当の教材・教具等の購入に使えるクーポンが支給されることになった。2年目の2013年には、年額2500ルフィア（約1万2500円）に増額された。

このようにして、モルディブでは特別ニーズ教育とインクルーシブ教育がほぼ同時並行的に展開し、しかもその進行が一気に実現するという世界でも稀にみる事例となった。現地の障害児教育関係者はどう見ているのか、2012年の調査では、理想はSENクラスであるが、次善の策としてインクルーシブ教育でもよいと考えられていた。また、親密度が非常に高い島のコミュニティにおいては、初等教育段階ではインクルーシブ教育が実施しやすいことが観察された。ところが、中等教育レベルになると授業担当教員が教科別になり、その中には外国人教員も含まれるため、就学が非常に困難になる事例もあった。

（森下　稔）

11

イスラム国家の美術教育

★文化と制度のあいだで★

芸術・美術とは、その国や土地の文化、そのものである。だから、多様な芸術・美術、そしてそれらをめぐるさまざまな事象を知ることは、それだけ多くの国や土地の文化――人々の暮らし、風習、考え方や価値観――を知ることと同じだけの意味があると、私は思っている。そのような観点から、モルディブの美術教育について論じてみたい。

その前に、まず教育をめぐる基本的な流れについて説明しておこう。モルディブでは、イスラムを基盤とした教育が古来より発展を遂げ、イスラム・クルアーン・簡単な算数などの教授が主に行われる教育機関が、早い段階から全国規模で普及していた。そのような伝統的教育機関から、近代的な学校教育制度へと転換が図られたのは、今からわずか三十数年前、全国統一による初等教育のナショナルカリキュラムが初めて導入された、1984年のことである。ここでいう初等教育とは、7年間の初等教育課程のうち、1学年から5学年までの5年間のことを意味する。

そのナショナルカリキュラム導入と同時に、モルディブの美術教育は始まった。実践的芸術・技術（Practical Arts：以下PA）

という美術・音楽など芸術系の内容と農業・裁縫など技術系の内容が合わさったその教科は、英語・数学・ディベヒ語（国語）・イスラムなどの主要な教科よりも、授業時数としても人々の認識としても「下位」の位置付けであり、具体的な教育方法などが浸透していなかったという背景事情も手伝って、初期の頃は実施されていない地域もあったという。

1984年版のPAカリキュラムは、諸外国に倣った近代的美術教育と、モルディブの伝統的造形文化が並存する状態であったという意味で、とてもユニークである。西洋の美術教育に由来する「子ども中心主義」的な表現活動が重視される一方で、ヤシの葉を編んだ建材やマットなど、伝統的で身近な生活用品を制作する授業が取り入れられている。1980年代初頭のモルディブは、国家主導で観光業に力を入れ始めた時期であったが、人々の暮らしは物質的に豊かであったとはいえず、そのようなヤシを用いた造形が当たり前に生活の中に存在していた時代であったので、当時の国民の生活を反映した美術教育であったといえる。

ところが、2001年のPAカリキュラム改訂により、伝統的造形の学習は大幅に縮小され、相対的に近代的な美術教育の要素がより強調されるといった変化が生じた。これは観光業への注力開始以降、急速な経済発展を遂げたことも影響しているのかもしれない。伝統的造形の類は、いくつかある学習のカテゴリーのうちの一部、という扱いに過ぎなくなった。かくしてモルディブの美術教育は、絵画表現やいわゆるモダンテクニック、身近な材料を用いた工作などを中心とした、我々日本人にとっても身近な内容へと移行していったのである。

このような国の定めたカリキュラムに対して、モルディブ人の教師たちがどのような実践をしているのか、という実際の教育も覗いてみたい。ただし、モルディブは個々の島が広い洋上に点在するという地理的事情によって、文化としても環境としてもそれぞれが独自の特色をもっている。学校で行われる授業もそれらの条件に即したものとなっているはずなので、ある特定の島において見聞したことを同国における美術教育の代表のように扱うことは憚られるのだが、あくまでも1つの例として、2014年9月に現地の美術教育を調査するフィールドワークを1ヶ月に渡って実施した際に、私が見せてもらった授業を紹介したい。

……………………………………

アリフ・アリフ環礁のウクラス島は、約800人の人々が昔ながらの生活を営みながら暮らす、一周徒歩30分ほどの住民島である。島唯一の学校であるウクラフ・スクールは、1学年につき1クラス、12学年までであるが、全校児童生徒は250名程度である。

T先生は在職22年のベテラン女性教師で、同校の中では数少ない、教員養成課程を修了した教師の一人でもある。彼女の担当する4学年は20名と大所帯で、活気に満ちてとても賑やかだ。

この日、子どもたちは花や葉など、身近な植物を家から持って来ていた。T先生の指示で、子どもたちは画用紙の上にそれらを配置し始める。その作業を大方終えたのを確認すると、T先生は制作の手順を実演してみせる。一枚の葉っぱを自分用の画用紙に乗せ、その上にかざしたふるいを絵の具の付いた歯ブラシでこすり、葉っぱを取り除くと、今まで置いてあった葉っぱの形の型取りが現れた（図1）。今日の題材は「スパッタリング」だったのである。

図1

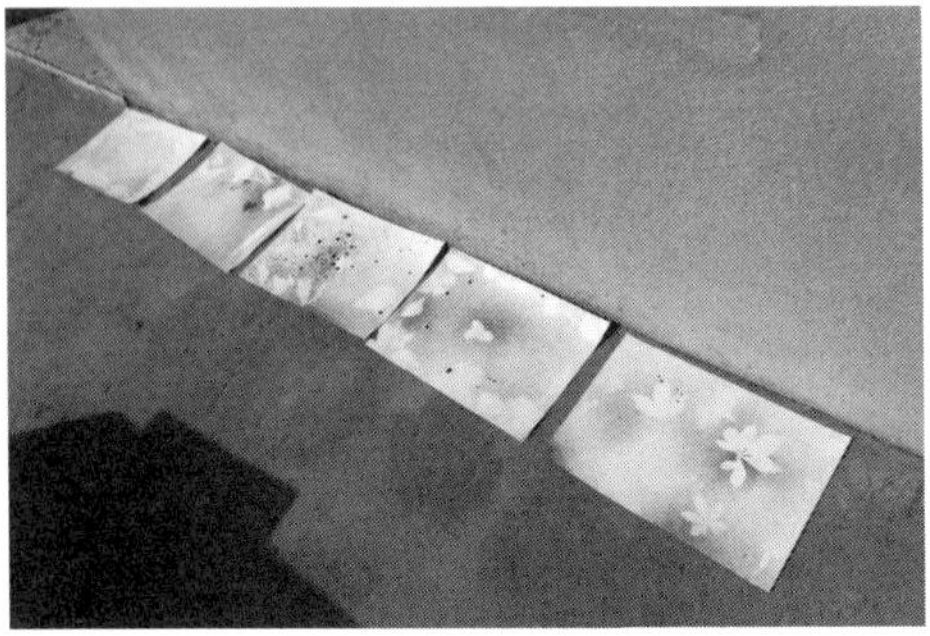
図2

子どもたちはT先生のお手本を真似てスパッタリングに挑戦するが、力の加減が難しかったり、ふるいの形が茶漉し状だったりして、なかなか思うようにはいかない。T先生は、そんな子どもたちに助言したり手を貸したりしながら、忙しく各グループの間を動き回っている。2コマ90分の授業が終わる頃には、花や葉の形がまるで白い影のように印された作品が、いくつも教室の外に並べられていた（図2）。

…………………………

T先生が実践したような、日本ではモダンテクニックと呼ばれるような表現技法を学習する授業は、モルディブではとても一般的で、PAカリキュラムや教師用指導書にはスパッタリング以外の技法、スタンピング（型押し）やブローイング（吹き流し）なども掲載されている。ほかによく行われる題材としてはコラージュが挙げられるが、コラージュについては、それだけで2001年版のPAカリキュラムの中で1つのカテゴリーを形成するほど重要な位置付けとなっている。私の限られた見聞の範囲で述べると、紙・米・木屑・毛糸・綿など、さまざまな素材を用いて絵や図柄を表現する授業は、地域を越えてよく行われているようである。日本で行われている、あるいは受けてきた図工や美術の授業を思い返して、「意外と日本の美術教育とも近いのかもしれない」という印象を抱く方も多いかもしれない。

ところが、これを宗教との関係性という視点からとらえると、また違った一面が見えてくる。あくまで一般的には、という前提にはなるが、イスラムの世界では人物や動物などの具象的な表現は忌避される傾向にあり、それが学校の美術教育に反映されているという事例は他国においてもいくつも報告されている。モルディブにおいても、大半の子どもたちは躊躇なく人物や動物の絵を描くが、一部の敬虔な家庭の子どもはそれに抵抗を感じることがあり、人物、とくに目など顔の表情の描写を避けたがるのだという。モルディブ人の教師たちは、そのような子どもたちへの配慮として、目・鼻・口など顔のパーツを省略することを許可するなどの対応をとっているのだと語る。

しかしそれ以外のイスラムの影響として、モルディブでの調査から見出したことがある。それは、イスラムに基づく日常の習慣や物事の捉え方など、モルディブ人の意識の奥深い場所で、イスラムと美術教育が結びつけられているという事実である。たとえば、先に挙げたT先生の授業において花や葉などの自然物が用いられたのは、世界がアッラー（神）によって創造されたことへの理解と認識を促すためであったのだという。その他にも、「物を粗末にしてはならぬ」という教えに従って廃材を用いた工作を行うといった例、グリーティング・カードを制作する際にムスリムとしての礼儀作法（イスラムの挨拶「アッサラーム・アライクム」の正しい言い方など）について話して聞かせる例など、自身の美術教育実践がイスラムに基づいたものであることを、モルディブ人の教師たちは「当然のことですよ」といった様子で話してくれた。

このような宗教的な内容は、モルディブのＰＡカリキュラムに明記されているわけではない。実践されている授業も、たしかに一見すると日本の美術教育からそう遠くないものである。しかし、そのような美術教育の中にあるイスラムとの関連をめいめいに、そして独自に解釈することで、美術教育がモルディブ人にとって価値のあるものとして位置づけられているのである。

さて、去る２０１５年、モルディブのナショナルカリキュラムは再び刷新され、ＰＡは創造的芸術（Creative Arts）という芸術に特化した教科として生まれ変わった。教育現場への周知・徹底までの時間も考えると、未だ混乱の最中にいるのではないかと予想する。ただ、どれほど制度が変わっても、文化に下支えされた深い部分で決して変わらないものもあると思う。それがモルディブの独自性であり個性だと思うので、失われることなく未来に受け継がれてゆくことを、私個人としては願う。

（箕輪佳奈恵）

V

社会・環境

12

人間開発指数から見る社会開発

★国民皆保険制度への挑戦と教育開発の推進★

モルディブのGDP（国内総生産）成長率は、リーマンショックの影響から回復した2010年以降は年平均6％強となっている。2018年のGDP成長率は前年比6・9％増で、極めて順調な経済成長を続けていると言える。しかし、GDPなどの経済関連数値の向上が結果として住民の生活水準向上につながるとは限らない。本章では、国連開発計画（UNDP）が毎年発表している人間開発指数（HDI）をヒントに、モルディブの開発課題とその背景をみていきたい。

人間開発指数は、平均余命から得られる平均余命指数、平均就学年数と期待就学年数から得られる教育指数、そして一人あたりGNI（国民総所得）から得られるGNI指数、これら3つの指数から総合的に算出される。モルディブの人間開発指数は順調に改善しており、2000年には0・606であったのが2018年には0・719になった。これはUNDPの区分では上から2つめの高度人間開発国に分類される。一方、男女別にみると女性の人間開発指数は0・689で、一区分下の中程度人間開発国の値となる。

公衆衛生及び医療面の開発状況の指標として用いられる平均

余命においては、モルディブは90年代に61・4歳であったのが、2017年には77・6歳にまで伸びている。2018年時点でのモルディブの平均余命は192か国中35位となっており、南アジア諸国の中では最も上位に位置する。男女別にみると、1991年には男性のほうが女性よりも平均余命が長かったが、1992年にこの値が逆転し、以来継続して女性の平均余命のほうが男性よりも長くなっている。これは、医療の普及及び衛生状態の改善により出産リスクが低下したためと考えられる。一般的にある一定程度以上に社会開発の進んだ国においては、女性のほうが平均余命は長くなる。モルディブでは熟練した医療従事者の立ち会いのもとでの出産の割合を向上させてきており、2014年の同値は95・6％となっている。

また、2008年の選挙において政権の座についたナシード大統領は、公約にもとづいて2011年3月に医療保険制度としてMadhana（マダナ）（意味は福祉）を導入した。当初、加入対象は全ての公務員と高齢者とされ、保険料は一人当たり年間2000モルディブ・ルフィア（約1万4000円）に設定された。所定の保険料を支払えば一般の人々も加入可能であったが、加入者数は全国民の25％にとどまった。そのため、国民全体をカバーするための制度修正にむけた政策論議が起こり、2012年1月に新制度であるAasandha（アーサンダ）が導入された。同制度は保健家族省（Ministry of Health and Family）内の社会保護機構（National Social Protection Agency）が管轄する国民皆保険制度で、実際の運営はAasandha Company Ltd. によって行われる。導入当初の保険料は一人当たり年間2750ルフィア（約1万9000円）で、一人当たり10万ルフィアを上限に入院・外来いずれの医療費も保障する。初年度だけで人口の84％が一度は保険制度を利用したとされる。同制度に関しては、20

14年2月にアブドゥラ・ヤーミーン大統領が保障上限10万ルフィアの制限を撤廃した。2020年の年度予算において、政府はこの制度に9億5070万ルフィヤ以上を支出すると予想され、これは国の支出予算の2・6％にあたる。

こうした保険制度に加え、予防接種やワクチンの普及により、マラリアやポリオ、新生児の破傷風といった感染症のコントロールにも成功している。一方で高度医療はいまだ不十分で、多くの人が治療のための海外渡航を余儀なくされている。また、離島での医療従事者確保や医療物資の供給、安全な飲み水と下水設備の高い維持コストに、政府は頭を悩ませている。

平均就学年数については、男女ともに義務教育として定められている年数である7年に未だ到達しておらず、6年強で推移している。モルディブの教育システムは、前初等教育（3〜5歳）、初等教育（6〜12歳）、前期中等教育（13〜15歳）、後期中等教育（16〜17歳）という構成になっている。憲法は、全ての児童は初等、及び中等教育を受ける権利があると定めている（36条b）が、義務教育として定められているのは初等教育の7年間のみである。

一方で、5歳の子どもが今後、教育機関に通うと見込まれる平均的な年数を表わす期待就学年数では、2000年前後から12年前後を示し始めている。このことから、1990年代から急激に教育が浸透し、老年層に比べ若年層が高いレベルの教育を享受していることがわかる。実際、ミレニアム開発目標（MDGs）のもと教育に対する政府歳出は増加し、1995年に1900万USドルであったのが、2009年には1・5億USドルと約7倍に増加している。男女別の数値では男性が僅かに女性よりも多いが、そこまで大きな差にはなってはいない。

教育アクセスに関する指数が改善傾向にある一方で、教育の質の向上が喫緊の課題となっている。特にマーレ島周辺と離島間の教育格差は深刻だ。訓練を受けた地元教師が少なく、また島外からきた教師たちの離職率も高いことが、離島に暮らす子どもたちの成績不振につながっている。また、モルディブ全体で高等教育の機会は限定的であり、多くの学生が海外の大学に進学している。

国民一人当たりのGNI（購買力平価）は、1995年の5720USドルに対し、2018年には3倍以上の1万7480USドルに達した。この値は南アジアで最も高い。かつてモルディブは後発開発途上国の1つであったが、主要産業である漁業と観光業の成長を背景に、2011年に脱却した。

一方で、男女別一人あたりGNIでは、ジェンダー間格差が大きいことがみてとれる。男女別の一人当たりGNIでは、女性のGNIは男性のGNIの5分の2程度にとどまっており、また2010年以降の男性の一人あたりGNIは増加傾向にあるのに対し、女性の一人当たりGNIは停滞し続けている。これは経済発展の恩恵を女性は間接的にしか受けられていない可能性を示しており、女性の人間開発指数が低い要因となっている。

モルディブは人口が各島に拡散しており、社会・経済開発の恩恵を均等に浸透させることが極めて困難である。2001年7月、政府は20年間で工業化を目指す「2020ビジョン」を発表し、工業化政策を打ち出したが、政治の混乱や急激な人口増加、限られた国土・資源から、十分な雇用創出と産業の多様化にはいたっていない。また、財政改善と公的機関のスリム化を目的として、多くの女性を雇用していた公務員の数を減らす政策をとったため、失業と不安定雇用の問題は若者、とりわけ女性に深刻だ。結果として若者の失業率は増加しつづけ、2019年には過去最悪の18・4％となった。

このように人間開発指数をめぐる各指数をみると、モルディブは他の南アジアの国々に比べると全般的に高い数値を示している。しかし、2018年の南アジア各国の人間開発指数の世界全体における順位は、スリランカが71位、モルディブが104位、インドが129位、ブータンが134位、バングラデシュが135位、ネパールが147位、パキスタンが152位となっており、その順位は世界全体の中で総じて低く、大きく改善の余地が見られる。経済発展がそこで暮らす人びとの生活の質向上に資しているか、保健医療や教育、貧困の指数動向をきちんと見定めていく必要がある。

（日下部尚徳）

13

ジェンダーから見たモルディブ

★平等化への取り組みと課題★

歴史の中のモルディブ女性

モルディブ史の中では、確固たる政治権力を行使していた女性の存在が広く知られている。イスラーム化以前の仏教の時代には、ダンハラ（ダマハール）という名の女王が現在のモルディブの島々を治めていた（第3章）。また、ダンハラとその夫である王の関係について、こう記されている。統治者は王であるが、人々の間の問題を裁く役割は王の妻が担い、その裁定には王も介入できなかった。

モルディブ史上最も有名な女性統治者は、イスラーム王朝時代の統治者となったスルタナ（女王）レヘンディ・ハディージャ（Rehendi Khadija）である。ハディージャは１３４７年から１３８０年にかけて、三度王座につき、その間に夫２人を暗殺するという女丈夫であった。ハディージャの死後は、妹そして姪も王位に上った。

その時代の女性について、現在の北部モロッコ出身の大旅行家イブン・バットゥータが記している。イブン・バットゥータは、モルディブを訪れただけでなく、イスラーム法の法官（カーディー）として社会に受け入れられ、ハディージャ女王の義理の母も含め4人の妻を持った。バットゥータはモルディブ社会を非常に好ましく感じたのだが、唯一の欠点、と彼が思ったのは、当時の女性の服装に関してで、頭を隠さず、上半身に何も身に着けていなかったことだ。「私がこの島の法官職に任命された時、そうした慣習をやめさせようとして、早速衣服を着るよう命じたが、結局それは不可能であった。」女性の服装に関する限り、バットゥータが考えたムスリム女性としてあるべき姿と、当時のモルディブ社会に根付いていた文化的慣行の間には、かなりの隔たりがあったことが伺える。

イスラーム化の進展とジェンダー

バットゥータの観察からおよそ700年、今日のモルディブにおいて女性の一般的な服装は、ヒジャブ(頭を覆うスカーフ)、体の線を拾わない上着にパンツというスタイルである。青い海、白い砂浜でくつろぐ家族連れに混じる黒いチャドル(頭から踝までを覆う長い衣)をまとった女性の姿を見かけることも多い。首都マーレでは、ヒジャブを被らない洋装の女性もいるが、被っていたヒジャブを脱ぐということには、相当な社会的スティグマを感じる覚悟がいるようだ。ヒジャブのことを論ずるだけでも反イスラーム的とみなす向きもある。

こうした原理主義的傾向が強まってきたのは、1990年代以降のことらしい。かつて地理的、経済的に孤立し、低開発にあったモルディブが、グローバル化の波にのって国と社会を外に開いていったのと並行して、より保守的なイスラームの思想がモルディブに流入し広がった。とりわけ2001年のアメリカ同時多発テロ後、世界で展開されたテロとの戦いは、ムスリムにとってはイスラームのアイデンティティへの脅威と映った。こうした状況下で、2004年末のインド洋津波がモルディブを襲った。イスラーム勢力は、甚大な被害をもたらしたこの津波について、正しいイスラームを実践していなかった罰であると喧伝した。それが人々の意識や生活スタイルのイスラーム化を強める契機になったともいわれている。

ジェンダー平等に向けた取り組み

ジェンダー平等化の動きと、それを押し戻そうとする保守派の綱引きは今も続いている。モルディブは1993年に女子差別撤廃条約（Convention on the Elimination of Discrimination against Women：CEDAW）を批准した。ちなみに日本は1985年、南アジアでは、スリランカ（1981年）、ブータン（1981年）が最も早いが、バングラデシュ（1984年）、ネパール（1991年）、インド（1993年）、パキスタン（1996年）と続く。同条約のうち、当初モルディブは7条（自国の政治的及び公的活動における女子に対する差別を撤廃するためのすべての適当な措置をとる）および第16条（婚姻及び家族関係に係るすべての事項について女子に対する差別を撤廃する）についでは留保をつけていたが、人種や出身国、皮膚の色、年齢、障害の有無等と並んで性別に基づく差別を禁じた2008年憲法に基づき、女性が大統領に立候補することが可能になったため、7条の留保を取り消した。さらに2020年2月には16条の一部の留保が撤回されたが、今なお同条の（a）婚姻をする同一の権利、（c）婚姻中及び婚姻の解消の際の同一の権利及び責任、そして、子に関する権利及び責任を定めた（d）並びに（f）、について留保が残っている。

２００８年憲法施行以来、法体系が改定されるなかで、女性に関係する法律も次々に整備された。中でも２０１６年に制定されたジェンダー平等法は、ジェンダーに基づく差別を禁止し、公的並びに私的領域のあらゆる側面におけるジェンダー平等の推進を謳い、国および民間（雇用主、メディア、教育機関、金融機関、政党、医療機関等）の義務と責任を具体的に述べている。

２０１８年に誕生したソーリフ政権は、ジェンダー平等に向けてのさまざまな施策、立法化を積極的に行っている。閣僚は、過去最高の19人中７人（37％）が女性であり、その中にはモルディブ史上初の女性国防大臣も含まれている。他方、２０１９年の国会総選挙では、候補者３８６人中、女性候補は35人に過ぎず、さらに当選者は87人中４人にとどまった。２０１９年９月、政府は最高裁判事として、史上初めて二人の女性判事を任命した。それに対しては、イスラーム保守派から、女性は刑法や財産法に関わる審判をできない等の強い批判が寄せられ、ＳＮＳ上でも賛否両論熱烈な議論が交わされた。政府は女性のエンパワーメントおよびジェンダー平等の実現に向けて重要な手段であるとして承認案を国会で成立させた。さらに２０１９年12月には、地方分権法を改正し、地方評議会の議席の33％を女性に留保するとした。

女性の雇用

全般的に見れば、ほかの多くの南アジア諸国に比べ、教育、保健、生存といった基本的な指標について、女性への差別は少ない。他方、家庭内外での女性の役割に関しては、社会的、文化的制約は存続、あるいは拡大している側面もある。

保健、教育、所得といった人間開発の平均的達成度を測る人間開発指標（ＨＤＩ）に照らしたモルディブの地位は、２０１１年の１８７カ国中１０９位から、２０１９年には１８９カ国中１０４位まで上昇した。しかしながら同期間のジェンダー不平等指標（ＧＩＩ）では、52位から２０１８年には81位まで悪化した。ＧＩＩ低下の原因は、国会議員における女性比率の低下（６・５％から５・９％）ならびに、労働参加率の低下（57・１％から42・９％。ちなみに男性の労働参加率は同期間に77％から82・１％に上昇した）にある。

雇用におけるジェンダー問題の１つは、「女性に相応しい」と社会的に認識される雇用が、民間部門で限られていることにある。公務員をとってみれば、２０１８年現在で合計２万３６４７人のうち女性が61％と、男性を上回っている。職種別には、公務員のうち最も多い教師（公務員全体の23％）の77％、行政職（同19％）の62％、清掃・維持関連（同19％）の58％、看護師（同９％）の94％、会計・予算関連（同３％）の63％を女性が占めている。他方民間部門に関する統計や調査は限られている。かつて女性が従事していた魚の加工処理（乾燥、塩漬け、保存）といった仕事では、観光産業による魚の需要増大に対応して機械化、近代化されたことによって、女性の仕事が減少している。それに代わる観光産業では、自宅のある島からほかの島まで通ったり移住したりする必要があるため、親が若い娘を出すことに躊躇するという社会文化的要因が、女性の進出を阻んでいる。しかし女性が経済活動に従事していないということではない、２０１６年の世帯所得支出調査によれば、インフォーマルセクターでの就労割合は、全国平均では、男性の30％に対して、女性は40％、首都マーレでは女性が28％と男性（33％）を下回るが、マーレ以外では女性49％、男性30％となっており、男性に比べて女性の労働条件が劣っているとともに、女性のほぼ半数は、インフォーマルセクターで働いていることがわかる。一方、男性には稼ぎ手としての役割が期待されている。しかし公務員の数は限られており、観光部門のような民間の成長セクターでは外国人労働者との競争が、多くの若者にとっては高い障壁となっている（第29章）。願望と現実の間の大きな差は、社会不安や家庭内外のジェンダー関係にも影響を及ぼしている。

結婚と離婚

ほかの南アジアのイスラーム社会に比べて、モルディブの際立った違いは、結婚の決め方である。最近でこそ、都市の、学歴の高い集団の中では恋愛結婚も増えつつあるとはいえ、ほかの南アジアのイスラーム社会では、子どもの結婚は親が決めるのが一般的だ（ムスリムに限らず、ヒンドゥー教徒も事情は同じである）。それに対して、モルディブではいわゆる見合い結婚は稀だという。結婚後は、住宅事情に応じて夫、妻の両親と住む。

一方、離婚も多い。２０１８年に結婚は５２９０件あったのに対して、離婚は３１６６件あった。過去12年程の統計を見ると、結婚件数は２００９年に最多の６５６９件を記録したが、以降は徐々に減少傾向にある。それに対して、２００６年には２１７７件であった離婚は、増加傾向にある。政府は、裁判所からの許可なしに妻を離婚した夫に対し罰金を課したり、家族法などについて学生の意識を高めるセミナーを行うなど、離婚を減らす試みを行っている。一方で、離婚が制度的に困難になることで、家庭内暴力の問題等は、より深刻化するのではといった指摘もある。

（村山真弓）

14

海を埋め立てた人工島

★フルマーレからみる島嶼国の未来★

フルマーレ島は、首都機能の集中するマーレ島の人口増加に伴い、住宅政策の一環として作られた人工島である。フルマーレ島の面積は約4平方キロメートルで、モルディブで4番目の大きさをほこる。1997年10月16日にプロジェクトがスタートし、現在まで住宅や公共施設の建設が続いているが、政府はさらなる埋め立てによってフルマーレ島を2倍の面積に拡張し、2050年ごろまでに最大24万人が住めるようにする計画だ。この数はモルディブ人口の3分の2にあたる。

フルマーレ島拡張の背景には、マーレ島の人口増加と気候変動に伴う海面上昇に対する政府の危機感がある。マーレ島には、2020年時点で全人口のおよそ3分の1にあたる14万人あまりが暮らしており、人口集中による生活環境や治安の悪化、居住費の高騰が社会問題となっている。また、1000以上の島々からなるモルディブは、その国土の8割が海抜1メートル未満であり、気候変動の影響が最も大きい国の一つだ。国連の「気候変動に関する政府間パネル」の報告書によると、温暖化が最も進んだ場合、2050年ごろには世界平均で30センチ前後の海面上昇が予測されている。世界銀行は、最悪の場合2100

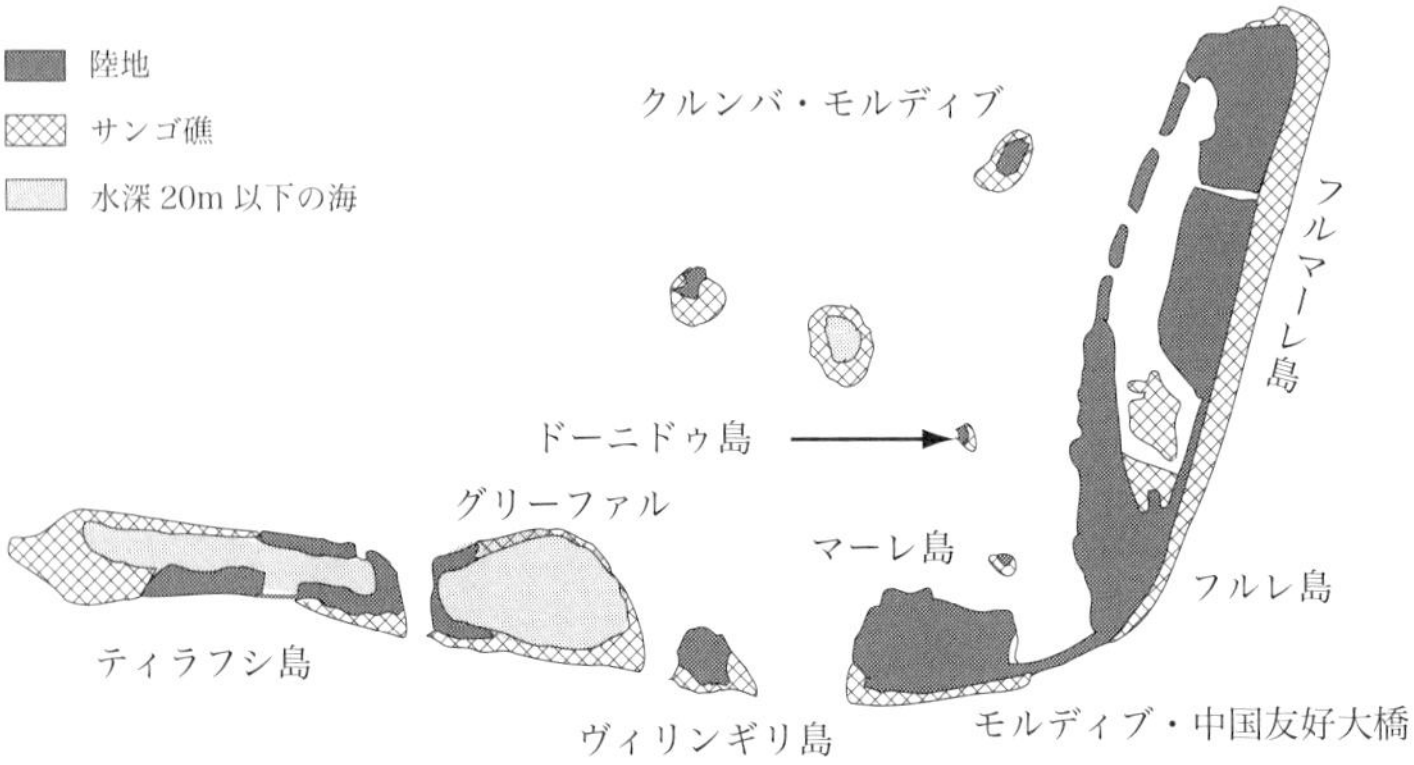

マーレ島周辺

年までにモルディブ全体が水没する可能性があるとして、対策の必要性を訴えている。

　これらの課題に対応するため、マーレ島のすぐそばに居住用の2つの島が開発された。ひとつがヴィリンギリ（ビルマーレ）島で、以前はリゾートホテル中心の島だったが居住用として再開発された。もうひとつが埋め立てによって人工的に作られたフルマーレ島だ。海抜1メートルのマーレ島に対し、温暖化に対応するためフルマーレ島の海抜は2メートルと高く設定されている。マーレ島とフルマーレ島の間には、空港島であるフルレ島があり、この4つの島がモルディブの中心的機能を担っている。しかし、行政機関や大手企業はマーレ島に集中しており、居住用の島はベッドタウンの役割を果たしているに過ぎない。ほかの島にも民間企業や個人商店、銀行などの支店はあるが、働く場所はマーレ島に比べると多くはない。そのため、ヴィリンギリ島やフルマーレ島に暮らす人々の多くが、毎日マーレ島に通勤している。

　マーレ島は、ほかの島々からの移住者や外国人労働者の流入によって世界有数の人口過密都市になっており、家賃も高騰している。一方で、ヴィリンギリ島やフルマーレ島は比較的安価に住むことができる。また、人口が過密なマーレ島は地主が土地を手放そうとしないため、一般の人々が土地を購入することが極めて困難であるのに対して、フルマーレ島は抽選や入札によって家を持つことも可能だ。２０２０年現在も続々と住宅が建設されており、政府はマーレ島の住民をフルマーレ島へ移住させる計画を進めている。

The City of Hope のキャッチフレーズのもと進められるフルマーレ島の開発は、国営企業である住宅開発公社（Housing Development Corporation：ＨＤＣ）によって行われている。ＨＤＣの幹部はフルマーレ島のコンセプトとして、①さまざまな階層向け住宅の建設、②９万人の雇用創出、③マーレ島の３

住宅開発公社に設置されたフルマーレの完成模型図

住宅開発公社に設置されたフルマーレの完成模型図の前で説明をうける

倍にあたる1人あたり2・5平方メートルのオープンスペースの確保、④緑地や公園、運動施設などの余暇環境の整備、を挙げている。

また、経済特区として、ITエリア、ナレッジエリア、金融エリアの3つのゾーンを設定し、それぞれで1万から1万2000人の雇用を生み出すことを目指している。

さらに、近年優秀な若者の国外流出や過激なイスラーム思想への傾倒がみられることから、政府は若者の健全な育成を重点課題として認識している。そのため、フルマーレ島においても教育施設はもちろんのこと、若手起業家向けのビジネス機会創出やスポーツや映画館などの余暇施設の充実、ユースセンターの設立など、若者をターゲットとした計画を進めている。

開発資源の限られたモルディブ政府がこれらの計画を進めるにあたっては、海外からの投資が重要な役割を果たしている。すでにさまざまな開発事業で中国やシンガポール、インドなどの各国政府が積極的に関与しているほか、民間投資として中国、韓国、スリランカ、中東諸国の企業とも契約が結ばれている。モルディブ政府は、フルマーレ島が国際空港からわずか15分、主要なリゾートにもボートで20分の場所にあり、インド洋貿易のハブになりうることを強調し、さらなる投資を呼び込もうとしている。

それに呼応するかのように、官民をあげて積極的にモルディブへの投資を進めているのが中国だ。2018年8月30日、フルマーレ島とマーレ島をつなぐ橋が開通した。総工費推定2億ドル、全長2・1キロメートルに及ぶこの橋はモルディブ・中国友好橋（シナ・マーレ橋）として建設され、中国の影響力の大きさを国内外に示した。2013年11月に就任したアブドッラ・ヤーミーン元大統領の下では中国が第一のパートナーとしてその存在感を示しており、同国の支援のもと経済開発を進めてきた。中国の援助で住宅や国立博物館の建設も行われてきたが、シナ・マーレ橋は事業規模としてはそれらとは比較にならないほど巨大なインフラ事業であった。

フルマーレ島とマーレ島を結ぶ「モルディブ・中国友好大橋」（シナ・マーレ橋）

橋が完成したことで、マーレ島とフルマーレ島の往来が容易になったのは言うまでもない。橋の完成以前は、島同士をつなぐ交通手段は船か飛行機であった。しかし、それでは時間とお金がかかるうえ、子どもや高齢者、障がい者が移動するには苦労が多かった。橋ができたことで、天候に左右されることなく従来の移動方法の半分以下の時間で両島を行き来することが可能になった。これによりマーレ島住民がフルマーレ島の公園やレストランを気軽に利用できるようになったり、逆にフルマーレ島住民がマーレ島で遅くまで飲食や仕事ができるようになったりと、シナ・マーレ橋の建設は島民の生活に大きな変化を与えた。マーレ島側の橋の入り口には、巨大な壁面ポスターで中国からの支援であることが大々的にアピールされており、モルディブにおける中国の存在感を示している。

人口増加や海面上昇といった島嶼国が抱える問題を解決するために、埋め立て事業で新たに生まれたフルマーレ島は、計画当初から最先端の技術を導入したスマートシティとして設計された。１０００以上の島々からなるモルディブにおいて、隅々まで社会インフラを行き渡らせるのは非常に困難で、離島のエネルギー供給やゴミ処分の問題は日々深刻度を増している。そのため、フルマーレ島では、インターネットやＡＩ（人工知能）技術を活用し、多くの人が快適かつ安全に暮らせる住環境を提供することでモルディブ全土から移住を促すとともに、エネルギー効率を高め、環境に配慮した街作りを計画している。

一環としてフルマーレ島では路面電車などの低炭素公共交通の導入を検討しており、そのモデルとしてコンパクトシティ政策に成果を上げている日本の富山市に協力を要請している。太陽光発電システムの導入や有機廃棄物を活用したバイオガスの活用といった低炭素化・脱炭素化へ向けた取り組みも同時に進めており、人工島での持続可能な社会づくりに世界は注目している。

最新のＩｏＴ（モノのインターネット）技術と環境配慮技術を集約したスマートかつコンパクトな人工島がモルディブで成功すれば、同様に水没の危機に瀕しているマーシャル諸島など他の島嶼国に対しても明るい未来を提示できる。そういった意味で、フルマーレ島は気候変動に直面する人類の生き残りをかけた壮大かつ最初の実験場であるといえる。

（日下部尚徳）

15

環境と気候変動

★沈みゆく国の生存戦略★

モルディブ共和国は、インド・ケーララ州の南西484キロメートルのインド洋上に浮かぶ島国である。1192の島々で構成され、このうち約200島に人が居住し、145島がリゾート島となっている。これらの島々は大小26のドーナツ型の環礁上に形成されたサンゴ洲島で、南北に820キロメートル、東西に130キロメートルの広がりを持つ。気候区分においては熱帯モンスーン気候に属し、平均気温は27℃～30℃で寒暖の差が少ない。雨量は年間を通して一定量以上あり、8～12月が特に多くなる。海水温は12月を除き28～30℃で、珊瑚の生育に適した環境にある。

こうした安定した気候と豊かな海洋資源の一方で、人口の増加と集中、ゴミ問題など、陸地面積が限られているがゆえの問題は深刻だ。すべての島の面積を合わせても東京23区の半分程度しかなく、政府は埋め立てによる土地造成を進めている。首都機能を有するマーレ島はもともとの面積の二倍近くにまで拡大しているほか、住宅政策の一環としてフルマーレ島を、空港整備のためにフルレ島を、ゴミの最終処分場としてティラフシ島の埋め立てを行った。こうした埋め立てを行うための土砂を確保するのは土地のないモルディブでは困難であることから、土地造成は海外からの土砂輸入と資金援助によって進められている。

モルディブ政府が土地造成を急ぐ背景には、島嶼国モルディブが直面する気候変動の問題がある。気候変動に関する政府間パネル（IPCC）の第5次評価報告書によると、1901年から2010年の約110年の間に海面は約19センチメートル上昇しており、モルディブは今後100年間の海面の上昇によって国土の大半が水没する危機に瀕している。また、海面上昇にともない防潮堤などの既存の防災施策の効果が低減することで、地震による津波やサイクロンによる高潮、慢性的な洪水などに対する災害脆弱性が高まっている。

もともと、モルディブに暮らす人々は長い間災害と隣り合わせの生活をおくってきた。海抜が低い島嶼国である以上、サイクロンなどの暴風雨、洪水、地震による津波の被害は避けられない。避難しようにも高台すらない島々が大半を占める中、人々はその都度災害による被害を克服し、防災のための知恵を絞ってきた。しかし、ときに自然はそれを上回る力で島々を襲い、人々の生活を根こそぎ奪っていった。

1987年には高潮で全島の三分の一が冠水。浸水によって市街地の衛生状態が悪化し、伝染病が蔓延した。モルディブはそれ以前から護岸施設を設置していたが、それは珊瑚塊を積み上げたものの表層をモルタルで固めた程度の不十分なものであったことから、期待されていた防災機能を果たせなかった。

被災後、モルディブ政府からの要請を受けた日本政府は、首都のマーレ島に全周6キロメートルに渡る護岸工事を実施し、脆弱な護岸施設をコンクリート製のテトラポットに変えた。これにより、2004年のスマトラ島沖地震によって発生したインド洋津波の被害を最小限に抑えることができたとされるが、それでもマーレ島を推定3メートルの津波が襲い、モルディブ全体で死者・行方不明102名、1万2000人以上が被災した。同津波によるモルディブの被害総額は4億1000万ドルに及ぶ。

また、インド洋大津波以降、各地で地下水の塩分濃度の上昇が見られ、いくつかの島で乾季の水不足が問題となっている。2030年までの世界の開発目標を定めた「持続可能な開発目標（SDGs）」の17ゴールの中でも、安全な水の確保はゴール6に掲げられている重要課題である。国連広報センターによると2030年までに世界の淡水資源が必要量の40％不足し、深刻な水不足で7億人が避難民となる可能性がある。海に浮かぶモルディブ、中でも離島で暮らす人々は、災害だけでなく、水の確保においても脆弱な立場にあると言える。

これまで述べてきたような災害被害の拡大や水不足を背景に、モルディブの人々の間で「昔は砂浜だったところが海に沈んでしまった」「井戸の地下水を使っていたけれど、しょっぱくなって、使えなくなってしまった」等のストーリーがよく聞かれる。一方で、気候変動とこうしたモルディブを襲う災害・水不足の問題の因果関係は明確に証明されているわけではない。実際、地球温暖化による長期的な海面上昇よりも、サイクロン・高潮・地震などの自然災害による直接被害のほうが島民の生活に大きな影響を与える。そのため、災害の被害拡大が気候変動によるものなのか、災害を発生させる外力の大きさによるものなのかを判断するのは極めて困難である。年間数ミリの海面上昇よりも、干満の差による土壌侵食や、人口増加と土地不足に端を発する災害高リスク地域への住民移動のほうが、被害を拡大させると指摘する専門家もいる。

とはいえ、中長期的にみれば海面上昇は科学的に証明されており、その影響がモルディブのような海に浮かぶ国々に大きくみられるのは確かである。政府統計によると、モルディブの全陸地の80％以上は海抜1メートルに満たない。また、全島の住民の生活行動範囲の44％、主だった121の島々における住宅の50％以上が海岸線から100メートル以内のところにある。

予想される経済損失も甚大で、4つの国際空港はすべて海岸線から50メートル以内にあり、観光客用宿泊施設の99％が海岸線から100メートル以内に位置している。基盤産業である水産業関連施設の70％も海岸線から100メートル以内に設置されていることから、海面上昇による浸水や島土の侵食が経済に与える影響は計り知れない。また、気温が変化し、海水中の二酸化炭素濃度が上昇することで、観光客を魅了していた珊瑚には白化現象がみられる。砂浜や熱帯植物の減少、デング熱の増加も報告されており、これらはモルディブ最大の産業である観光業にとって大きなリスク要因となっている。

気候変動の脅威はいまでこそ科学的根拠にもとづいて世界的に共有されたものであるが、ここにくるまでにモルディブは気候変動との戦いの必要性を国際的な場で訴えつづけてきた。モルディブは1987年の国連総会において、気候変動に取り組む必要性を提唱した初めての国である。また、環境保護を訴え、2020年までに二酸化炭素の排出量と吸収量とがプラスマイナスゼロの状態になるカーボンニュートラルを目指すなど、持続可能な開発に向けた進歩的な取り組みを行ってきた。

２００７年11月には低海抜諸国による気候変動に関する会議を開催。会議には国土の水没が懸念されるツバル、ミクロネシア、キリバス、パラオなど、海抜が低く、気候変動のリスクに最もさらされている国々、26か国の代表が参加した。

海底で二酸化炭素排出量削減を訴える請願書に署名するモハメド・ナシード大統領（当時）（出典：映画「南の島の大統領：沈みゆくモルディブ」）

インド洋に浮かぶマーレ島
（出典：AFP　https://oceana.ne.jp/oversea/10956）

2009年には、水没する危機に瀕する低海抜諸国の現状をアピールするため、当時の大統領であるモハメド・ナシードおよび閣僚がスキューバダイビングの装備に身を包み、海底で二酸化炭素の排出量削減を訴える請願書への署名を行った。同大統領は、対症療法であるとしながらも海岸の盛土の推進、さらには将来国民が移住できるように観光収入で海外の土地を購入する計画まで発表した。また、同じ年の12月にコペンハーゲンで開かれた気候変動枠組条約第15回締約国会議（COP15）において二酸化炭素排出削減を呼びかけた。ナシード元大統領のこうした活動は、映画「南の島の大統領：沈みゆくモルディブ」に克明に記録されている。

海抜が低いモルディブは、もともと災害に対する脆弱性が高い。加えて、多くの島々に人口が点在していることから全国一律の防災対策をとるのが極めて困難である。一般的に、いつ来るかわからない災害に対する備えに税金を使うことに対して国民の理解を継続的に得るのは難しく、モルディブにおいても対策の大部分を海外援助に依拠してきた。気候変動が現状のモルディブにどれだけの被害を与えているのかに関しては、まだ十分な証明がなされていないが、海面が上昇することで中長期的に問題が顕在化するのは確かである。世界に対して気候変動対策を訴えることで、国際社会から国土と環境の保全、および防災のための継続的な支援を得ることが、モルディブ政府の戦略の一つの柱であるといえる。

（日下部尚徳）

16

廃棄物処理と環境問題①

★始まったばかりの廃棄物管理★

廃棄物管理は、急速な人口増加、都市化、工業化をかかえる開発途上国では大きな課題だが、モルディブ共和国（モルディブ）も多くの発展途上国と同様である。急速な人口増加、ライフスタイルと消費パターンの変化、および観光セクターの急速な成長により、廃棄物管理は最大の課題の1つと見なされている。現在、ごみ収集サービス、処理、廃棄システムは限定的でしかない。マーレ以外の島民は指定された処分場に自分で廃棄物を運ぶ必要があるが、多くの場合、砂浜、海、茂みへの投棄、廃棄物の野焼きが行われる。このような不適切な廃棄物管理は、環境に悪影響を及ぼす。さらに海への無秩序な廃棄物管理は、サンゴ礁に影響を与え、モルディブの島々の美しさを損なう。インフラ・予算が不十分で、施設の能力が低く、規制を施行することが難しいため、小さな島では廃棄物管理の状況は、最悪だ。

廃棄物管理に関する状況を考慮して、モルディブ政府は、世界銀行や国際的な研究機関と協力して以下のような問題解決に取り組んでいる。

表1　一人・一日当たり廃棄物推計量

	人口（2017年）	A一人・一日当たり廃棄物量（世銀2017年推計）（kg/capita/day）	B一人・一日当たり廃棄物量（観光省推計）（kg/capita/day）	一人当たり廃棄物量平均（A+B/2）（kg/capita/day）	一日当たり廃棄物量（tons per day）
都市部	160, 475	1.8	2.8	2.3	369
住民島	261,828	0.8	1.0	0.9	236
リゾート（ベッド数）	281,322	3.5	7.2	5.35	150
合計					755

廃棄物の量

世界銀行の推計では、固形廃棄物の発生量は表1（環境省、2019年）のとおり、都市部では1日1人あたり（以下同じ）1・8kg、住民島では0・8kg、リゾート島では3・5kgである。しかし、観光省（2015）は、世銀の推計より多く都市部では2・8kg、住民島では1kg、リゾート島では7・2kgの固形廃棄物が発生していると推測する。

国内の一人当たりの廃棄物発生量には正確な値がないため、一人当たりの廃棄物発生量の平均は、世界銀行（2017）と観光省（2015）の平均値を使用して推定した。この推定によれば、2017年にモルディブで1日に約755トンの廃棄物が発生し、約20％がリゾート島から、49％が都市部から、31％が住民島から発生した。

図1は、住民島、リゾート島、サファリ船と呼ばれる船（ホテルの一種）から発生する廃棄物の内訳を示す。有機廃棄物の割合が最も多く、食品廃棄物および落ち葉などが含まれる。サファリ／船舶は落ち葉などの廃棄物を出さず、有害廃棄物としては食品廃棄物のみを排出する。それぞれの場所で発生する無機廃棄物に

図1　住民島、リゾート、サファリ船別廃棄物内訳

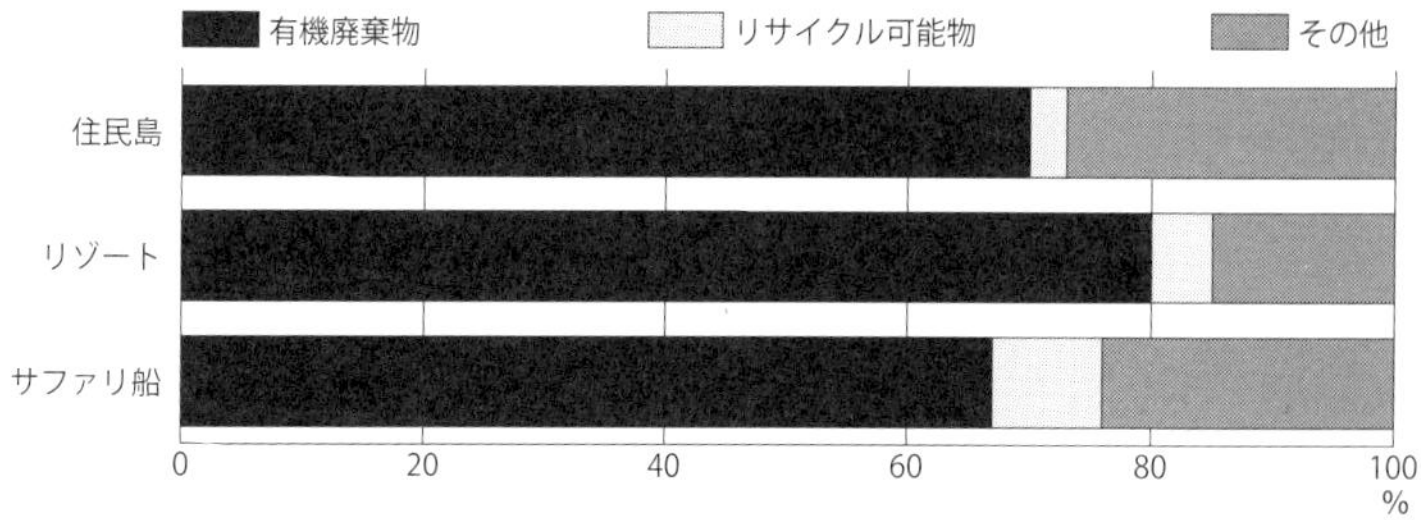

出所：観光省、2015。

は、リサイクルできる物やその他の残留物が含まれる。リサイクル可能なものには、金属、紙、プラスチックが含まれ、これらは住民島では3％、リゾートでは5％、サファリ船では9％しか占めていない（環境省、2019年）。そのほか建設廃材、木材、コンクリートなどの無機物、ガラス、繊維、皮革、ゴム、バッテリーなどの有害廃棄物が含まれる（環境省、2019年）。

廃棄物管理の実態

モルディブは小さな島国であり、それぞれの環礁は海によって互いに隔てられており、廃棄物管理の実態は、処分施設へのアクセス、人々の収入、廃棄物管理に対する人々の考え方、地元の習慣および国家／自治体の介入に応じて島ごとに異なる。有機廃棄物は、マーレで最も多い廃棄物であり、紙とプラスチックがそれに続く。住民島のほとんどに島廃棄物管理センター（IWMC：Island Waste Management Centre）があるが、それらの多くは稼働しておらず、島で発生した廃棄物の収集場所としてのみ機能している。ほとんどの島では、野焼きがまだ一般的である。さらにいずれの島でも、危険な液体や電子廃棄物を管理するノウハウがまだ

ない（モルディブ政府、２０１９）。

モルディブでの廃棄物管理は、２００４年の津波によって国の一部が荒廃し、瓦礫やその他災害後の廃棄物が山積した後、大幅に発展し始めた。津波以前は、有機性廃棄物はおもに海に投棄され、残りは公然と燃やされていた。災害後の対応に迫られ、政府は持続可能な廃棄物管理に戦略的に取り組むことを余儀なくされた。

２０１４年に、廃棄物管理・汚染防止局が環境省の下に設置され、廃棄物管理および調整を行うことを義務付けられた。その後、２０１５年に既存の廃棄物管理政策（２００７）が見直され、島評議会（アイランド・カウンシル）に個々の島の廃棄物を管理するよう義務付けた。廃棄物管理の方針は、ＩＷＭＣで有機廃棄物を堆肥化し、ＩＷＭＣが収集および分別した無機廃棄物の処分は地域廃棄物管理センター（ＲＷＭＣ：Regional Waste Management Centre）が行うとされている。

マーレの廃棄物管理

２００９年に設立された廃棄物管理公社（WAMCO, Waste Management Corporation）は、２０１６年１月からマーレの住民から廃棄物を収集し、ティラフシ島に運び、ティラフシ島の埋め立て地で廃棄物を処理している。ＷＡＭＣＯは、住宅および商業施設から効率的に収集するために、マーレを13のゾーンに分割した。アパートの玄関口からの廃棄物の収集には、１５０ルフィア（約１１００円）の月額料金が直接請求され、建物の外に置かれるごみ箱からの廃棄物の収集には、１００ルフィア（約６６０円）の月額料金が請求される。

住民島の廃棄物管理

住民島での廃棄物管理は、マーレなどの都市部と比べると不十分だ。島では、廃棄物は通常、島評議会、コミュニティおよび民間事業者によって収集されるか、住民によってIWMCまたは他の指定された処分場に運ばれる。ほとんどの島では、女性が廃棄物を処分場に運ぶ。しかし、廃棄物管理システムがないこと、強制力もないことから波打ち際に捨てられたり、野焼きが行われたりする（写真参照）。

2014のセンサスによれば、指定されたごみ処分場に投棄（79・13％）、茂みに投棄（7・46％）、

ガーフ・アリフ環礁マーメンドゥー島の野焼き

ティラフシ島のリサイクルゴミ置き場

自然発火して煙が立ち上るティラフシ島の廃棄物置き場

波打ち際／海辺への投棄（7・19％）（観光省、2015）。約4・7％が裏庭で燃やす。このほか、埋め立て地に持ち込んだり、家の周囲に埋めたり、小さな焼却炉で焼くなどもある。

リゾート島の現在の廃棄物管理

現在、モルディブには145の観光リゾートがあり、その廃棄物管理は、観光省の管轄下にある。観光省規制「観光産業における環境の保護と保全に関する規制」は、すべてのリゾート島が環境への影響が最も少ない方法で廃棄物を管理することを要求しているが、実際には、リゾート島で発生する廃棄物は インフラストラクチャが不足していること、既存の法規制の施行やそれに基づいた監視が不十分であることから、適切に管理されていない。環境省が実施した調査によれば実際にはほとんどのリゾートで、食品廃棄物はほかの廃棄物から分離され、海に捨てられる。また、リゾート島では、リサイクル可能な廃棄物と、その他の不燃性／非処理性の残留廃棄物を除去し、島外で処理することになっている。しかし実際には、リゾートからの混合固形廃棄物は、マーレとリゾートの間を移動するリゾートサービス・ドーニ（伝統的な船）に積み込まれ、ティラフシ島で廃棄される。荷降ろしプラットフォームでドーニが停泊する時間に基づいて、荷降ろし料金が請求されることになっているが、現在では、廃棄物1トン当たり400ルフィアが、ティラフシ島処理場に廃棄物を持ち込むすべての事業体に請求される。今後ティラフシ港が改修され、廃棄物の重量を量る施設設立されたら、料金は改定される予定だ。

（ラジブ・クマル・シン、プレマクマラ・ジャガット・ディキャラ・ガマラララゲ、モハメド・ハムダン）

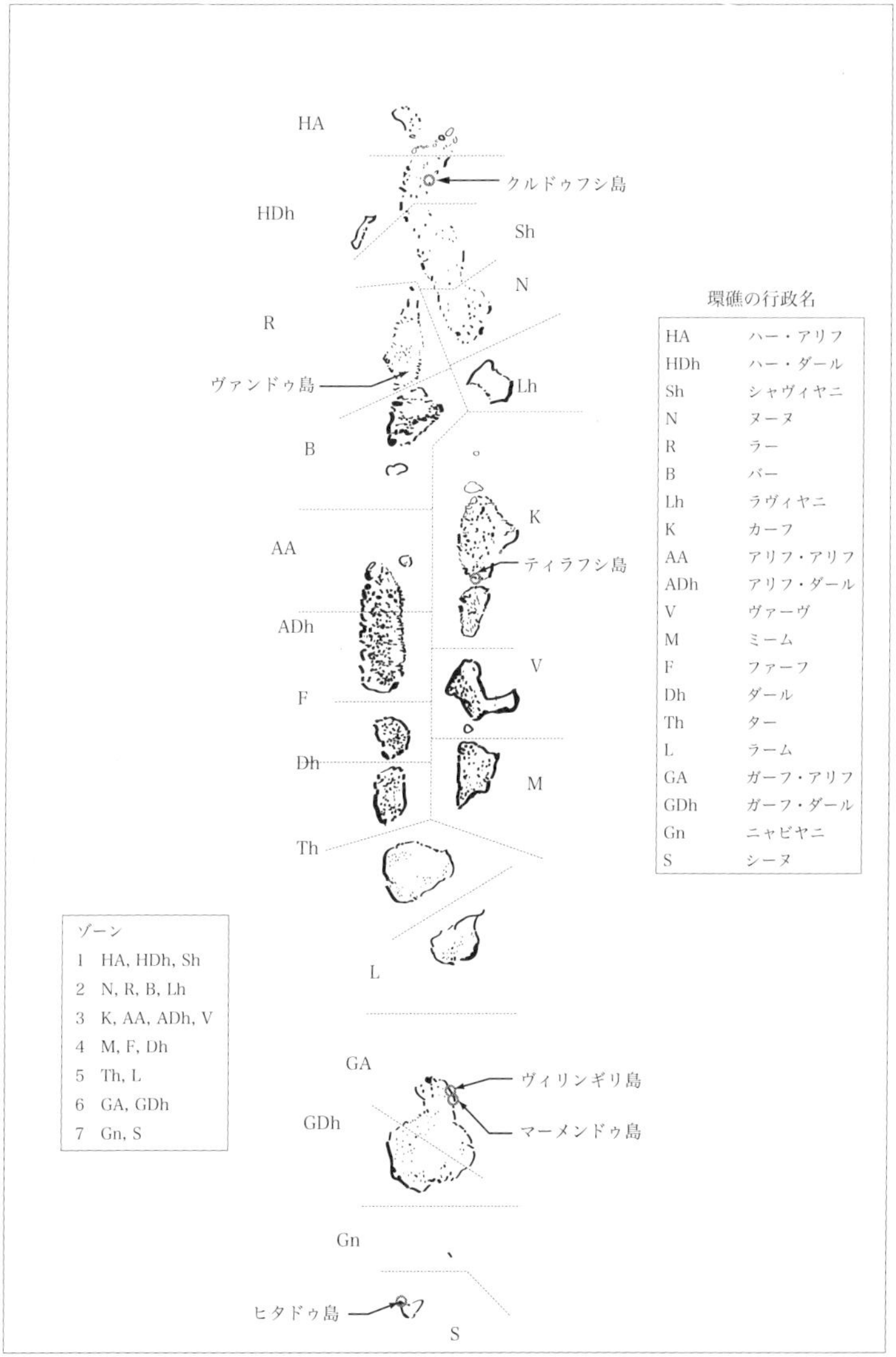
HA
クルドゥフシ島
HDh
Sh
N
R
ヴァンドゥ島
Lh
B
K
AA
ティラフシ島
ADh
V
F
Dh
M
Th
L
GA
ヴィリンギリ島
GDh
マーメンドゥ島
Gn
ヒタドゥ島
S
環礁の行政名
HA ハー・アリフ
HDh ハー・ダール
Sh シャヴィヤニ
N ヌーヌ
R ラー
B バー
Lh ラヴィヤニ
K カーフ
AA アリフ・アリフ
ADh アリフ・ダール
V ヴァーヴ
M ミーム
F ファーフ
Dh ダール
Th ター
L ラーム
GA ガーフ・アリフ
GDh ガーフ・ダール
Gn ニャビヤニ
S シーヌ
ゾーン
1 HA, HDh, Sh
2 N, R, B, Lh
3 K, AA, ADh, V
4 M, F, Dh
5 Th, L
6 GA, GDh
7 Gn, S

17

廃棄物処理と環境問題②

★島嶼国の廃棄物管理の課題★

モルディブの廃棄物管理施設

モルディブには、北部のハー・ダール環礁のクルドゥフシ島、カーフ環礁のティラフシ島、南部のシーヌ環礁のヒタドゥ島という3つの異なる地域に各々埋め立て地がある。しかしこれらは埋め立て地として設計・施工されたわけではない。さらに現在、北部の埋立地は稼働しておらず、南部もわずかに稼働しているだけなので、リゾートを含むモルディブのさまざまな地域から収集された廃棄物のほとんどはWAMCOの運営するティラフシ島の埋立地に送られる。船で持ち込まれた廃棄物はそのまま廃棄される。マーレとティラフシ島の埋立地の間では、2隻のバージが毎日運航されており、1日589トンが運ばれていると推計されている。さらに、北部のラー環礁のヴァンドゥー島には、地域廃棄物管理施設（RWMC）の焼却炉からの副産物として生成される灰を受け入れるセル方式の埋め立て地がある。

リサイクル

島に十分な財政的および技術的能力がないため、モルディブではリサイクルは一般的ではない。モルディブでリサイクルとは、リサイクル可能な資源の収集と分別を意味し、その後輸出される。ティラフシ島では、リサイクル可能な廃棄物の手作業による分別が行われている。とくに、外国人労働者が従事している。リサイクル可能なのはほぼPETと金属で、ほとんどのリゾートでは、金属とプラスチックの廃棄物を圧縮しティラフシ島の処分場に運ぶ。

廃棄物管理法、政策および戦略

廃棄物管理に取り組むことの緊急の重要性が認識され、廃棄物管理に関連するいくつかの政策と立法措置を導入する努力がなされている。さらに、モルディブはUNDPの支援を受けて2008年に国家固形廃棄物管理政策を策定した（2015年に改訂）。1993年環境保護保全法（EPPA）（1993年法律4号）は、環境保護を管理する。この政策は、モルディブの廃棄物管理に対する国のアプローチが不十分であること、国家レベルだけでなく、地域レベルおよび島レベルでも廃棄物管理の役割と責任が明確でなく、廃棄物管理に関するリーダーシップが欠如しているという認識に基づき、廃棄物排出者の義務を定め、廃棄物管理のインフラを構築し、廃棄物管理のシステムを稼働させることを目的とした。この方針はまた、廃棄物の再利用、リサイクルを奨励し、消費者の選好に影響を与えることにより、廃棄物の生成率を低減するための取り組みを優先する。さらに、廃棄物啓蒙プログラムと島、環礁、地域および国レベルでの廃棄物管理計画プロセスへ関与することで、コミュニティが気づき、適切な廃棄物管理の実践に積極的に関与できることを強調する。

さらに、2013年に廃棄物管理規則が策定され、国家廃棄物管理政策の実施を加速することを目的としてSaafuRaajje（クリーン・モルディブ）イニシアチブが開始された。さらに、ソーリフ政権は、2019〜2023年にさまざまな優先分野に関する新しい戦略的行動計画（SAP）を発表し、「資源としての廃棄物」を考慮するような廃棄物管理にも重点を置いている。

環境問題

大気汚染：前述のように、モルディブ全土で収集された廃棄物のほとんどは、ティラフシ島に運ばれる。ティラフシ島ではいくつかのリサイクル活動が行われているが、手作業による分別により、サイトで廃棄物が頻繁に燃やされ、マーレ地域と近隣の島々で大気汚染を引き起こした。現在、ティラフシ島では手作業で焼却は行われておらず、廃棄物は燃やされていないが、制御が困難な自然発火が依然として頻繁に発生している。また住民島の廃棄物の山も定期的に燃やされ、大気汚染を引き起こす。さらに、廃棄物の不完全燃焼は、ブラックカーボン（BC）を含む短寿命気候汚染物質（SLCP）も生成する。これらは地球温暖化への影響がはるかに強く（CO2の1055〜2020倍強い）、PM2・5の大部分を占めており、これは罹患率および早死の主要な環境原因である（European Investment Bank, 2016; CCAC, 2020）。

土地および地下水汚染：島の指定された場所への未分別の廃棄物の投棄により廃棄物に含まれる揮発性有機化合物（VOC）、重金属、およびその他の化学物質が、土壌を汚染し、地下水にも浸透する。土地と地下水の廃棄物汚染は長期的な影響があり、社会的関心が高く、効果的な対策が不可欠である。

海の汚染：ほとんどの場合、住民島の人々は、水中の生き物の餌として、砂浜や海に有機廃棄物を捨てる。多くの場合、適切に分別されないため、人々はプラスチックを含む無機廃棄物と有機廃棄物を海に捨て、結果的に海水を汚染している。これらの有害廃棄物は、富栄養化や野生生物の多様性の損失などの悪影響を引き起こす危険性がある。さらに、これらの廃棄物が投棄される場所は悪臭を放つ。

結論と推奨事項

モルディブの廃棄物管理はまだ始まったばかりの段階にある。廃棄物管理に関する現在の課題には、廃棄物の急速な増加、少ない廃棄物収集、野外投棄および焼却、廃棄前の廃棄物管理およびリサイクル施設の不在、一般の認識の欠如、財政および人的資源の制約、制度的調整の欠如、正確なデータの欠如、不十分な法施行および監視などの点について改善する必要性が強調される。

さらに、モルディブは小さな島で構成されているため、すべての廃棄物管理施設を同じ島に置くことは非常に難しく、また各島からすべての廃棄物をティラフシ埋立地に輸送することは大きな課題である。さらに、廃棄物管理に関する認識が不足しているため、住民島の人々は、混合廃棄物を島の指定エリアに投棄し、燃やしたり、海岸や海に廃棄し環境を汚染する。

したがって、廃棄物管理に関するこの問題を考慮して、政府はすべての住民島でのＩＷＭＣの建設とＲＷＭＦの建設に関して国内および国際機関と協力している。具体的には住民島に分別廃棄物収集システムを確立し、ＩＷＭＣを使用して分別されたリサイクル可能物を保管し、堆肥化を通じて有機廃棄物を管理する。さらに、ＩＷＭＣにリサイクル可能物を収集し、ＲＷＭＦに輸送して、リサイクルや廃棄物発電などの処理を行う。ＲＷＭＦには、必要に応じて特殊廃棄物の管理と廃棄のための施設も含まれる。しかし、IWMCは多くの島で設立されているが、運用されておらず、政府がこのサイクルを実現することは大きな課題である。住民島のほとんどは、それぞれの島評議会の廃棄物管理能力が不足しているため、適切な収集システムを持っていない。同様に、政府によるRWMFの建設には長い時間がかかっている。計画では政府は世界銀行の技術的および財政的支援を受けて5つのRWMFを作る予定であるが、現在、1つしか建設できていない。

政府は、国際的なパートナーと連携して、IWMCの適切な運用のために、住民島に住む人々を対象として、適切な廃棄物管理に関するトレーニングと能力開発プログラムを開発する必要がある。さらに、政府は、上記の廃棄物管理に関する将来の計画と戦略の実施における優先順位に基づいた効果的なメカニズムを考え出す必要がある。

（ラジブ・クマル・シン、プレマクマラ・ジャガット・ディキャラ・ガマラララゲ、モハメド・ハムダン）

VI

政　治

18

独立後の政治

★大統領独裁と民主主義★

モルディブはイギリス保護領の地位から1965年7月に独立した。独立前1959年に南部のアッドゥ(行政区名はシーヌ)環礁を中心とする地域がマーレ政府の抑圧的政策に不満をいだき分離独立を宣言したが1962年までに武力弾圧された。独立後、普通選挙は実施されるものの政党が禁止され実態としては大統領独裁が続いた。独立前からの権威主義的性格が色濃く残った。しかし、社会の発展に伴い1990年代以降、民主化要求が高まり、2008年の民主化に至る。この章ではその過程を鳥瞰する。

独立とナシール大統領

独立後の政治の中心は当時のイブラーヒム・ナシール首相であった。1968年3月には国民投票でスルタン制廃止と新憲法の制定が決まり、ムハンマド・ファリード・ディディが退位し9月にナシール首相が初代大統領に就任した。11月には憲法が公布され大統領、内閣、そして国会が設置された。大統領は国会議員の無記名投票により選ばれ、国民投票で承認がなされる。大統領は国会法案にたいして拒否権をもつ。48名の議員は大統領の指名8名をのぞき21歳以上の男女普通選挙制に基づき19のアトル（環礁）と呼ばれる行政区およびマーレから選挙で選ばれた。ただし政党は禁止された。地方自治に関しては19のアトル長が設けられたが、大統領による任命で、多くはマーレから派遣された。土地は国有とされた。

独立初期、首都があるマーレ島以外は社会発展レベルは非常に低かったことから、以上のような中央集権的制度とあいまって政治はマーレ中心で決められ、実態としてナシールの独裁的政治が続いた。最初の国会選挙は１９６９年９月に行われたが、ナシール大統領時代の国会は実際上、大統領の政策を追認するだけであった。

イブラーヒム・ナシール

ナシール政権の課題は近代化であった。同政権は近代的英語教育の導入、人頭税の廃止などを行った。経済開発面では国際空港、テレビ、ラジオ放送局の開設などを行った。しかし問題は中央集権体制の下で大統領の周辺に権力と利権が集中したことである。たとえば、リゾート島の開発は有力者の利権の温床となった。従来モルディブの主要な輸出品はスリランカ向けの加工魚などであったが、１９７２年にスリランカが外貨危機のため輸入を制限したためモルディブの輸出が大きく落ち込み、政府は新たな活路として観光開発に目を向け始めた。リゾート開発もその１つでリゾート開発を許し土地のリース料を徴収する政策を開始したが、許認可は政治的に決められ政治エリートに優先的に与えられたといわれる。

ナシール大統領の独裁体制は1972年2月の憲法改正で強化された。同時に政治行政の刷新のために首相職が置かれ8月にアハメド・ザキが首相に就任した。1973年9月には国民投票が行われナシールは大統領に再選された。しかし、ナシール大統領周辺への利権集中、強圧的政治に対して次第に反発があらわになり、それに対して政府はより権威主義的になった。そのような中で1974年からの食料品物価の高騰への人々の不満の高まりの中、クーデターの可能性を理由として1975年3月に突如非常事態宣言が布かれ、人気の高いザキ首相が解任され離島へ追放された。4月には国会により首相の職も廃止された。一方、1976年にはイギリス軍部隊がガン島から撤退したことで、部隊駐留による消費、現地人の雇用が失われ、現地で経済不満が増す要因になった。

このように人々の不満が増し、権力闘争が激化する情勢の中で大統領選挙が予定された1978年には反対派は力を結集しその抑圧が不可能な情勢となった。その結果、ナシール大統領は三選を諦め、11月には国会が召集され、運輸大臣であったマウムーン・アブドゥル・ガユームが新大統領に就任した。ナシール大統領とその家族は12月にシンガポールに脱出した。

ガユーム大統領の長期政権

ガユーム新大統領には民主化と経済開発が期待されたが、民主化は2000年代まで進まなかった。大統領選出では1983年、1988年、1993年、1998年、2003年、いずれも国会で選ばれた同大統領が国民投票では9割以上を得票し当選した。一方、国民の支持を維持するため経済開発では積極的な役割を果たした。１９７９年には海外投資法や観光法などが相次いで制定されビジネス環境の整備が進み、１９８０年にはマーレで高等裁判所が設立された。モルディブの二大産業は漁業と観光業であるが、前者に関しては１９７９年にモルディブ漁業公社（１９９３年11月からモルディブ漁業産業公社）が設立された。観光業に関しては１９８１年にはマーレ近くのフルレ国際空港（現在のヴェラナ国際空港）が拡張されスリランカを経由せず国際的に観光客を呼び込める体制が整った。１９８２年には観光局が設置され、同局は１９８８年には観光省となった。

政治面ではガユーム大統領は前ナシール大統領の不正蓄財を調査する諮問委員会を設け、委員会の調査に従って不正蓄財を国庫に没収するなど、反対派を押さえ政治基盤を強化しようとした。しかし、不安定要素は払拭されなかった。たとえば１９８０年、１９８３年にはクーデターの動きが露見した。さらに１９８８年11月にクーデターは実行に移され、アッドゥ出身のビジネスマン、アブドゥロ・ルトゥフィーにより雇われたスリランカのタミル国人民解放組織の襲撃で政権は崩壊の手前までいった。しかし、危うく難を逃れたガユーム大統領はインドに救援を求め、インドはそれに答えて迅速に軍を派遣しクーデターは失敗した。この事件を契機に国家保安隊の増強がなされた。

マウムーン・アブドゥル・ガユーム

ガユーム政権の特徴は一定の民主化を容認したものの、それは政治社会秩序を乱さないという条件付きのものであったことである。大統領はカイロのアズハル大学を卒業したイスラーム学者であったが、国教であるイスラーム教スンニー派の地位を強化したのは社会秩序維持のためであった。政府は1994年7月には宗教統一保護法を成立させ他の宗教の自由を制限し、1996年11月にはイスラーム最高評議会を設置し監視を強化した（2008年にイスラーム省と改名）。また1997年11月の新憲法でもイスラーム教スンニー派が国教とされた。ただし、ガユーム政権はイスラーム化を強固なものにしようとしたが、一方ではイスラーム過激主義の影響も排除しようとしたことが特徴であった。

一方、民主化については小出しの民主化が行われた。1994年11月には、島開発委員会、アトル委員会の委員を選挙でえらぶこととし、法律委員会を設けるなど改革を宣言した。その一方、たとえば1994年12月の国会議員選挙直前に政府に抗議する候補者、ジャーナリストを逮捕するなど政府批判にたいしては強権で抑圧した。しかし、2000年代には民主化は次第に避けられない状況になった。

民主化に至るきっかけは2003年9月に刑務所収容者が死亡した事件と反政府暴動であった。不満に対処するためガユーム大統領は12月には人権委員会の設置などを行ったが人々は納得せず、2004年8月にはマーレで大統領の辞任を求めて大規模な反政府運動が広がった。それに対してガユーム大統領は運動をクーデターの試みとして非常事態宣言を発し抑圧した。これに対して2003年にスリランカで亡命政党として設立された非合法のモルディブ民主党（MDP）やイスラーム勢力などが抗議運動を展開した。さらに国際的非難も高まった。結局、ガユーム大統領は9月までに逮捕者を釈放し、民主化に向けて改革を行うことを宣言せざるを得なくなる。国外に逃れていた政治家も帰国が許されMDP指導者のモハメド・ナシードも2005年4月には帰国した。6月には国会は多党制民主主義を認める決議を行い、MDPやイスラーム主義を代表する正義党、ガユーム大統領のモルディブ人民党（DRP）など主要政党が登録を行った。

民主化の最後の段階は憲法など新しい制度の設計であった。新憲法策定で最も問題となったのは統治体制とイスラームの位置づけであった。前者についてはMDPは議院内閣制を、DRPは大統領制を主張したが2007年8月の国民投票で大統領制が選択された。イスラームの位置づけに関してはイスラーム・スンニー派以外の宗教が禁止されるなど、保守的な部分が残された。新憲法は2008年8月に国会で批准された。新憲法では大統領および国会とも5年ごとに普通選挙権によって直接選ばれ、大統領は最長2期を勤めることができるとされた。地方自治も整備されることとなり、島評議会、アトル評議会、都市評議会が選挙で構成されることとなった。選挙委員会が同年8月に設立された。同委員会は大統領が任命し国会で承認される独立した機関である。また9月には最高裁判所が設立され司法の独立が制度面で強化された。

以上のように独立後の政治は、選挙は実施されたもののマーレ中心の有力者による権威主義的な政治であった。しかし、2000年代に入ると社会の発展や国際的圧力の下で政治の自由化、実質を伴った民主化が求められ2008年にはそのスタート台に立つことができた。ただし、2008年は断絶ではなく、継続であり、ガユーム元大統領などの影響力も残った。そのためその後の政治は紆余曲折をたどることになる。

（近藤則夫）

19

ナシード大統領と民主化の挫折

★民主主義定着の苦悩★

前章で述べたように新憲法が２００８年８月に発布され複数政党による民主主義が実現した。このように平和裏に民主主義体制への移行が実現し、順調な歩みを示すかと思われたが、その後の歩みは民主主義の定着にはさまざまな問題があることを示している。最大の問題は選挙と複数政党政に基づく民主主義体制が正統性を確立できるかどうかである。

モハメド・ナシード大統領の改革の試みと失敗

２００８年の選挙で大統領についたのはモルディブ民主党（ＭＤＰ）のモハメド・ナシードである。憲法では大統領は直接選挙で国民の過半数以上によって選出される。10月の第1回選挙では大統領であったマウムーン・アブドゥル・ガユームが40・6％、第2位に25・1％でナシード候補、第3位に16・8％でハッサン・サイード、第4位に15・3％でガシーム・イブラーヒムとなった。1位のガユームが過半数を獲得できなかったため、同月に上位2候補の決戦投票が行われ、ナシードが54・2％、ガユームが45・8％を確保しナシードが僅差で当選した。最初の投票でガユーム以外に投票した選挙民が旧ガユーム体制を嫌ってナシードに投票したことがナシードの勝利につながった。

ガユーム体制を批判し政権についたナシード大統領には期待が集まったが、国会でMDPが少数派にとどまったこともあり改革はスムーズにいかなかった。２００９年５月に行われた国会議員選挙では単独で戦ったMDPは30・８％と最多得票であったが、77議席中26議席しか確保できず第２党となり、28議席を確保したガユーム元大統領のモルディブ人民党（DRP）に第一党の地位を譲った。一方、正義党などイスラーム政党は１議席も獲得できず急進的イスラームへの支持は極少数であることが明らかになった。

国会で与党MDPが少数派にとどまったことはナシード政権の政治運営を困難にした。たとえば、新国会成立後３か月の間、１つの法案も成立しない状況となった。これに対してナシード政権は硬軟両方の姿勢で政局を打開しようとした。国会運営で野党の協力を求める一方、大統領腐敗調査委員会を２００９年５月に設立し旧政権の腐敗を調査することでDRPなど野党に圧力をかけた。委員会は７月にはガユーム元大統領を召喚したが、これがDRPなど野党の反発を強め、対立が深まっていく。２０１０年６月には教育大臣の更迭を巡って野党と対立した内閣は２週間の辞任劇を演じるが、結局、国会で多数を握る野党との妥協を余儀なくされた。

モハメド・ナシード

財政と経済の立て直しも野党との対立を強める大きな

Ⅵ
政　治

表　国会議員選挙

選挙年（議席定数）	2009 年 5 月（77）		2014 年 3 月（85）		2019 年 4 月（87）	
主要政党	得票率（%）	議席	得票率（%）	議席	得票率（%）	議席
モルディブ民主党（MDP）	30.8	26	41.2	26	45.8	65
モルディブ人民党（DRP）	24.6	28	0.3	0	0.1	0
モルディブ進歩党（PPM）	—	—	28.2	33	9.4	5
モルディブ発展連合	—	—	4.2	5	2.9	2
正義党	0.9	0	2.6	1	2.1	0
共和党	—	—	13.2	15	11.2	5
その他	43.7	23	10.9	5	28.5	10

（出所）得票率、議席数は選挙監視団「Commonwealth Observer Group」などの統計値を使用。

要因となった。ナシード政権が直面したのは財政赤字と経常収支赤字であった。前政権以来の財政赤字に加えて、２００８年９月のリーマンショックによる世界的な景気後退と観光の落ち込みにより、政府の主要な収入源の１つであるリゾート島のリース料、ベッド税など観光関係収入は大きな打撃を受けた。２００８年には前年度比でマイナス12・5％（名目価格）、２００９年はマイナス37・8％であった。その後２０１０年は上昇に転じ前年度比16・4％となったが２００７年の水準には戻らなかった。また、国連がモルディブを後発開発途上国（ＬＤＣ）から中所得国とする期限が迫っていたことも問題であった。当初２００８年初頭に設定されたその期限はインド洋津波被害から延期され２０１１年１月とされた。期限以降は援助および譲許的信用のフローの減少が予想されたのである。ＩＭＦも財政立て直しのため税制改革、補助金や公務員の削減などを求めた。

　このような状況から経済、行政改革が必須であった。憲法で定められた分権化の実施は重要な改革の一つであり、２０１１年２月には島、環礁、都市の各評議会の選挙が行なわれ、その後分権化法、地方評議会選挙法が５、６月に成立した。しかし改革は既得権益層との対立を意味した。たとえば国際空港刷新のために民間資金の導入によってインフラの刷新と運営を行おうとした。そのため2010年6月には国際入札が行われインドのインフラ建設マネージメント企業GMRとマレーシア空港運用会社連合が入札を勝ち取った。この当時最大のプロジェクトにより政府は25年間の間、多額の空港収入を得るはずであったが、拙速なやり方は野党に追及され、政権に対する反対運動の材料を与えることになる。また、2011年6月には、ナシード政権は3・5%の観光サービス・物品税（T−GST）を創設した。これが大きく観光関連収入を改善し同年の伸びは前年度比48・2%となった。しかし、増税は観光事業者、およびそれと密接な関係にあった政治家、官僚など既得権益層の反発をかった。

モハメド・ワヒード

ナシード政権と野党との対立を深めたもう1つの争点は司法改革であった。国際法律家委員会が2011年の報告書で指摘したように、それまでのモルディブの司法は、裁判官の不適格性、裁判官への脅迫、与党による政治化などが見られ、司法制度を監視する司法サービス委員会も適切に機能しない状況であった。ナシード政権期は旧ガユーム政権期に任命された裁判官が多数であり、司法の透明性、公平性で問題があった。そのような中でナシード政権は2012年1月に、かねてより問題が指摘され、またガユーム元大統領よりと見られていた刑事裁判所のアブドゥロ・モハメド裁判官を国会の同意なしに逮捕し追放した。強引なやり方に対しては国内、国際団体は判事の釈放を要求したが、ナシード政権は応じなかった。

この事件が引き金となり、ナシード大統領の反対勢力を結集させることになる。翌2月には反発した警察が反乱しモルディブ国家防衛隊もナシード大統領に辞任をせまり、結局ナシード政権大統領は退陣に追い込まれ、改革の試みは頓挫した。

ナシード大統領辞任後は副大統領モハメド・ワヒードが大統領に昇格し政権を運営した。ワヒード政権の問題は支持基盤が弱く、そのため旧体制に依存せざるを得なかったことである。ワヒード大統領は内閣を一新したが、ガユーム元大統領の娘など旧体制に近い大臣を多く配置せざるを得ず、またナシードへの政治的報復と見なさざるを得ないような措置もとられた。7月にはナシードはモハメド裁判官を不法に逮捕したとして起訴され、同裁判官は追放を解かれた。ワヒード政権がナシード体制と決別した象徴的な例がGMR連合との契約破棄である。これは、2011年12月に地方裁判所が、GMRが空港開発料金および保険付加料金を課すことを可能にする条項を不法なものとして取り消した後、問題が大きくなった。モルディブ反腐敗委員会は2010年に入札に問題はなかったとしたものの、ワヒード政権は2012年11月に契約破棄を宣言した。プロジェクトがナシード政権によってなされたこと、ワヒード政権が中国寄りであったこと、インド企業に国の玄関口となる国際空港の運営を任せることを嫌ったことなどがその背景にある。GMRはシンガポール高等裁判所に訴訟を起こしたが、結局プロジェクトは実現しなかった。

2008年の民主化後、ナシード政権は改革を急いだため対抗勢力の反発をまねき失敗した。その揺り戻しで次に独裁的な政権が成立するが、複数政党による選挙民主主義の枠組みは維持され、選挙を通じての自由民主主義の復活と定着の可能性が残った。

（近藤則夫）

20

ヤーミーン大統領独裁と民主主義の復活

★改革のゆくえ★

２０１２年にナシードが退陣に追い込まれたのち、ワヒード大統領は２０１３年に再選を目指した。しかし元々支持基盤は脆弱で当選は見込めず、大統領選挙では、ガユーム元大統領の異母兄弟でモルディブ進歩党（ＰＰＭ：２０１１年設立）のアブドゥラ・ヤーミーンが大統領に当選した。当初２０１３年９月に予定された選挙は、ナシードが45・５％の得票を確保したが過半数に満たなかった。そのため選挙は決選投票に進むかに見えたが、最高裁の強引な介入により選挙自体が無効とされた。選挙人名簿などの不備が認められ、名簿が主要３候補のナシード、ヤーミーン、そしてガシーム・イブラーヒム（共和党）に確認されないと選挙は行えないというのが最高裁の考えであった。これに対してナシード陣営は最高裁を批判し、選挙委員会も早期に選挙を行おうとしたものの行えず、結局選挙は11月にずれ込んだ。最初の投票ではナシードが46・９％、ヤーミーンが29・７％、イブラーヒムが23・３％の得票となり、過半数を確保した者がでなかった。そのため同月決戦投票が行われ、その結果、ヤーミーンが51・４％、ナシードが48・６％となり、ヤーミーンが新大統領となった。ヤーミーンが勝利できたのは

アブドゥラ・ヤーミーン

イブラーヒム陣営の支持を得たからであった。実業家でガユーム元大統領政権では財務大臣であったイブラーヒムは、ナシードに反発しイスラーム共同体を守るためとしてヤーミーンを支持した。

保守勢力から支えられたヤーミーン政権は司法の政権寄りの姿勢とあいまって権威主義的な体制となった。その兆候は早くも２０１４年の国会議員選挙で露わになった。3月下旬の選挙を目前にして最高裁は、前年の大統領選挙での最高裁の介入を批判した選挙委員会委員長F・トウフィークを法廷侮辱罪で3月に逮捕したのである。これに対してナシード元大統領陣営は選挙への介入であると非難した。3月下旬に行われた選挙は海外の選挙監視団からも正常な選挙と評されたため、最高裁の介入は海外からも非難された。選挙ではＰＰＭは共和党、およびモルディブ発展連合と連合をくんだことが功を奏しそれぞれ33議席、15議席、５議席を獲得し過半数を確保した。モルディブ民主党（ＭＤＰ）は26議席にとどまった。

ヤーミーン政権は保守層に訴えることにより支持基盤を安定させようとした。たとえば、ヤーミーン大統領は、２０１４年1月に、夫婦間でも同意なしの性交を違法とする法案を反イスラームとして裁可を拒否した。ただし、２０１６年2月には国家反テロリズム・センターを設立するなど、イスラーム過激派の浸透には対決する姿勢を明確にした。

経済政策では産業の多角化のため海外からの投資を積極的に募った。2014年9月には経済特区法を承認した。またインドのインフラ建設マネージメント会社GMRの撤退のあと同9月には習近平主席のマーレ訪問にあわせて国際空港の刷新のため中国の北京都市建設会社と契約を結んだ。ただしGMRの場合と異なり空港の運営は任せなかった。また空港のあるフルレ島とマーレを結ぶ中国・モルディブ友好大橋の建設も同時に合意された。論議を呼んだのは外国人に土地所有をはじめて認めたことであった。2015年7月にヤーミーン政権は、10億米ドル以上の投資を条件として外国人が土地所有することができる憲法改正案を可決したのである。モルディブのような小国にとって改正は国家主権に関わり、政権を支えるガユーム元大統領も批判する側に立った。

ヤーミーン政権の後半は集権化と政敵の排除によって特徴づけられる。政敵であるナシード元大統領は2015年2月にテロリズムに関連したとして逮捕され、また3月には、2012年1月のモハメド裁判官の逮捕に関して13年の有罪判決を受け政治活動が封じられた。ナシード政権の2010年の立法で進んだ分権化も2015年6月、7月の法改正で後退した。改正では都市評議会の権限が大統領によって制限されることとなったのである。政治的には都市評議会でのMDPの勢力を限定する意図が明白であった。政府は治安を理由として11月には非常事態宣言を発したが、国際的な非難と観光業への打撃から1週間で撤回した。

ヤーミーン大統領による政敵の排除は同盟相手にも及んだ。ヤーミーン大統領に批判的になりつつあった共和党のイブラーヒムに対してはその企業グループに対してリゾート開発に予定された島の賃貸契約期間の終了を示唆して批判を封じた。2016年2月にはヤーミーン政権は2015年のナシード逮捕に対する抗議スピーチが反政府的であるとして正義党総裁イムラン・アブドゥッラの逮捕に踏み切った。さらに8月には反名誉毀損・言論の自由法を制定し言論の自由を制限した。これは6月に反ヤーミーン大統領のモルディブ統一反対連合（ＭＵＯ）が組織されたことが背景にある。ヤーミーン政権の強権化に対しては英連邦大臣行動グループなど海外からも批判が強まったが、反発したヤーミーン大統領は10月には英連邦脱退に踏み切った。

ヤーミーン大統領は政権末期に政治に行き詰まった。２０１７年5月の地方評議会選挙ではＭＵＯが大勝しＰＰＭは敗北した。さらにＭＵＯは7月に議長に対する不信任案を提出し、政府は対抗して軍や警察などを動員して国会を停止した。ヤーミーン政権の強権化に対する反発を背景に最高裁は政治犯の釈放を命じたが、ヤーミーン大統領は２０１８年2月に非常事態宣言を発し最高裁長官を逮捕した。ガユーム元大統領も宣言発令直後に逮捕された。ガユームが国会議員と最高裁を買収し政権を転覆しようとしたというのがその表向きの理由であったが、実態はヤーミーン大統領と対立が露わになったことが理由であった。このようにヤーミーン大統領は孤立を深め政治は混迷が深まった。

ソーリフ政権誕生と民主主義の回復

２０１８年9月の大統領選挙ではナシード元大統領の政治活動が封じられていたため、ＭＤＰはガユーム元大統領など反ヤーミーン勢力と共闘し共同候補としてＭＤＰのイブラーヒム・ソーリフを擁立した。選挙はソーリフとヤーミーンの一騎打ちとなったが結果はソーリフが58・4％と過半数を制し、新大統領に当選した。選挙後の11月には最高裁は２０１５年3月にナシード元大統領へ下された

イブラーヒム・ソーリフ

有罪判決を取り消しナシードは政界に復帰した。翌２０１９年４月に行われた国会議員選挙ではＭＤＰは単独で選挙を戦い45・８％の得票率で65議席を獲得した。

ＭＤＰが単独過半数を獲得したことで、政治改革は格段に行いやすい環境が整った。ソーリフ大統領はヤーミーン政権時代の中国による巨大プロジェクトで中国へ巨額の負債が生じたことや同政権の腐敗を批判した。ヤーミーン元大統領は２０１９年２月にマネーロンダリングの疑いで逮捕された。また２０１９年４月の第４次憲法改正で外国人の土地所有は再び禁止され代わりに99年までのリースが認められることとなった。ソーリフ政権はナシード政権の時にできなかった個人所得税の導入、司法改革、分権化など改革に着手している。

モルディブは２０１３年以降のヤーミーン政権期に実際上権威主義に傾いたが、しかし、２０１８年の大統領選挙および翌年の国会議員選挙でのＭＤＰの勝利で民主主義を回復した。バランスを取り戻した要因には長期的な要因として社会発展とともにメディアなど自由な言論が徐々に発展したこと、権威主義化への国際的批判などがある。しかし、もっとも重要な要因は、自由でほぼ公正な選挙が継続されたことであった。票の売買の疑いなど不正は指摘されるが、選挙はヤーミーン政権の退出を実現したことで、バランスを取り戻す決定的要因となったことは間違いない。民意を託されたソーリフ政権の今後が注目される。

（近藤則夫）

21

憲法制度

★イスラームと大統領制★

現行の2008年憲法は、1978年から30年間続いたガユーム大統領の独裁的な長期政権に対する民主化運動を背景に制定されたものである。大統領に権力が集中したそれまでの政治制度への反省から、権力分立、複数政党制、司法の独立、人権保障などを重視した制度改革を進めた点に特徴がある。憲法制定は、2003年にガユーム大統領が民主化に向けた憲法改革を表明したことに始まる。憲法起草作業は、従前の1997年憲法の憲法改正手続に従って行われ、2004年7月に憲法改正のため人民特別議会が召集された。人民特別会議は、①閣僚、②人民議会議員、③②と同数の新たに選挙される議員、④大統領任命議員8人によって構成される（97年憲法93条）。憲法の起草および手続規則の制定には、カナダのサスカチュワン大学（Saskatchewan University）のダグラス・シュマイザー（Douglas A. Schmeiser）教授がコンサルタントとなった。民主化推進派は議院内閣制の採用を主張したが、2007年8月17日に行われた国民投票では六割が従来通りの大統領制を支持した。憲法草案は2008年8月7日に大統領の承認により発効した。2008年憲法は14章301カ条で構成される。従前の1997年

第21章
憲法制度

憲法が16章156カ条であったのと比べると、条文数はほぼ倍増している。

この憲法に従った2008年10月の大統領選挙では、モルディブ民主党（MDP）のナシードが、ガユーム大統領を破って当選した。しかしながら、その後の政治は安定せず、2012年にはナシード大統領が辞任に追い込まれる政変が起きた。2013年の大統領選で勝利したヤーミーンも強権的な政治運営で批判を招き、反ヤーミーン勢力が結集した2018年の大統領選ではモルディブ民主党のソーリフが大統領に就任した。これまでに行われた6回の憲法改正のうち、ヤーミーン政権下の2つの改正には批判が強く、ソーリフ大統領はそれを元に戻す憲法改正を行った。

モルディブは、1932年の最初の憲法からイスラーム教を国の宗教と定め、イスラーム法の重視を盛り込んできた。2008年憲法もこうした伝統に従っている。イスラーム教が国の宗教であると宣言され、イスラームが法律の基礎の1つであること、そして、イスラームの教えに反する法律はこれを制定してはならない、と定める(10条)。08年憲法は市民権に関する条文に、「非ムスリムはモルディブの市民になり得ない」（9条d）という規定を付け加えた。モルディブは人口規模が小さく、全国民がムスリムである均質な社会であるという認識を反映する規定であるが、海外の評者にはこの条項を信教の自由を認めないものとして捉えるものがある。

モルディブは独立かつ民主的な共和国であり、また単一国とされる（2条）。国のすべての権力は市民に由来し、かつ市民と共にあり（4条）、また、国の権力行使はこの憲法にしたがって行われなければならない(8条)。公用語はディベヒ語である(11条)。領域については、群島基線を採用する(3条)。

統治構造（政治制度）は、従来の憲法と同様に大統領制を採用する。立法権は一院制の人民議会（国

人民議会

会）に属する（5条・70条）。従来の憲法では議員定数が一定の数に定められていたが、08年憲法は人口増に応じて増える方式を採用した。議席の配分は、21の各行政区（20の環礁と首都マーレ）にまず２議席を配分し、登録住民数が５千人を超えるときは、５千人毎にさらに一議席を配分する。２０１９年４月総選挙の場合、定数は87であった。また、従来の憲法では大統領は追加で８人の議員を任命することが認められていたが、新憲法では採用されなかった。選挙制度は、一選挙区に一議席を割り当てるいわゆる小選挙区制をとる（72条）。議会の任期は5年で、選挙権・被選挙権は18歳とされる（73条）。法律案は、人民議会で可決された後、大統領によって承認されたときに法律となる（91条）。法律案の提出は議員に限られる。人民議会は、最高裁判所に憲法解釈や法律の有効性の審査を付託することができる（95条）。

執行権は大統領に属する（6条・１０６条）。大統領は、国家元首、政府の長および国軍最高司令官とされる（１０６条b）。大統領の任期は5年で、権力の集中を避けるため、連続であるかを問わず、在職は二期に制限される（１０７条）。大統領は国民の直接選挙による（１０８条）。投票においては50％以上の得票を要し、これを満たさない場合には上位２人の候補による決選投票による（１１１条）。大統領の資格要件としては、出生によるモルディブ市民、スンニー派のムスリム、35歳以上であることが定められる（109条）。なお、従来の憲法では、人民議会が大統領候補を1人指名し、国民投票でその候補を承認する方式（51％以上得票を要する）をとっていた。

ヤーミーン政権下に行なわれた2015年6月の第1次憲法改正は、大統領の資格要件を30歳以上に引き下げる一方、65歳以下という上限を設けた。これはガユーム元大統領など対立候補を排除する一方、自らの副大統領候補に若手を起用するためであったと言われる。ソーリフ政権下の2018年11月の第三次憲法改正で従前の35歳以上という基準に戻された。また、従来の憲法では大統領は男性に限定されていたが、現行憲法では含まれなかった。さらに、資格要件の1つとし、イスラーム法上のハッド刑が定められている犯罪（クルアーンにおいて明示的に刑が定められた犯罪で、姦通、窃盗、飲酒など）につき有罪判決を受けたことがないこと（同g）などの規定がみられる。他の公職についても同様の資格要件が定められている。

大統領選において候補者は副大統領候補を指名するが、副大統領候補についての投票は行われない。大統領職に空席が生じたときは副大統領が昇格する（112条d）。副大統領が不在となったときは、大統領は人民議会の承認を得て新たな副大統領を任命する（122条）。なお、97年憲法では副大統領は大統領によって任命され、副大統領職を置くかどうかも大統領の裁量とされていた。

大統領は、自然災害、危険な感染症、戦争、国家安全保障や外国侵略の脅威が生じたときは、30日を超えない期間、全国または一部地域に緊急事態を宣言することができる（253条）。緊急事態においてはメディアの権利など列挙される権利自由の制限は禁止されるほか、人民議会による宣言の承認を要する（255〜257条）。

大統領は、①副大統領、②各省庁を担当する大臣（25歳以上）および③政府の法律顧問である法務長官で構成する内閣を任命する（129条）。閣僚と議員との兼任は認められない。大臣および法務長官の任命は人民議会の承認を要する（129条c）。97年憲法では大統領が内閣を主宰したが、08年憲法では副大統領が内閣の長となる。70年代に大統領が任命する首相が執行権の一部を担う半大統領制を採用した時期があったが、この憲法では首相職は採用されていない。

大統領および副大統領の罷免は、人民議会の決議（議員総数の3分の2以上の多数）による（100条）。また、閣僚は個人および集団で大統領および人民議会に責任を負う（134条）とされ、閣僚の罷免は人民議会の不信任決議（議員総数の多数の賛成）により行うことができる（101条）。この制度は議院内閣制の要素を取り入れたものとなっている。

司法権は、最高裁判所、高等裁判所および法律で定める下位の裁判所に属する（141条）。裁判所は憲法規定の解釈および適用に係る事項を決定する管轄権を有するほか、最高裁判所および高等裁判所には議会制定法の合憲性審査が認められる（143条）。憲法上の独立機関として、司法公務員委員会、選挙委員会、公務員委員会、人権委員会、反汚職委員会、会計検査長官、検事総長がおかれる。

2008年憲法は人権保障の強化にも力を入れる。「基本的権利および自由」の章の条文数は97年憲法の19から54と大幅に増加した。65条は、この章により保障される権利または自由を侵害され、または否定された者は、公正な救済を得るため、裁判所に請求することができると定め、人権条項に基づいて訴訟を提起できることを明確にした。また、63条は、「この章において保証される基本的権利または自由に反する法律またはその一部は、無効であり、または当該違反の範囲において無効である」

と定める。なお、2004年以降、モルディブが加入・批准した国際人権条約の数が増加した。いくつかの人権条項ではイスラームへの言及が含まれている。たとえば、19条は、市民は、シャリーアまたは法律により明示的に禁止されていない行為または活動を自由に行う（19条）と定める。また、27条（表現の自由）は、何人もイスラームの教えに反しない態様により、思想の自由ならびに意見および表現を伝達する自由を有する（27条）、と定める。

2008年憲法の1つの特徴は、外国人の土地所有の禁止を明記したことであった。外国人の土地所有は禁止され、外国人には99年間以下のリース（賃借）のみが認められる（251条ab）。中国との経済関係強化に力を入れたヤーミーン政権は、2015年7月の第2次憲法改正で、10億米ドル以上投資する外国人に、プロジェクト用地（70％以上が埋立地）の土地所有を認める例外規定を設けた。しかしながら、ソーリフ大統領は、2019年3月の第4次憲法改正によって、この例外措置を廃止し、外国人の土地所有は従来通り完全に禁止されることとなった。

憲法改正は、人民議会の議員総数の4分の3以上の賛成によって可決され、かつ大統領が書面による承認することによって効力を生じる（261条、262条a）。ただし憲法の人権条項、人民議会および大統領の任期、大統領選挙に関する規定の改正は、大統領が承認する前に国民投票で過半数の賛成を得ることを要する（262条b）。

地方行政は大統領が任命する環礁長によって担われていたが、2008年憲法は分権化の推進を掲げ、環礁、島および都市の各レベルに公選の議会を創設した（230・231条）。この規定の実施のため、地方分権法が2010年に制定された。各議会の長は議員のなかから互選によって選ばれていたが、2019年12月の第5次憲法改正は、各レベルの首長を公選とした（任期5年）。また、2020年6月の第6次憲法改正は、例外的状況において地方議会の任期を延長することを認めた（3年以下）。これは、新型コロナウィルス感染拡大に伴い、地方選挙が実施できなかったことに対応するものであった。

08年憲法は従来の憲法と比べてはるかに民主的なものとなっているが、その制定後も政変が続くように、伝統的な政治文化と憲法制度との緊張関係が続いてきた。モルディブにおける憲法と議会制民主主義の定着・安定が望まれる。

（今泉慎也）

22

司法制度

★政治に翻弄される裁判所★

12世紀にイスラームに改宗して以降、モルディブにおいてはイスラーム法（シャリーア）と慣習法が適用されていた。イスラーム法上の法官（カディー）がマーレにいて、各環礁の長であるナイブにはその環礁内での裁判権が与えられていた。ナイブによる裁判に不服な当事者は、法官に上訴することが認められ、さらにスルタンに裁判を求めることができた。イギリスの保護領となった後も伝統的な制度は維持された。１９０８年にはシャリーア裁判所が設置され、その長である首席裁判官には伝統的な法官と同じく宗教的権威が認められた。１９３２年憲法により、モルディブは立憲君主制へと移行するが、首席裁判官は、モルディブにおけるイスラーム教を伝道する最高権威と位置づけられ、伝統的な法官の権威を継承した。

モルディブが１９６５年にイギリスから独立して以降、司法の独立性は大きく損なわれることになった。１９６７年にイブラーヒム・ナシール首相と司法府との対立が深まり、政府の圧力に屈する形で首席裁判官が辞任した。このときナシール首相は、首席裁判官を任命せず、大臣にその職務を兼務させた。ナシールはスルタン制を廃し、大統領に就任した。１９６８年憲法は、大統領がイスラームを伝道する最高の権威であるとし、首席裁判官をイスラーム教上の権威と位置づけてきた伝統を否定した。また、憲法は司法行政およびイスラーム法は大統領によって任命される「組織」による、と規定し、裁判所に関する規定さえ憲法から消し去られたのである。シャリーア裁判所は廃止され、裁判所は司法省の傘下に再編された。1978年に政権についたガユーム大統領は、クーデタ未遂事件が起きるとその関係者の処罰を目的に、1980年に大統領府に高等裁判所を設置した。同裁判所はテロ事件など大統領が指定する一定の刑事事件について第一審管轄権と上訴管轄権を有した。また、その判決に対して大統領への上訴を認め、大統領による解釈は各裁判所を拘束するとした。1997年憲法では司法府に関する規定が復活したが、司法権は大統領と裁判所に属し（4条2）、かつ大統領が司法行政の最高権威であり（39条）、また、大統領は裁判官を任命し（118条2）、その裁量で裁判官を罷免する権限を有する（123条）とされ、司法の独立は確保されていなかった。ガユーム大統領の退陣を求める民主化運動を背景に制定された2008年憲法は、司法の独立を強化するための制度改革を進めた。しかしながら、その後の政治対立が続く中で、司法は政治に翻弄される状態が続き、安定していない。

現在の司法制度

2008年憲法は、司法権は最高裁判所、高等裁判所、および法律により設置される下位裁判所に帰属する（141条a）とし、権力分立を明確にした。最高裁判所は、2008年憲法によって新設されたもので、首席裁判官（以下、長官）と法律で定める数の裁判官で構成される（145条a）。裁

最高裁判所

判所法（２０１０年法律第22号）によれば、裁判官の数は当初５人（首席裁判官を含む）であったが、２０１９年７月の裁判所法改正で７人に増員された。高等裁判所は下位裁判所の判決・命令について上訴管轄権を有するほか、一定の事項について第一審管轄権を有する。裁判所長を含む11人の裁判官で構成する（２０１９年７月の法改正）。マーレに一カ所しか存在しなかったが、司法アクセスの改善のため、南部（アッドゥ市）と北部（クルドゥフシ市）に支部がおかれる。08年憲法は、違憲審査制を明文で採用した。下位裁判所は上級と下級に分けられ、上級裁判所としては民事裁判所、刑事裁判所、少年裁判所、家族裁判所、麻薬裁判所（２０１１年麻薬法に基づき設置）の５つがある。他方、下級の裁判所としては、すべての住民島に治安判事裁判所がおかれる（上級裁判所がおかれている島を除く）。治安判事は、人口が５００人以上の島に常駐し、それ以下の島には他の島の治安判事が兼務する。

準司法的機関として、雇用審判所（２００８年雇用法により設置）、租税不服審判所（租税運営法により設置）がある。また、２０１３年仲裁法に基づくモルディブ国際仲裁センターの仲裁人の任命が２０１９年に行われた。観光や建設など外資が関わる紛争の解決に資することが期待される。

最高裁判所の長官および裁判官は、大統領によって任命されるが、司法の独立の強化のため、憲法上の独立機関である司法公務員委員会との協議および人民議会の承認を要する（147条）。また、それ以外の裁判官の任命・昇進・異動は、司法公務員委員会の権限とされる（148条）。裁判官の定年は70歳である。裁判官はその行動が良好かつ司法倫理を遵守する限りは、罷免されない（154条a）とされるが、司法公務員委員会が裁判官に重大な無能力または重大な不当な行為があると認める場合、議会の3分の2の多数により罷免され得る（154条b）。近年の司法改革ではこの規定に基づく裁判官の更迭が行われている。

裁判官の任命に重要な役割を果たす司法公務員委員会は、憲法によって新設された独立委員会で、その構成は次の通りである（158条）。①人民議会議長、②長官以外の最高裁判所裁判官1人（最高裁判所裁判官による選挙）、③高等裁判所裁判官1人（高等裁判所裁判官による選挙）、④事実審裁判所裁判官1人（事実審裁判所裁判官による選挙）、⑤人民議会議員1人（人民議会が任命）、⑥人民議会が任命する市民1人、⑦文民公務員委員会委員長、⑧大統領が任命する者1人、⑨法務長官、⑩弁護士代表1人。職務上の委員を除き、任期は五年である（162条）。

政府統計によれば、モルディブ全国の裁判官の数は、2013年の185人から2016年に178人まで減少したが、2018年は197人であった。女性の裁判官は2018年で10人にとどまる。法曹にはエジプト、サウジアラビアなど中東への留学経験者が多かったが、近年はマレーシア留学経験者が増加している。

法務長官（Attorney-General）は、政府の法律顧問であり、閣僚の1人とされ、大統領によって任命される。08年憲法は、法務長官とは別に検事総長（Prosecutor General）を憲法上の独立機関とする。検事総長は、人民議会の承認を得て大統領によって任命される（２２１条）。２００８年憲法により裁判所が独立したのに伴い、司法省が果たしていた事務機能は新設の司法行政局（Department of Judicial Administration）に移管された。また、司法の質の向上のため、司法アカデミーが２０１５年に設けられている（当初は最高裁判所に属したが、司法行政局に移管）。２０１９年の法改正により、司法行政局および司法アカデミーは司法公務員委員会の下に移管された。

政治と司法

民主化を求めた勢力にとって司法改革は大きな政策課題と位置づけられた。第一に、ガユーム政権期においては刑事司法が反対派の弾圧の手段として多用されたからである。民主化運動が拡大した1つの要因に、ある青年がマーフシ刑務所で死亡したことに対する批判が内外に広がったことがある。この事件がきっかになって政治犯の釈放が行われたが、このなかに後に２００９年の大統領選挙でガユーム大統領を破ることになるナシード大統領の姿もあった。第二に、大統領が自由に裁判官を任命・解任することができた時代が長く続いたため、裁判官のなかには法曹としての資質を欠く者がいると指摘されていた。

２００８年憲法には、経過措置として、憲法施行後も既存の裁判官の在職を認める一方、施行から2年後に司法公務員委員会が見直しを行い、資格要件を満たさない裁判官を再任しないと定めた（２８５条）。しかしながら、２０１０年5月に同委員会は、憲法の当該条項は象徴的なものにすぎない、として、既存の裁判官をすべて再任する決定を行い、この規定は機能しなかった。他方、２００８年総選挙の結果、ガユーム元大統領を支持する勢力が議会の過半数を占め、ナシード大統領率いる民主党は裁判官の罷免を行うこともできなかった。ナシード大統領は、組織犯罪に関与する政治家と関係をもち、容疑者を無罪にするなど不正な裁判運営を行ったとして、当時の刑事裁判所長の身柄を拘束する強硬策をとったが、これは内外からの強い批判を招き、ナシード大統領が辞任を強いられた2012年政変において、同大統領を糾弾する理由の1つとなった。その後の政治過程においても司法の中立性が疑われる事件がしばしば生じてきた。2013年の大統領選挙において、最高裁判所は、第一回投票の無効を宣言するなど大統領選挙に深く介入したが、それはガユーム元大統領の異母弟であるヤーミーン大統領の当選に有利に働いたと考えられている。独裁化したヤーミーン大統領に対する抗議活動をめぐる2018年2月の政変では、最高裁判所は政治犯の釈放や資格を剥奪された議員の復権を命じる判決を出すなど、大統領領との対決姿勢を鮮明にしたが、大統領側は対立する最高裁長官を拘束した。残りの裁判官は大統領寄りの立場をとり、たとえば、刑事訴追を受けた裁判官の自動的な失職を認める裁判官法改正の違憲性をめぐる訴訟では合憲と判示した。

2018年の大統領選では、民主党のソーリフがヤーミーン大統領を破り、第7代大統領に就任した。議会でも民主党が裁判官の弾劾に必要な3分の2を上回る議席を確保した。ソーリフ大統領は、公約として掲げた司法制度改革に着手した。なかでも司法公務委員会による、不正を行った裁判官の審査および罷免を重視した。2019年夏に公表された司法公務員委員会の報告書では、最高裁判事らの憲法違反等が認定された。同委員会の罷免勧告に従って、裁判官の罷免が進められた。2019年17月17日、議会は最高裁長官および最高裁判事を罷免した。

ソーリフ大統領は、2019年に最高裁長官と裁判官の計5人を任命（うち2人は女性）した。イスラーム法上の法律問題についての鑑定ないしは法的意見であるファトワーを発する権限を有する最高評議会は、女性は最高裁の裁判官になれないというファトワーを発し、この改革を牽制したが、ソーリフ政権は任命を断行した。最高評議会は、2016年にヤーミーン政権の下で宗教的連帯法（1994年制定）の改正によって、従来のイスラーム・アカデミーに代わる組織として新設されたもので、イスラームの政治利用を目的とするものであるとして、反ヤーミーン勢力から批判されていた。

2008年憲法施行から十年を経て、司法改革は新たな局面に入ったと言えよう。2019年の最高裁人事の刷新が、より自律性をもった司法の確立へとつながるのか、それとも司法は党派政治に再び翻弄されることになるのか、今後の展開に注意が必要である。

（今泉慎也）

コラム5

伝統法と近代化における外国法の影響

今泉慎也

伝統的な法制度

12世紀にイスラーム教へ改宗した後、モルディブにおいてはイスラーム法（シャリーア）と慣習法が適用されてきた。伝統的な法制度を知る手がかりとして、モルディブを訪れた旅行者による記録が参照されることが多い。もっとも有名なのは、14世紀のイブン・バットゥータによる『三大陸周遊記』である。モルディブに1年ほど滞在したイブン・バットゥータは、イスラーム上の法官（カディー）の職に任じられ、イスラーム法の諸規定を遵守させることにひたすら努力した。たとえば、離婚後も女性が夫の家にそのまま居続ける悪習を改めさせるため、違反した男たちをむち打ちの刑に処し、市場で晒し者にした、と記述する。また、モルディブ人について、「彼らの体格は貧弱で、争いや戦闘になじまず、彼らの武器は神に祈ること「のみ」である。ある時、私が島で、盗みをした人の手を切り落とすように命じたところ、法廷にいた仲間の全員が驚きのあまり気絶したほどである」と評する。イスラーム法で定める手の切断という刑罰は、モルディブであまり行われていなかったようである。なお、時代が下り1953年にイスラーム法の厳格な適用を推進したモハメド・アミン大統領の下で、窃盗犯に対する斬手刑が執行されたこと対する反発が同大統領の失脚の一因になった、という指摘もある。

17世紀には、フランス人フランソワ・ピラールがインドに向かう航海の途中で1602年にモルディブで座礁し、4年半ほどモルディブでの滞在を余儀なくされた。ディベヒ語の習得に努めたピラールはスルタンの信頼を得たようでさまざまな環礁を訪ね、当時のモルディブの様子を詳細に記録した。ピラールによれば、各環礁の長であるナイブ（naib）は宗教的権威であると同時に法官の副官として裁判権を与えられ、その所掌する島々を年に4回巡回した。その判決に不服な者は、マレにいる法官（ディベヒ語でファディヤルと呼ばれた）に対して行われ、さらにスルタンに訴えることも手段もあったという。

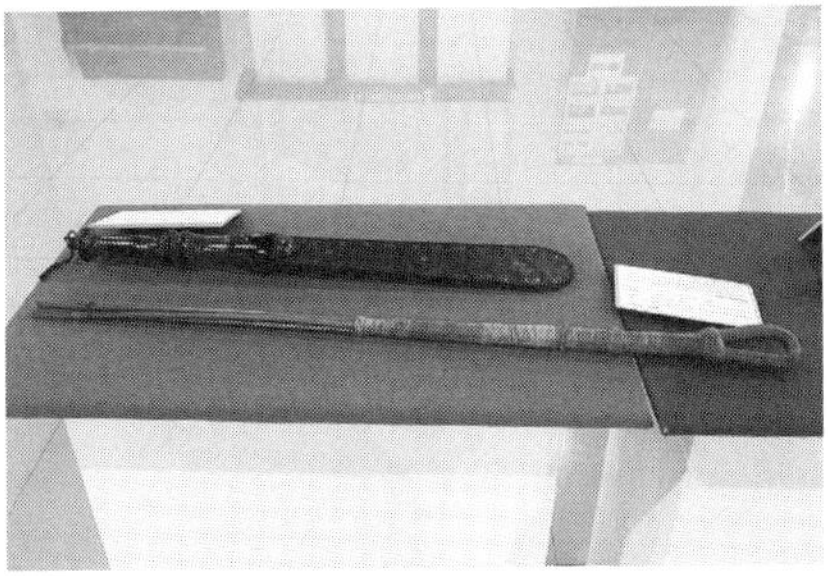

伝統的なむち打ち道具。細い方は4本に分かれていて、1回で4回分とみなされた。（モルディブ国立博物館で筆者撮影。）

法の近代化と外国法の影響

1887年にモルディブはイギリスの保護国となり、セイロン（現在のスリランカ）のイギリス植民地当局の監督の下におかれたが、イスラーム法と慣習法の伝統的な法制度は維持された。近代的な法整備が進むのは、1932年憲法により人民議会が開設されて以降のことである。慣習を成文化する試みもあったが、イギリス法やイスラーム諸国の法がモデルとされた。

近年でも外国人法律家がアドバイザーなどの立場で起草過程に深く関わる事例が多くみられる。たとえば、2008年憲法の起草では、カナダのダグラス・シュマイザー教授がアドバイザーとして参加した。また、刑法典も外国人アドバイザーが活用された。1960年代に制定されたモルディブの最初の刑法典は、スリランカ刑法典をモデルとしたもので、イスラーム法とそぐわない規定を除いたものであった。20

04年にモルディブ政府は、刑法典の全面改正にあたって、起草作業を米国ペンシルバニア大学のポール・ロビンソン教授に委託した。同教授がまとめた2006年の刑法草案は、モルディブの既存の刑事法令、イスラーム刑法、さらにモルディブの価値を取り入れたものであると主張された。外国人に起草を行わせることへの是非やイスラーム刑法の捉え方をめぐってはモルディブ内外で論争が起きたが、その後、新刑法典は2015年に施行された。コーランを法源とするイスラーム法上のハッド刑については、旧刑法典と同様にイスラーム法に委ねられ、刑法典そのものには盛り込まれていない。

ところで、モルディブに古くから行われている刑罰に流刑がある。近代化以降も失脚した政治家がマーレから遠い南部の島への流刑に処されることが多かった。生まれ育った島で住み続けるのがごく当たり前の時代において、見ず知らずの島での生活を送ることになる。モルディブ研究者のマロニーによれば、流刑を受けた者は、自らの生活の糧を得るために、その島で漁に加わることも必要であった。島では島民に知られることなく船が出入りすることは不可能であった。政治犯の場合、流刑を受けることでキャリアが必ずしも閉ざされるわけではなく、マーレに戻って新たな職位を与えられることもあったという。新刑法典は、流刑を刑罰として採用していない。移動・通信手段が格段に向上した現代において、流刑は刑罰としての意義を失ったからである。

Ⅶ

経済・産業

23

拡大する経済

★貿易赤字をリゾートで稼ぐ★

1965年の独立当時、漁業中心の貧しい国だったモルディブは半世紀を経て高位中所得国（一人当たりGNI3996ドル～1万2375ドル）へと発展した。モルディブの一人当たりGNI（国民総所得）は2000年は2070ドルだったが、10年後の2010年には5960ドル、2019年には9670ドルと20年で5倍近くに増えており、モルディブ経済は大きく発展してきた。GDP（国内総生産）の成長率も、2005年は前年12月のスマトラ島沖地震による被災と、2009年は世界金融危機の影響により一時落ち込んだものの、それ以外は平均6～7％の経済成長を続けている（図1）。

1192の島からなるモルディブの国土面積は298平方キロメートルで、東京23区の約半分しかない。さらに小さな島では農作物を植えたり、工場を作ったりする十分な土地を確保することは難しい。そのため、モルディブの人々の生活は、自国で採れる魚とバナナやパパイヤなど限られたものをのぞくほとんどのものを外国からの輸入に頼らざるを得ない。したがって、モルディブの経済は海外とのつながりによって支えられているといえる。そのことは、1年間の国際取引の統計である国際収

図1　一人当たりGDPおよびGDP成長率

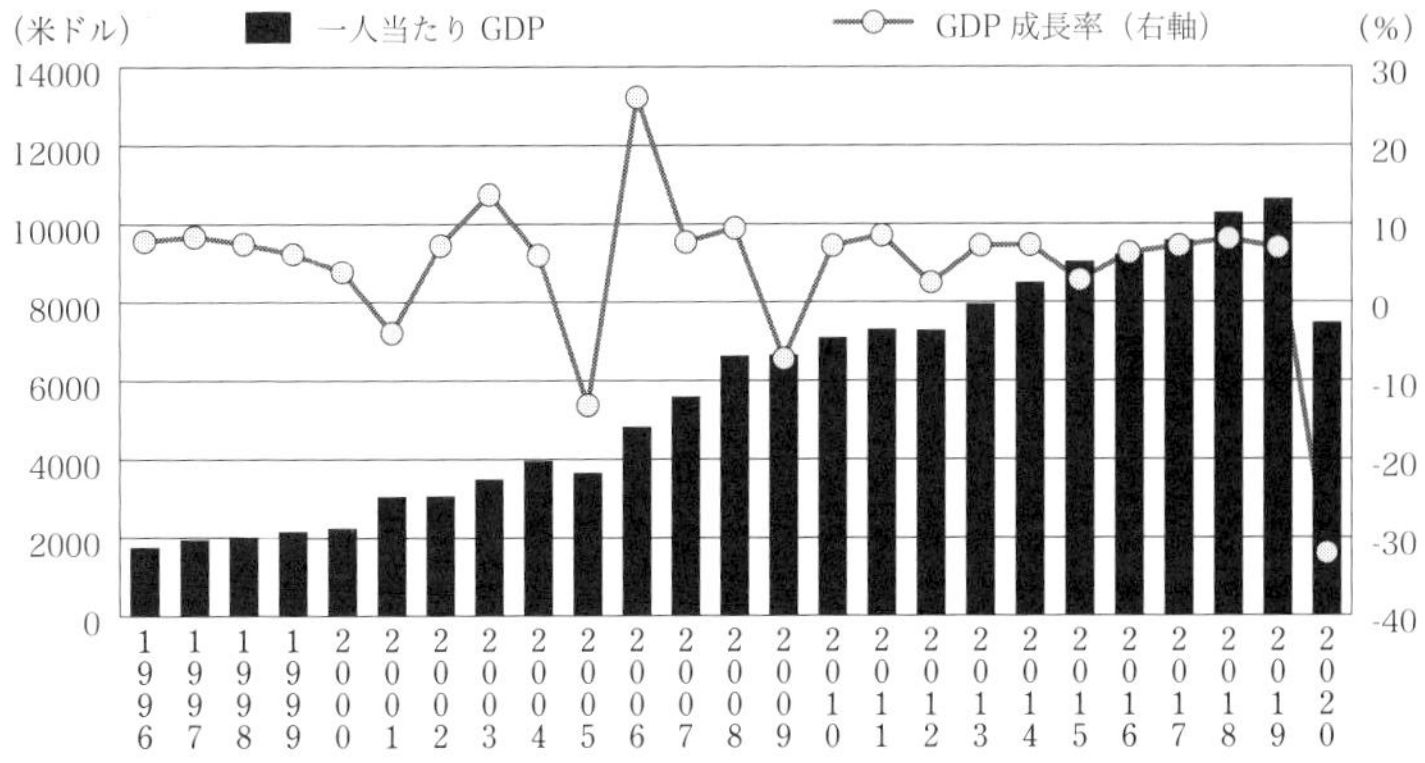

（出所）World Bank.

支の数字からも読み取ることができる（図2）。生活必需品のほとんどを輸入するため、貿易収支はおのずと大幅な赤字となる。

貿易収支の赤字幅は２００５年以降に急速に拡大し始めた。２００５年は前年のスマトラ沖地震からの復興のために輸入が増えた影響もあると思われるが、それ以降、貿易収支の赤字幅は拡大しつづけている。それを補うように観光業を主とするサービス収支の黒字幅が２００７年から急増した。２００７年には前年の約４倍の12・5億ドルとなり、２０１４年まで拡大しつづけた。その後も変動はあるものの、20・4億ドル（２０１９年）と高水準を維持している。

このような貿易赤字をサービス黒字で補う構造はモルディブの地理的な制約によるものであり、その構造は基本的にはかわらない。しかし、２０００年半ば以降、経済規模が拡大するのに伴って、経常収支赤字も拡大していった。リゾート開発が進みサービス収入が増加し始める１９８０年代後半の数年間を除き経常収支は赤字で

図２　国際収支の推移（1977 年〜 2020 年）

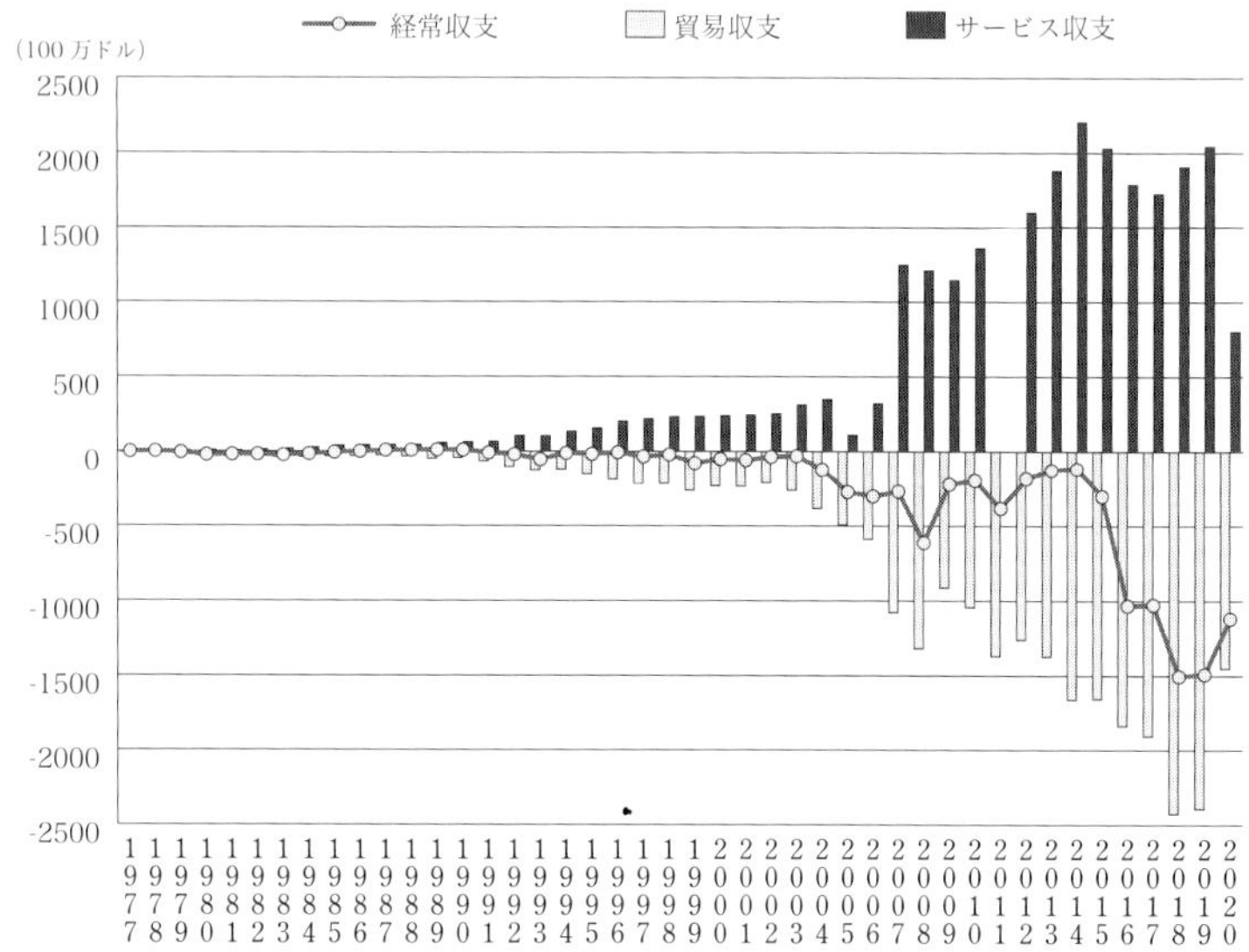

（出所）IMF.

あったが、ＧＤＰに占める割合は10%未満で推移していた。それが２０００年代半ばになると経常収支赤字のＧＤＰ比率は20%を超えるようになる。図３からもわかるように２００４年から２００８年にかけ経常収支赤字は増加したが、財政の健全化を図るナシード政権下での経済再建策により２００９年以降低下傾向になった。ところが２０１３年に就任したヤーミーン政権は、民間部門による経済開発を掲げ、外国借入による経済開発をすすめた。その結果、再び経常収支赤字幅は増加し始め、とくに２０１６年にはまさしく桁違いの拡大となった。これは２０１６年以降の海外借入が大幅に急増していることと対応している。

次に産業についてみてみると、主要産業である観光業がＧＤＰに占める割合は

図３　経常収支赤字対 GDP 比の推移（1980 年～ 2020 年）

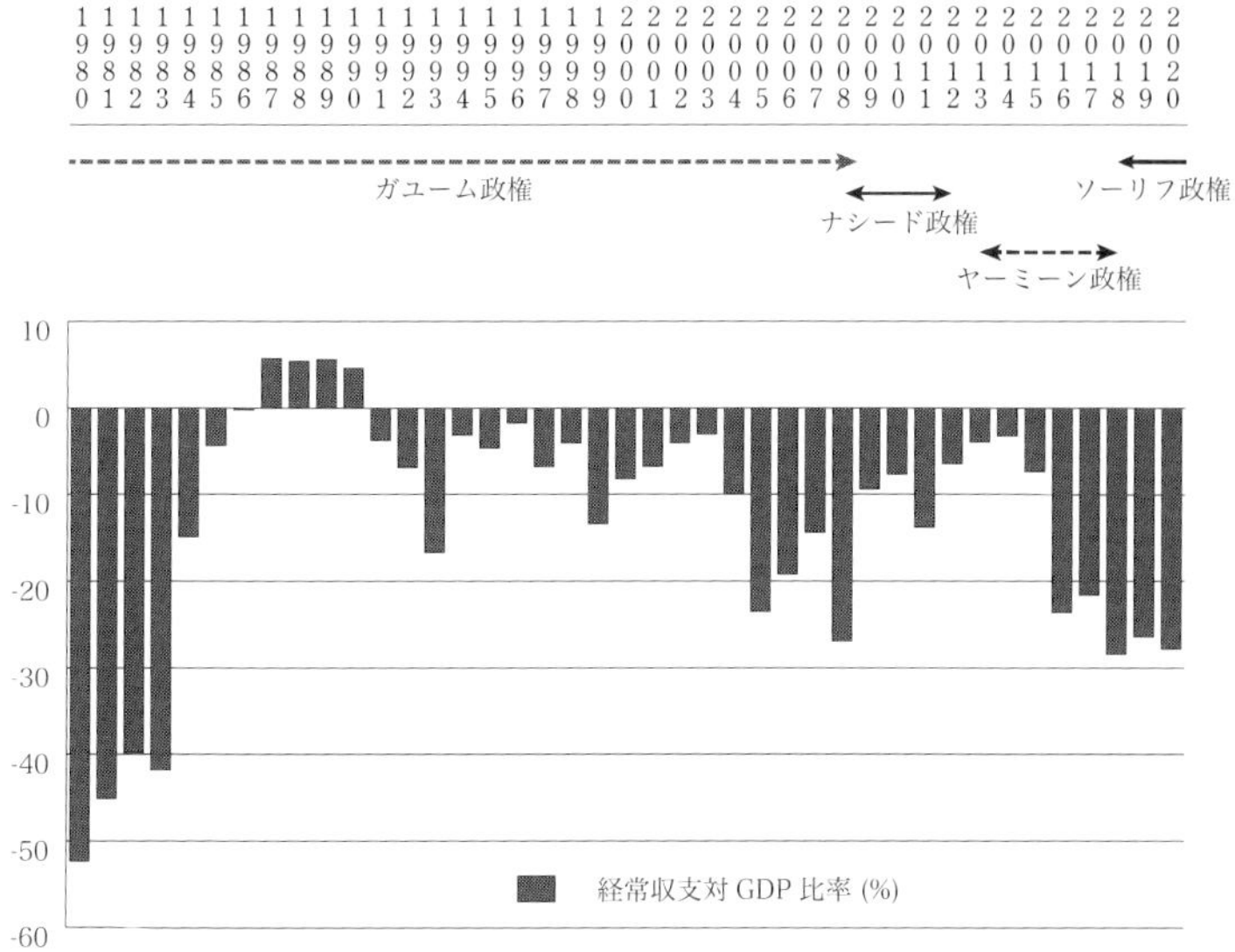

（出所）　IMF, World Bank.

２００３年には28％であったが、２０１９年には22％に縮小している。観光業の内で92％を占めていたリゾートも民泊などが解禁されて84％に低下している。唯一の輸出産業である漁業が占める割合は４・２％（２０１９年）でしかない。２０１０年代に入って、インフラ整備の拡充を背景に建設業が８％に成長し、拡大を続ける卸業・小売業は８％、運輸・通信11％、行政サービス８％と国内消費が経済を支えている（図４）。

すでにみたように近年拡大が顕著なのは建設である。これはフルマーレ島の第２期造成開発や２０１８年８月に完成したマーレとフルマーレを結ぶ橋（モルディブ中国友好大橋、シナマーレ橋）をはじめとするインフラ整備が急速に増加したことによる。経済運営の方向性は、政

図4　産業別国内総生産（GDP）2003年・2019年比較

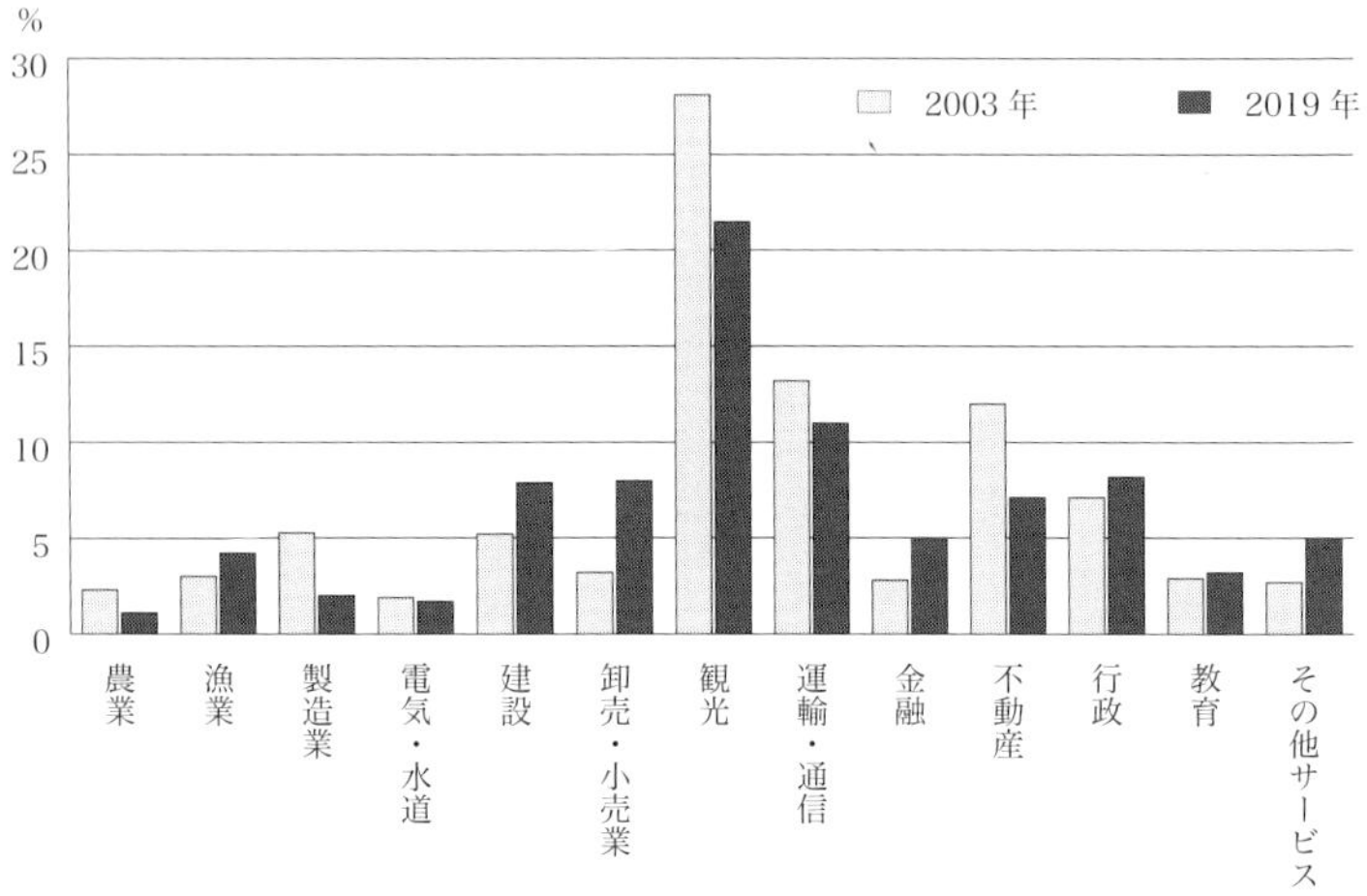

（出所）GDP- Outlook 2019, National Bureau of Statistics.

図5　海外直接投資（FDI）流入額（100万ドル）

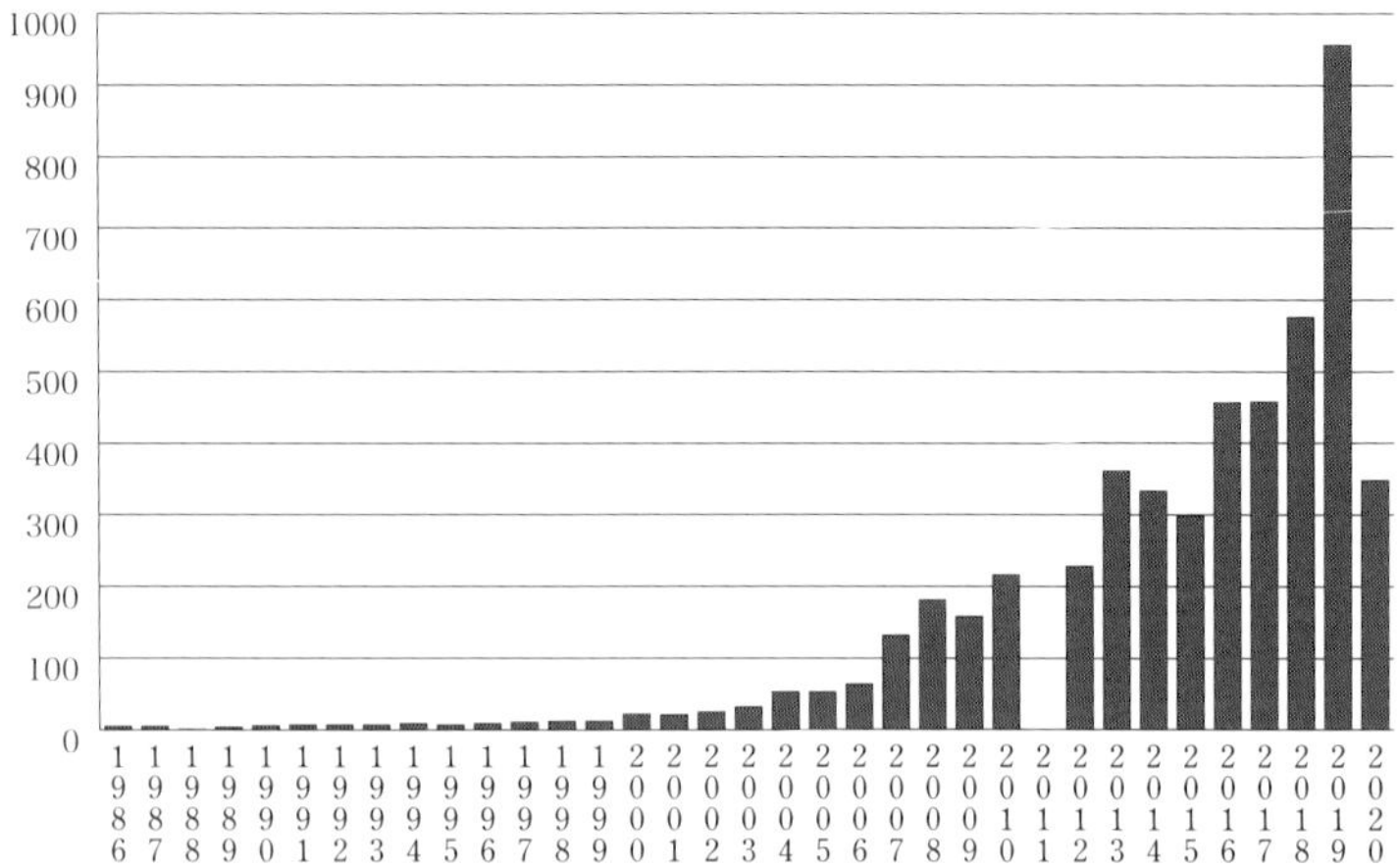

（出所）IMF.

権によって大きく変わるため、2019年に誕生したソーリフ政権の政策によってまた経済政策も変わり、マクロ経済の数値も大きく異なってくる。

インフレ率は、近年は1%前後で推移しているが、生活必需品ほとんどを輸入していることから、2000年代は10%を超える物価上昇を経験するなど、世界の商品価格や市場価格の変化の影響を回避することは難しい。しかしながら、モルディブ経済の成長は堅調である。2000年代の平均成長率は5・0%、2010年から2017年は6・3%と高い成長を続けている。これらの成長は2000年代後半から増加し始めた海外直接投資（FDI）に支えられている。FDIは政府のインフラプロジェクトを中心に、建設業の拡大など近年のモルディブ経済の成長の源となっている。FDIの流入は2013年には3億ドルを超え、2019年には10億ドル近い資本が流入した（図5）。

51万人の人口しかなく、高位中所得国に位置づけられるモルディブの貧困率（モルディブ国内貧困線以下の人口の占める割合）は比較的高く8・2%（2016年）である。雇用についてもモルディブの独自の事情が反映している。人口の少ないモルディブは多くの外国人労働者を受け入れている。2016年の外国人労働許可は8万3136件に上り2016年の人口48万人の17・3%に相当する労働者が海外から入っている。多くはバングラデシュ（46・5%）、インド（24・9%）スリランカ（12・2%）、中国（3・3%）、ネパール（2・8%）、フィリピン（2・2%）、インドネシア（1・6%）、パキスタン（1・3%）といった近隣諸国からである。これらの労働者の従事する産業や職業はおおむね固定しており、建設現場やホテル、レストラン、観光業などである。

一方、モルディブ人の失業率は2000年には2・0%であったが、2010年には10・3%に上

図6　失業率の推移

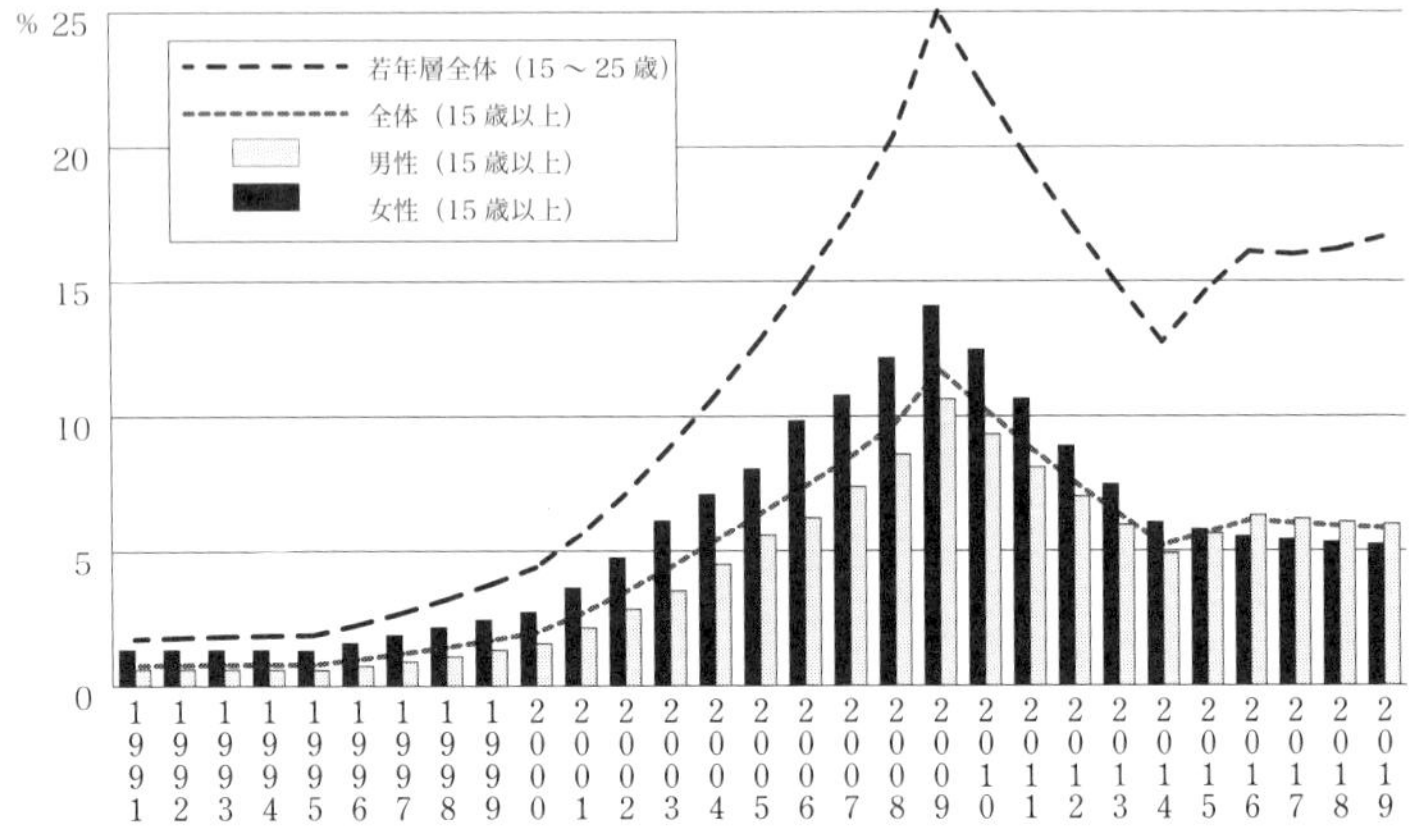

（出所）World Bank.

昇し、２０１５年以降は６％前後で推移している。男女別にみると２０１５年までは女性の失業率の方が高かったのが、以降は男性の失業率が女性を上回るようになっている（図６）。さらに近年は15歳から24歳の若年層の失業率が高くなっている。若年層の失業率は２００４年に10％を超え、２０１９年は16・６％と看過できない水準になっている。さらに女性の若年層の失業率が11・７％であるのに対して男性の若年層は実に18％が失業している状態にある。この背景のひとつは、女性の労働市場参加率が減少していることが影響している。さらに多くの労働者を海外から受け入れるため、モルディブ人の多くは、企業や公務員などいわゆるホワイトカラーに就職することを好む傾向がある。ＩＬＯの推計では１９９０年からホワイトカラーの就業率は60％を超え、２０１９年は76・６％に達している。そのうち女性は66・１％が、男性は80・４％がホワイトカラーとして働いている。こうした偏った雇用状態が、若年層を中心とした失業率の高さにつながっている。やることのない若者の増加は麻薬や犯罪などの社会問題にも発展しやすい素地を提供しているといえ、今後の重要な課題といえる。

（濱田美紀）

24

産業と貿易

★リゾートと魚の国★

モルディブの主要な産業はリゾートを中心とした観光業と漁業である。海に囲まれた環礁の国であるためそれ以外にはほとんどない、というほうが正しいかもしれない。モルディブの産業について貿易データ（モルディブ中央銀行統計）からみてみる。モルディブの輸出は３億６０００万ドル（２０１９年）でＧＤＰ（国内総生産）の６・４％である。これは、近隣のスリランカの輸出のＧＤＰに占める割合が13％、インドが12％、バングラデシュが14％であることと比べても小さいことがわかる。ただし、輸出のうちの56％はモルディブを経由する航空会社へのジェット燃料を主とする再輸出であり、純粋なモルディブ国内からの輸出は総輸出の44％でしかなく、ＧＤＰに占める割合は２・８％しかない。国内からの輸出のうちの96％は魚であり、輸出のほとんどを漁業関連製品が占める。魚はおもに冷蔵・冷凍の状態で輸出されるが、そのうち冷蔵・冷凍ツナ（カツオ）が68％を占め、ツナ（カツオ）以外の魚は３％程度である。缶詰やパウチにした魚は25％であり、海産物加工品は１％である。

冒頭にモルディブには観光業と漁業しかないといったものの、国内からの輸出の４％は衣類・その他製品である。具体的にどのようなものを生産して輸出しているのだろうか。そこでモルディブの輸出品目を別の統計(Comtrade)で詳細に見てみる。輸出上位10品目を1995年、2000年、2010年、2018年の4時点で比較すると(表1)。どの年も上位4品目で全輸出の99%を占める。ほとんどがHSコード(輸出入統計品目番号)3の「魚並びに甲殻類」と16の「肉、魚又は甲殻類の調製品」である。しかし、1995年と2000年には61「衣類及び衣類附属品(メリヤス編み・クロセ編のみ。)」と62「衣類及び衣類附属品(メリヤス編み・クロセ編を除く。)」が輸出の上位に上がっていることがわかる。2005年に多角的繊維協定(MFA)が撤廃される以前は、モルディブにおいても繊維・衣類産業は有望な輸出産業としてドイツやオランダ、米国を中心に輸出してきた。近年もドイツや中国などに輸出しているこことになっているがほとんど無視できるレベルの額でしかない。繊維・衣類以外では72「鉄鋼」も常に上位輸出項目に入っている品目である。これは鉄くずなど金属スクラップで、従来はインド向けの輸出であったが、2010年以降はインドに加え、マレーシアやスリランカへ輸出が増えている。

2000年代前半までは、繊維産業が輸出産業として成り立っていたため、魚関連製品が輸出に占める割合は4割程度であったが、近年は中央銀行の統計にある「衣類・その他製品」という項目のうちの「衣類」はほとんどなくなっており、輸出はもっぱら魚に依存している。

冷蔵・冷凍ツナ(カツオ)などの魚の輸出先は、1995年にはスリランカが最も多く、半分を占め、日本への輸出も魚の輸出の15%程度あった。2000年代に入るとスリランカへの輸出よりもタイへの輸出が上回るようになった。タイは西太平洋・インド洋で獲られるツナの集積地として適している上、安価な人件費を背景に2001年に世界最大のマグロ(ツナ)缶詰生産国になって以来、生

表1　モルディブの主要輸出品目（HS コード）

順位	HS2	1995		HS2	2000		HS2	2010		HS2	2018	
1	3	魚並びに甲殻類	38.8%	3	魚並びに甲殻類	38.3%	3	魚並びに甲殻類	87.2%	3	魚並びに甲殻類	74.1%
2	16	肉、魚又は甲殻類の調製品	32.4%	61	衣類及び衣類附属品（メリヤス編み・クロセ編のみ。）	31.1%	16	肉、魚又は甲殻類の調製品	7.8%	16	肉、魚又は甲殻類の調製品	22.3%
3	62	衣類及び衣類附属品（メリヤス編み・クロセ編みを除く。）	18.8%	62	衣類及び衣類附属品（メリヤス編み・クロセ編みを除く。）	15.1%	72	鉄鋼	2.7%	23	食品工業において生ずる残留物及びくず並びに調製飼料	1.8%
4	61	衣類及び衣類附属品（メリヤス編み・クロセ編のみ。）	6.4%	16	肉、魚又は甲殻類の調製品	14.3%	23	食品工業において生ずる残留物及びくず並びに調製飼料	1.1%	72	鉄鋼	1.1%
5	23	食品工業において生ずる残留物及びくず並びに調製飼料	2.6%	23	食品工業において生ずる残留物及びくず並びに調製飼料	1.1%	74	銅及びその製品	0.9%	74	銅及びその製品	0.3%
6	5	動物性生産品（他の類に該当するものを除く。）	0.7%	72	鉄鋼	0.1%	76	アルミニウム及びその製品	0.2%	85	電気機器及びその部分品	0.2%
7	72	鉄鋼	0.2%	74	銅及びその製品	0.0%	27	鉱物性燃料	0.0%	89	船舶及び浮き構造物	0.1%
8	22	飲料、アルコール及び食酢	0.0%	5	動物性生産品（他の類に該当するものを除く。）	0.0%	39	プラスチック及びその製品	0.0%	76	アルミニウム及びその製品	0.1%
9	33	精油、レジノイド、調製香料及び化粧品類	0.0%	33	精油、レジノイド、調製香料及び化粧品類	0.0%	21	各種の調整食料品	0.0%	39	プラスチック及びその製品	0.0%
10	76	アルミニウム及びその製品	0.0%	76	アルミニウム及びその製品	0.0%	73	鉄鋼製品	0.0%	27	鉱物性燃料	0.0%
輸出総額（ドル）		49,804,379			76,195,782			74,202,945			181,711,392	

（出所）UN Comtrade.

表２　モルディブの輸出上位５カ国（千ドル）

	1995		2000		2010		2018	
1	英国	26.1%	米国	44.2%	タイ	29.9%	タイ	36.3%
2	スリランカ	22.4%	スリランカ	17.8%	スリランカ	19.6%	ドイツ	12.7%
3	米国	19.2%	ドイツ	9.6%	フランス	10.9%	英国	9.2%
4	ドイツ	10.6%	英国	7.2%	英国	9.5%	米国	8.3%
5	日本	5.7%	タイ	5.6%	イタリア	9.3%	フランス	7.4%
	世界	49,804		76,196		74,203		181,711

（出所）表１に同じ。

表３　モルディブの輸入上位５カ国（千ドル）

	1995		2000		2010		2018	
1	シンガポール	36.5%	シンガポール	25.5%	UAE	18.8%	UAE	18.1%
2	インド	11.5%	スリランカ	13.5%	シンガポール	17.9%	中国	16.5%
3	UAE	7.4%	マレーシア	12.5%	インド	11.5%	シンガポール	12.5%
4	スリランカ	5.7%	インド	9.2%	マレーシア	7.1%	インド	9.7%
5	日本	5.1%	UAE	8.5%	スリランカ	5.8%	マレーシア	7.8%
	世界	267,907		388,586		1,095,116		2,961,027

（出所）表１に同じ。

表４　モルディブの主要輸入品目（HS コード）

	1995		2000		2010		2018	
1	電気機器及びその部分品	30,665	鉱物性燃料	45,411	鉱物性燃料	252,590	鉱物性燃料	467,613
2	鉱物性燃料	30,493	ボイラー及び機械類	38,864	ボイラー及び機械類	103,029	ボイラー及び機械類	295,118
3	ボイラー及び機械類	26,463	電気機器及びその部分品	32,195	電気機器及びその部分品	98,088	電気機器及びその部分品	258,203
4	土石類、石灰、セメント	10,004	綿及び綿織物	17,898	木材	39,299	土石類、石灰、セメント	172,192
5	綿及び綿織物	9,285	酪農品、鳥卵、天然はちみつ	13,565	土石類、石灰、セメント	33,931	木材	130,151
6	酪農品、鳥卵、天然はちみつ	8,992	家具、寝具	13,000	酪農品、鳥卵、天然はちみつ	32,725	家具、寝具	129,077
7	木材	8,817	木材	10,939	家具、寝具	30,612	鉄鋼製品	115,750
8	鉄鋼	7,644	食用の野菜	10,762	食用の野菜	27,845	プラスチック及びその製品	96,475
9	飲料、アルコール及び食酢	7,036	車両並びにその部分品及び附属品	10,218	航空機及び部分品	25,630	鉄鋼	87,809
10	船舶及び浮き構造物	6,653	飲料、アルコール及び食酢	9,574	プラスチック及びその製品	25,603	航空機及び部分品	85,559

（出所）表１に同じ。

図1　財輸出入と中国からの輸入の伸び（100万ドル）

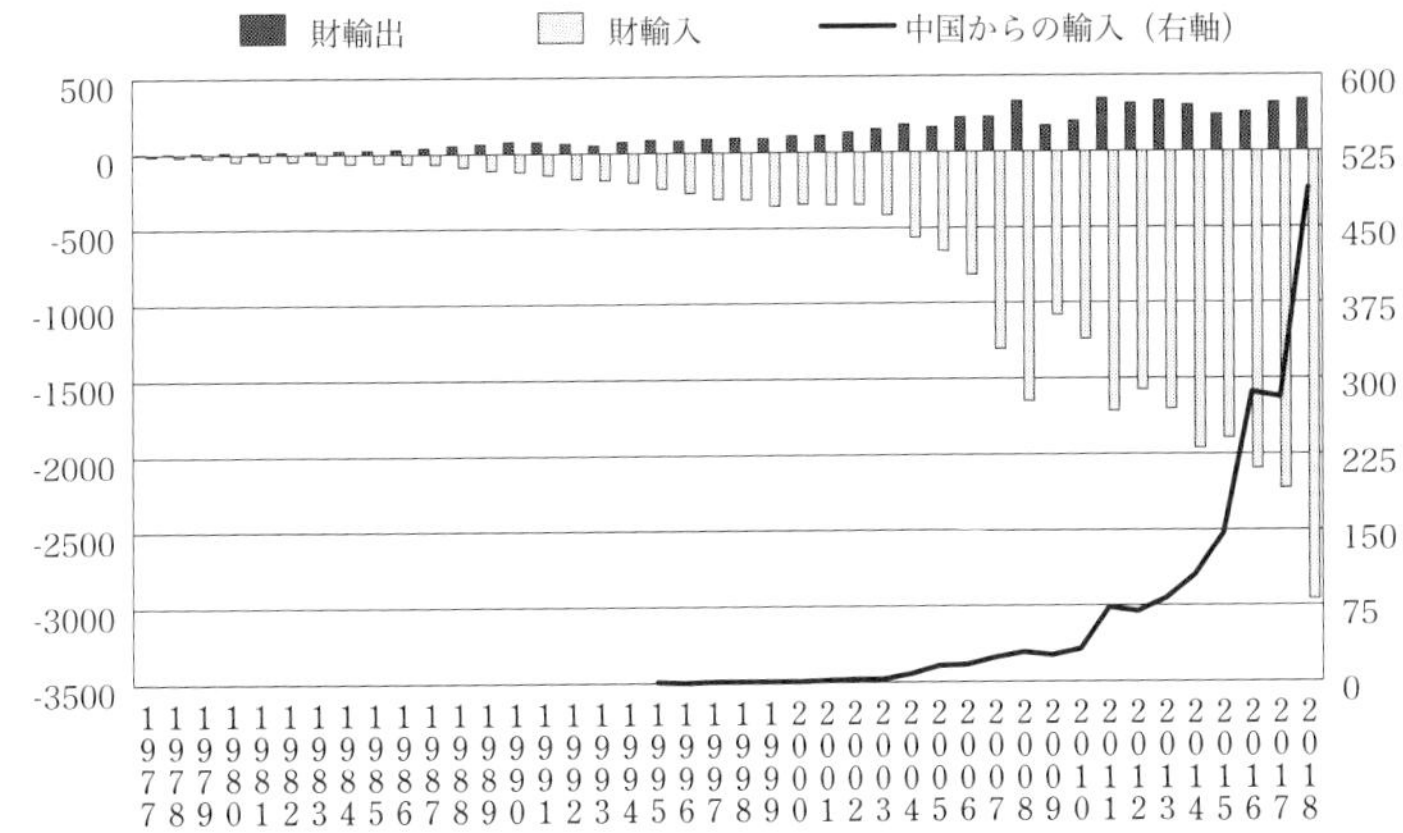

（出所）IMF、UN Comtrade.

産量を拡大しつづけている。世界中から集まったツナはタイで缶詰に加工された後再び輸出される。2018年のHSコード3の魚の輸出先はタイがトップで49％を占め、次いでフランス（10％）、米国（7・3％）、ドイツ（5・2％）、イタリア（4・8％）となっており、日本は9番目の2・2％であった。

次にモルディブの主要な貿易相手国を見てみる。まず輸出では、魚の輸出がスリランカから世界最大のツナ缶生産国となったタイに移ったこともあり、隣国のスリランカへの輸出が減少している。1995年には日本も主要輸出相手国として入っていたが、2018年は11位へと下がった。近年のモルディブの輸出相手国は、1位のタイ以外は欧米の国々が主な輸出先となっている。

次に輸入相手国を見てみると、こちらも近年相手国の顔ぶれが変化している。長年輸入相手国として上位にあったシンガポールは、2018年には3位になり、スリランカも上位5位から外れるようになった。2010年以降は経済の拡大にともない、石油などの燃料の輸入が増え、燃料輸入の7～8割を占めるUAEがトップになっている。そして中国の存在感が急速に増している。中国からの輸出は2010年代に入り伸びはじめ、2016年以降急増した。これは中国からの借款の増加と軌を一にしている。中国からの輸入品目は、電気機器・部分、鉄鋼製品、ボイラー・機械類部分品、セメント、家具、寝具、照明器具など、石油などの燃料以外でモルディブが輸入する主な品目の15％～23％になっている。

（濱田美紀）

25

財政赤字

★外国頼みの財政★

モルディブの財政は慢性的に赤字である。その赤字幅は年によって大きく変動する（図1）。過去30年間の財政赤字の推移をみると赤字幅は2005年と2009年に悪化している。これは2004年末のスマトラ沖地震と2008年の世界金融危機の影響が大きかったためであり、経済復興費用が負担となり財政赤字幅は2005年にGDP（国内総生産）の7・8％に拡大し、2009年には17・9％になった。その後の財政赤字は縮小傾向にあるものの、3％から8％の幅で落ち着かない動きをしている。（2020年は21・4％であった。）

2019年の一般歳入は税収が71％で、内訳は輸入関税が15％、銀行収益税が3％、観光業物品サービス税（GST）が21％、その他のGSTが12％、事業税が12％である。その他に空港サービス税3％、グリーン税4％も収入源となっている。非税収は24％であり、内訳は国営企業収益移転が3％、リゾート土地リース料は8％、管理・手数料が6％、贈与は5％であった。

モルディブの税制は2010年代に大幅に改革された。2010年にモルディブ歳入庁（Maldives Inland Revenue Authority: M

図１　財政収支対 GDP 比（％）

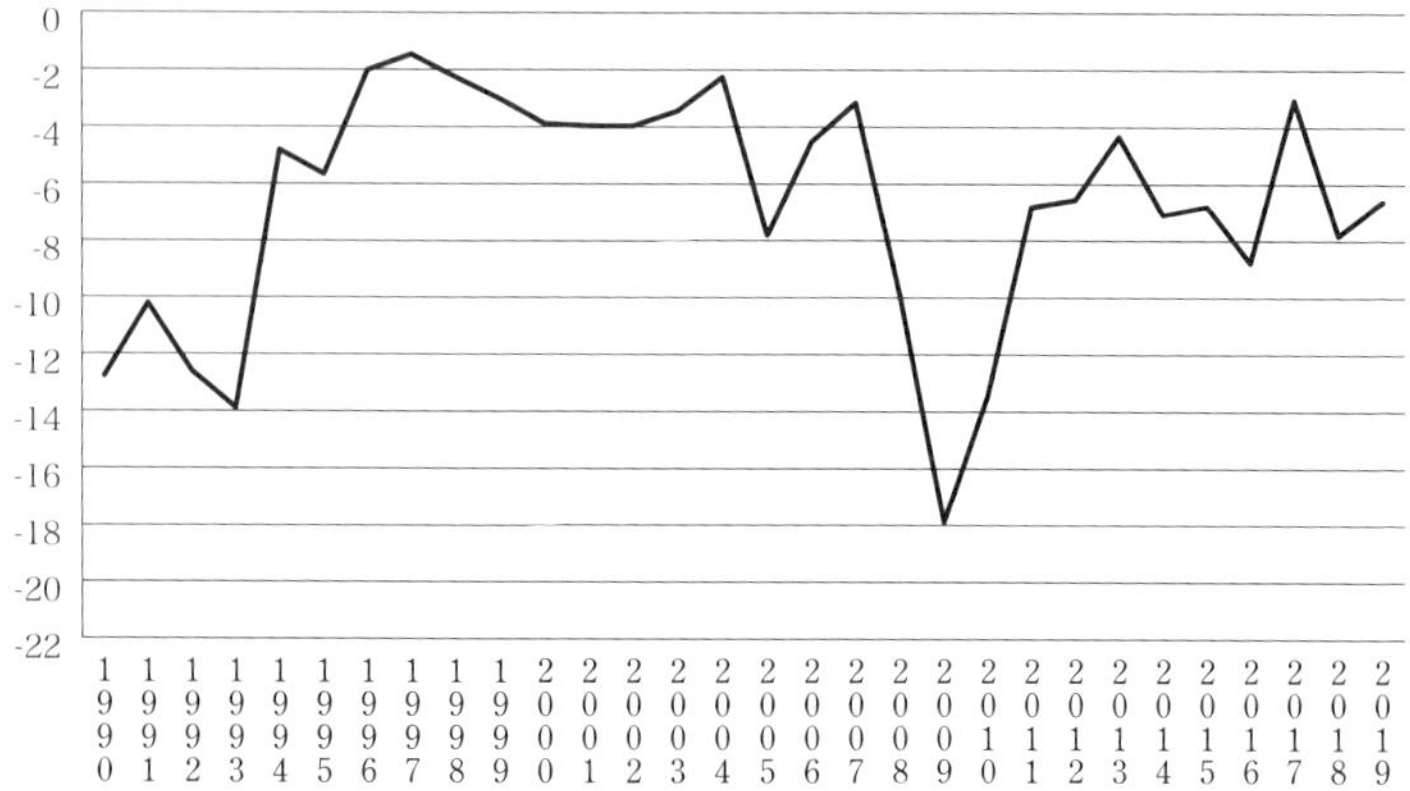

ＩＲＡ）が設立され、２０１１年に一般ＧＴＳ、観光業ＧＴＳ、事業税が導入された。この背景として、それまでのモルディブの自国の歳入は観光税と輸入関税しかなく、あとは外国からの援助に依存しており、外的なショックに弱い仕組みであったことがある。そのため２００４年の地震や、２００８年の世界金融危機といった大きな外的ショックのたびに大幅な赤字に見舞われてきた。たとえば、２００５年の一般歳入の内訳は、税収が45％で、非税収は国営企業収益移転31％、リゾートリース料35％、ロイヤリティ等、贈与が10％であった。２０１９年の税収の割合は71％であるため税収は大きく伸びていることがわかる。また、財源も２００５年と２０１９年を比較すると多様化してきていることがわかる。しかし、国内産業に多様性を欠き、海外の動向に影響される観光産業に依存する産業構造は変わらないため、税制の拡充による財政基盤の安定化はつねに重要な課題である。

２０１９年に念願の所得税法が国会で可決され（２０１９年法律第25号）、２０２０年１月１日から発効し（ただし4月1日以降の所得に課税）２０２０年は歳入の０・５％の税収となる。所得税法の施行により従来の事業税は廃止された。またこれにともない、４月１日から雇用者に対する源泉所得税が導入された。居住者はモルディブ国内のみならず全世界での収入に対して課税され、非居住者はモルディブにおいて得られた収入に対して課税される。所得税の導入は、モルディブの財政基盤の安定化に大きく寄与すると期待されているが、課税対象となる個人や事業所の所得のデータがまだ十分にそろっておらず、税率通りに十分に捕捉できるようになるまでにはまだかなりの時間を要するのが実情である。

モルディブの財政において問題とされるのは、歳入ではまかなえない資本投資を多額の対外借り入れによって賄っていることにある。とくに２０１６年には、外国援助の11倍の金額が外国借入としてモルディブに流入した。その金額の大きさは、モルディブの返済能力を超えると懸念される。国の対外債務の支払い能力を示す指標である債務返済比率（財・サービス輸出額に対する元利返済金の割合）も上昇し始めている。２０１７年には３・６％だった債務返済比率は２０１８年には７・９％に拡大している。

２０１５年に６億４８００万ルフィア（約46億円）だった対外借入は２０１６年には４・４倍の28・５億ルフィア（約２００億円）に急増した。そのうちの94・２％が中国輸出入銀行からの借款であった。これは２０１３年にナシード政権からヤーミーン政権へ移行後、中国からの借入による経済開発を進めた結果である。ただし、中国からの借り入れはそれ以前から増加している。中国輸出入銀行からの借り入れは２０１０年のフルマーレの住宅開発向け融資から始まり、２０１２年は全借款の41・２％、２０１３年には68・８％と借入の過半を中国輸出入銀行に依存していた。また、２０１５

表１　国の対外借入の全借入に対する割合（%）

	2013	2014	2015	2016	2017	2018	2019	2020（修正値）
借款（100 万ルフィア）	1,187	188	648	2,848	2,713	3,557	8,197	17,282
二国間	5.0	18.7	1.8	0.8	4.6	15.3	5.8	6.3
サウジアラビア	3.2	13.5	-	-	2.6	13.0	3.0	1.0
クウェート・ファンド	-	-	-	0.8	1.4	1.9	1.9	0.5
日本	-	-	-	-	-	-	-	4.2
アブダビ・ファンド	1.8	5.2	1.8	-	0.5	0.5	1.0	0.5
多国間	95.0	81.3	98.2	99.2	95.4	84.7	94.2	93.7
OPEC 基金（OFID）	1.2	8.3	4.8	0.0	6.2	13.4	4.3	2.2
IDA（国際開発協会）	5.1	-	0.0	0.0	0.0	-	-	-
ADB（アジア開発銀行）	3.2	6.1	0.0	0.0	0.0	0.1	0.0	2.2
IDB（米州開発銀行）	2.6	6.2	1.0	4.1	7.4	2.5	0.7	1.0
IFAD（国際農業開発基金）	0.2	3.0	1.4	0.6	0.1	0.1	-	-
中国輸出入銀行	68.8	0.0	63.0	94.2	39.1	-	11.8	0.4
インド輸出入銀行	-	9.9	15.3	0.0	0.0	-	-	-
欧州投資銀行（EIB）	-	-	0.0	0.0	0.0	-	-	2.3
仏開発庁（AFD）	5.6	28.1	12.8	0.2	0.2	-	-	-
アジアインフラ投資銀行（AIIB）	-	-	-	-	-	-	-	0.1
世界銀行	-	-	-	-	-	-	0.0	1.2
外国債券	-	-	-	-	-	-	0.9	27.0
その他	-	-	-	-	42.4	68.5	76.5	57.3

（出所）Ministry of Finance.

年、2016年は借款だけでなく贈与も急増し、全贈与額に占める中国の割合はそれぞれ3%、10%と拡大した。

中国輸出銀行からの借り入れは、フルマーレの住宅開発（フェーズ1：1000件、フェーズ2：1500件）、イブラーヒム・ナシール国際空港（現ヴェラナ国際空港）の滑走路・誘導路の開発、モルディブ・中国友好大橋プロジェクト等に費やされた。さらに中国からの借り入れは、民間の信用供与のように金利、返済期間、据置期間等の借入条件が譲許的ではない（緩和されていない）借入、すなわち非譲許的借入であるため、利払いが増加し財政の圧迫要因となっている。2014年は978・3百万ルフィアだった利払いは2015年には38%増の13億4760万ルフィアに急増し、今後20億ルフィア近い利払いが予定され、この利払いが経常経費に占める割合は8%からさらに増加するとみられる。

中国以外の国からの借り入れで大きいものは、サウジアラビアからのものである。サウジアラビアは借款だけでなく援助額も大きい。2014年には全援助額の約10%に相当する1680万ルフィアを支援し、継続的に援助資金を供出している。借款では、2017年に3億4000万ルフィア（全借款の14%）を貸出した。国民の100%がムスリムであるモルディブとイスラム諸国間の連帯を重視した外交を展開するサウジアラビアとの関係は強い。サウジアラビア以外にも政府系のアブダビ・ファンドやクウェート・ファンドがイブラヒーム・ナシール国際空港建設をはじめとするインフラ整備プロジェクトに融資を行っている。

一方、日本からは2006年にモルディブ津波復興事業として27・33億円の有償資金協力を実施し、その他に教育や防災などへの援助を実施している。2012年、2013年はモルディブの援助額全体の10％程度を供与していたが、その後は低下し、再び増加傾向にある。隣国のインドは２０１４年までは全援助額の15％近い額を援助し、インド輸出入銀行も全融資額の９～15％の融資を実施していたが、中国からの借款が増加するのと入れ替えに借款はゼロになっていた。しかし政権交代の影響もあり２０２１年以降は復活すると見込まれる。その他にも欧州の銀行など借入先の多様化も進む。その時々の政権の外交政策によってどこに頼るかは大きく方向が変化するが、外国だのみの財政運営は今後も続くと思われる。その矢先に新型コロナウィルス感染が経済を襲った。観光産業に大きく依存するモルディブにとって、人の移動が制限される感染対策は、大きな打撃となり２０２０年のＧＤＰは32・2％のマイナス成長になった。ただし２０２１年には18・９％に回復することが予想されている。２０２０年半ば以降欧州を中心としたリゾートへの観光客の足が戻ってきている。しかしながら、２０２０年後半以降も新型コロナウィルス感染の状況は現在進行形で動いているため今後財政再建が大きな問題になることは明らかである。２０２０年の財政赤字はＧＤＰ比27・５％と巨額になった。２０２０年４月にモルディブ政府はＩＭＦの緊急融資制度を利用して２８９０万ドルの緊急融資を受けているが、国際機関からの支援がこれまで以上に不可欠になっている。

（濱田美紀）

26

金融セクター

★規模の小さい国内金融★

モルディブの金融セクターは銀行部門を中心としたシステムである。しかし、世の中にどれくらいお金が出回っているかの尺度である通貨供給量（Ｍ２）のＧＤＰに占める割合は40～50％しかなく、モルディブの国内金融部門はあまり大きくないといえる（図１）。観光業を中心とした投資は海外からの直接投資に依存していることもあり、銀行からの国内の民間部分への貸し出しは（対ＧＤＰ比率）１９８０年代初頭に30％に伸びた後、低迷を続け、２００４年から拡大している。２００４年から２００９年の期間は、民間部門への貸し出し割合が増加したが、基本的には公的部門への貸し出しが大きい経済である。

モルディブは、一人当たりＧＤＰが１万ドルを超える高位中所得国であることもあり、金融アクセスの指標となる銀行のＡＴＭや支店の数は比較的多い。モルディブ国内のＡＴＭは10万人に対して35台あり、銀行の支店数は同15・６支店ある。インドではＡＴＭは22・１台、銀行は14・７支店、スリランカではＡＴＭは17・２台、銀行は18・６支店、バングラデシュではＡＴＭは８・１台、銀行は８・６支店である。近隣諸国の数と比較しても多い。人口51万人（内モルディブ人36・６万人、外国人

図1　国内信用供与対GDP比（%）

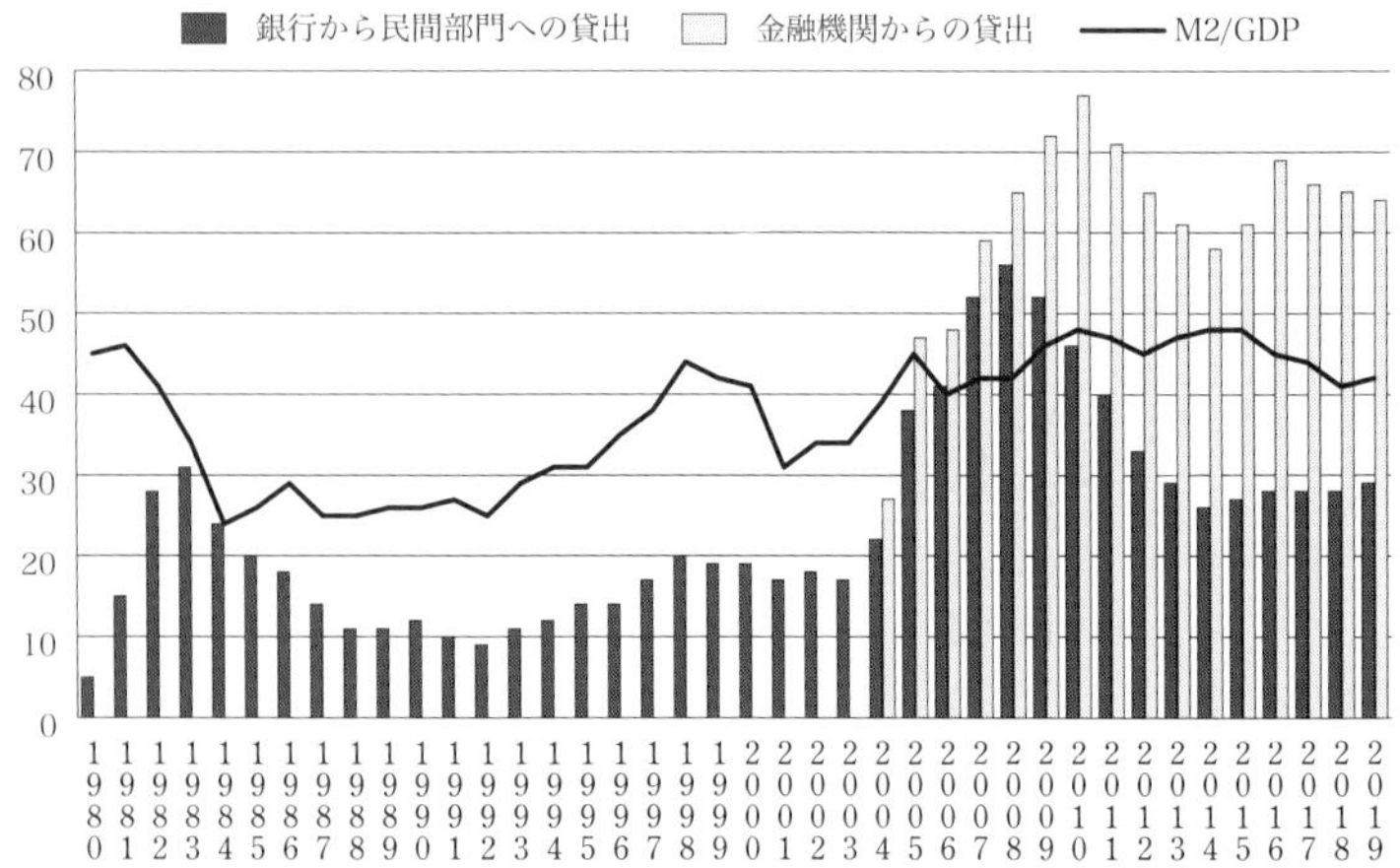

（出所）World Bank, DataBank.

14・６万人）しかいない経済の規模を考えると十分に多いといえる。しかし、おそらくこれは首都マーレおよび近接するフルマーレに集中していると思われる。実際、モルディブの成人の33％がまだ銀行口座を持っていない状況であるといわれており（２０１８年）、人々が26の環礁の中の１８７の島に分散して住むモルディブでは、金融サービスを全土にいきわたらせることは容易ではなく、金融アクセスの向上は長年の課題となっている。しかし近年は、地理的な制約から金融アクセスが難しい地域や国においても、インターネットの整備が拡充しデジタル化が進むことで、金融アクセスの恩恵を遠隔の人々が受け始めることができる。モルディブでの携帯電話の契約件数は１００人あたり１６６件、インターネット利用者の割合は人口の63％に上る。ブロードバンドの契約数は１００人あたり９・２件であるが（タイは13・２件、マレーシアは８・６件、スリランカ７・２件）、

表1　モルディブの商業銀行

Bank of Maldives Plc	国有銀行
Maldives Islamic Bank Private Limited	国有銀行
State Bank of India（インド）	外国銀行
Habib Bank Limited（パキスタン）	外国銀行
Bank of Ceylon（スリランカ）	外国銀行
Hongkong and Shanghai Banking Corporation Limited（英国）	外国銀行
Commercial Bank of Maldives Private Limited	スリランカの Commercial Bank of Ceylon との合弁銀行
The Mauritius Commercial Bank（Maldives）Private Limited（モーリシャス）	外国銀行（モーリシャスの MCB グループ）

（出所）Maldives Monetary Authority.

２０１６年あたりから急速に拡大している。商業銀行もインターネットバンキングのサービスをすでに提供しており、モルディブにおいても今後デジタル化が金融部門にあたえる恩恵は期待できるはずである。

商業銀行は８行ある（２０１９年時点、表１）。これらの商業銀行の財務指標は安定的で、銀行の健全性の指標であるリスク加重自己資本比率は40％を超えている。また総資産に対する利益の割合を示す総資産利益率は３〜４％、資本を効率的に利用して収益をあげているかを示す自己資本利益率も低下傾向にあるものの15％と高い。銀行の経営の安定性は、モルディブの財政にも影響する。銀行は銀行収益税として国庫に納める必要があり、その額は税収の３％程度を占める規模である。さらに、外国人労働者の給与は必ず雇用主が外国人労働者の銀行口座に振り込む必要がある（２０１６年雇用法）。また、外国人労働者が自国に送金する際は３％の送金税が課せられている。人口の３分の１が外国人労働者であるモルディブにとってこの税収は大きく、国内の資金の流れを把握するためにも銀行口座管理は重要であるといえる。

モルディブにも、小さいながらも株式市場は存在する。２００

表2 モルディブ証券取引所上場企業

	業種	所有
Amana Takaful (Maldives) PLC (ATM)	保険	国有
Bank of Maldives PLC (BML)	銀行	国有
Centurion PLC	物流管理	外資（英国）
Dhivehi Raajjeyge Gulhun PLC (DHR)	通信	国有
Maldives Islamic Bank PLC (MIB)	銀行	国有
Maldives Tourism Development Corporation PLC (MTDC)	観光開発	国有
Maldives Transport and Contracting Company PLC (MTCC)	運輸・建設	国有
Ooredoo Maldives PLC (OMPL)	通信	外資（カタル）
State Trading Organization PLC (STO))	商業	国有
Housing Development Finance Corporation	住宅・金融	国有

（出所）Maldives Stock Exchange.

6年に金融監督庁（Maldives Monetary Authority：MMA）から独立して資本市場開発庁（Capital Market Development Authority）が設立された。2019年現在、上場企業は10社あるが（表2）、ほとんどが国営企業である。また債券やスクーク（イスラム債券）をHousing Development Finance Corporation PLC（HDFC）とState Trading Organization PLC（STO）が発行しているものの、取引は少なく市場規模も161億ルフィア（2018年）とGDPの20％程度である。

外国為替制度

モルディブ政府は1994年に変動相場制であった為替レート制度を米ドルにペッグする固定相場制に移行した（図2）。1994年以前の1982年3月から1985年6月の期間もルフィアはドルにペッグされていた。1985年7月から貿易相手国の通貨を一定の割合で加重平均したものと連動させるバスケット通貨制に移行し、その間ルフィア価値が29％も減価した。その都度調整を余儀なくされたこともあり、1994年に再びドルペッグ制が取り入れられ、1

図２　外国為替レート推移（1971年～2020年）

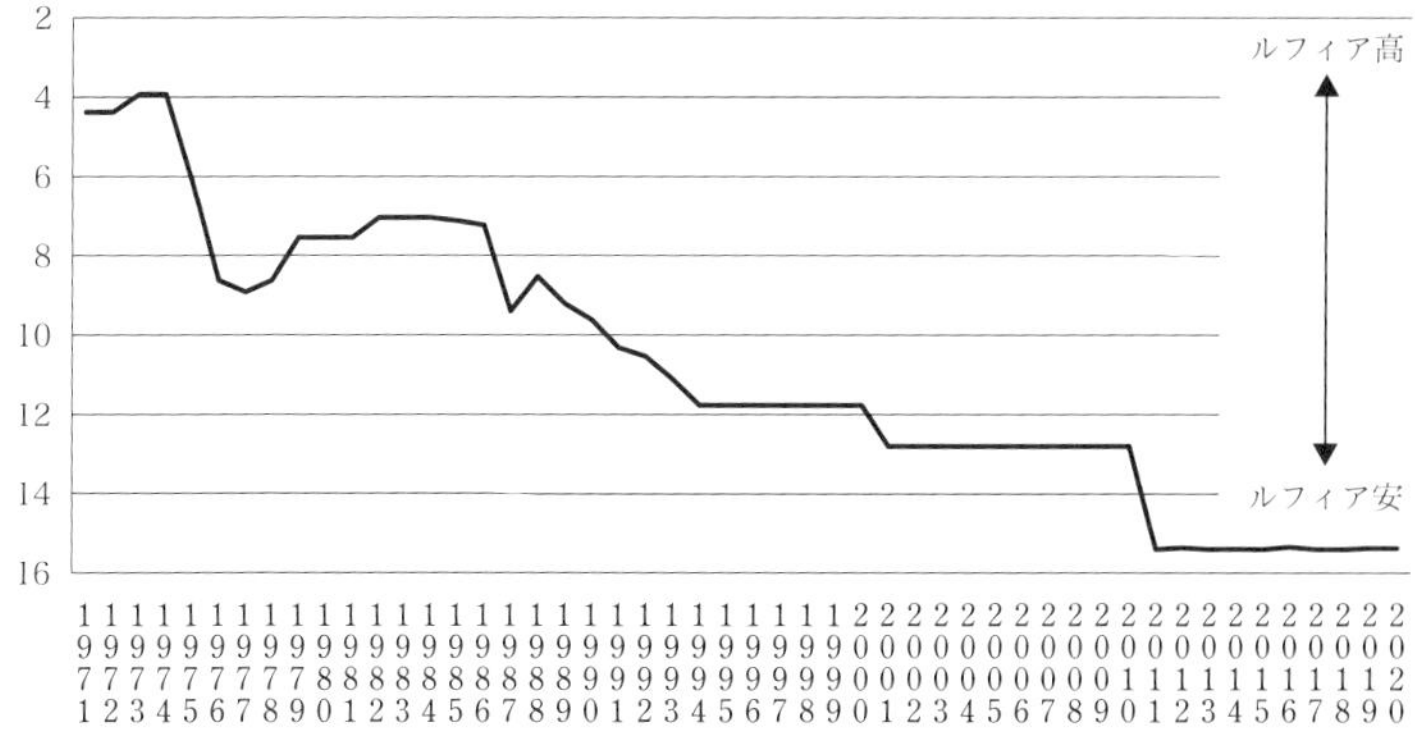

（出所）IMF.

ドル＝11・77ルフィアに固定することになった。その後、為替レートは２００１年に１ドル12・80ルフィアに見直されたが、２０１１年４月にナシード大統領は１ドル＝12・85ルフィアとしたうえで、変動幅を上下20％に拡大した。その直後１ドル＝14・5ルフィアに減価した後、為替レートは安定的にその水準を保っている。観光でモルディブに訪れる外国人が国内で使ってくれる外貨によって国の経済が支えられているモルディブにとって為替の変動は好ましくない。そのためドルペッグ制はモルディブにとっては安定的な収入を担保する制度である。その一方、金融政策の自律性はないため、アメリカの金融政策に左右されるというデメリットもある。

（濱田美紀）

27

観光産業

★国家戦略としての観光開発★

観光市場の構造変化

モルディブといえば、インド洋にあるゴージャスなリゾート地、一生に一度訪れてみたいハネムーン聖地、いつか海に沈むかもしれない地球最後のパラダイス、といったイメージが喚起されるだろう。この国の観光資源は、じつに豊かである。国土全域で1192のサンゴ礁の島が点在しており、サンゴ礁面積は世界の5%を占める第7位となっている。海には熱帯魚やウミガメ、貝など海洋生物が大量に生息しており、海水の可視性も高い。「インド洋の真珠のネックレス」と呼ばれる所以である。世界観光大賞（World Travel Awards）の常連として、モルディブはこれまで「世界をリードするダイブ目的地」や「世界をリードするハネムーン目的地」「世界をリードするビーチ目的地」など、数々の賞に輝いている。

モルディブにおける観光産業の発展は1970年代の初頭に遡る。1971年、旅行会社を営むイタリア人ジョージ・コービン（George Corbin）は、未開発の赤道観光地を探していたところ、スリランカのコロンボで後に外務大臣となるアハメド・ケラファ・ナシーム（Ahmed Kerafa Naseem）と出会い、初めてのモルディブ訪問を実現した。現地の風景にすっかり魅了されたコービンは、翌年、ジャーナリストと写真家を中心とする22名のイタリア人観光客をモルディブに案内した。

コービンら一行の訪問を受けて、モルディブ人のモハメド・ウマル・マニク（Mohamad Umaru Maniku）は、ヴィハマナーフシ（Vihamanaafushi）島でモルディブ最初のリゾート地であるクルンバ・ビレッジ（Kurumba Village）を建造した。マニクは、その後、キーパーソンとしてモルディブ観光業をけん引し続け、「パラダイスを作った男」として広く知られるようになった。マニク氏は、現在クルンバリゾートの運営会社であるユニバーサル・エンタープライズ（Universal Enterprises）社の会長を務めると同時に、モルディブ観光協会の会長、モルディブ空港会社の役員なども兼任している。

観光業が正式にスタートした１９７２年の観光客数はわずか１０００名だった。その後、１９８０年に４万２０００人、１９９０年に19万５０００人、２０１２年に１００万人を超え、２０１７年には１３２万人にまで増えていった（図１）。２０００年代までの観光客のほとんどはヨーロッパから来ていた。ヨーロッパ人は滞在期間が長いし、リピーターとして何度も訪れるため、モルディブでは「伝統市場」の顧客として重要視されている。２０１０年代に入ってから、中国など新興国の観光客が増え始め、モルディブの観光市場において大きな構造変化が生じていた（表１）。新興国の観光客は、ヨーロッパ人と異なり、滞在期間の短いツアーに参加する傾向が強い。そのため、モルディブにおける観光客の平均滞在日数は、ピーク時の２００８年の８・８日から２０１７年には６・２日へ短縮している。

新興国の観光客では、当初、休暇を主目的とする観光客の比重が圧倒的に高かった。そのため、２０１０年代以降、モルディブ観光の目的として、休暇・リラクゼーションの比重が高まる一方、ハネムー

図1　モルディブの観光客数（万人）

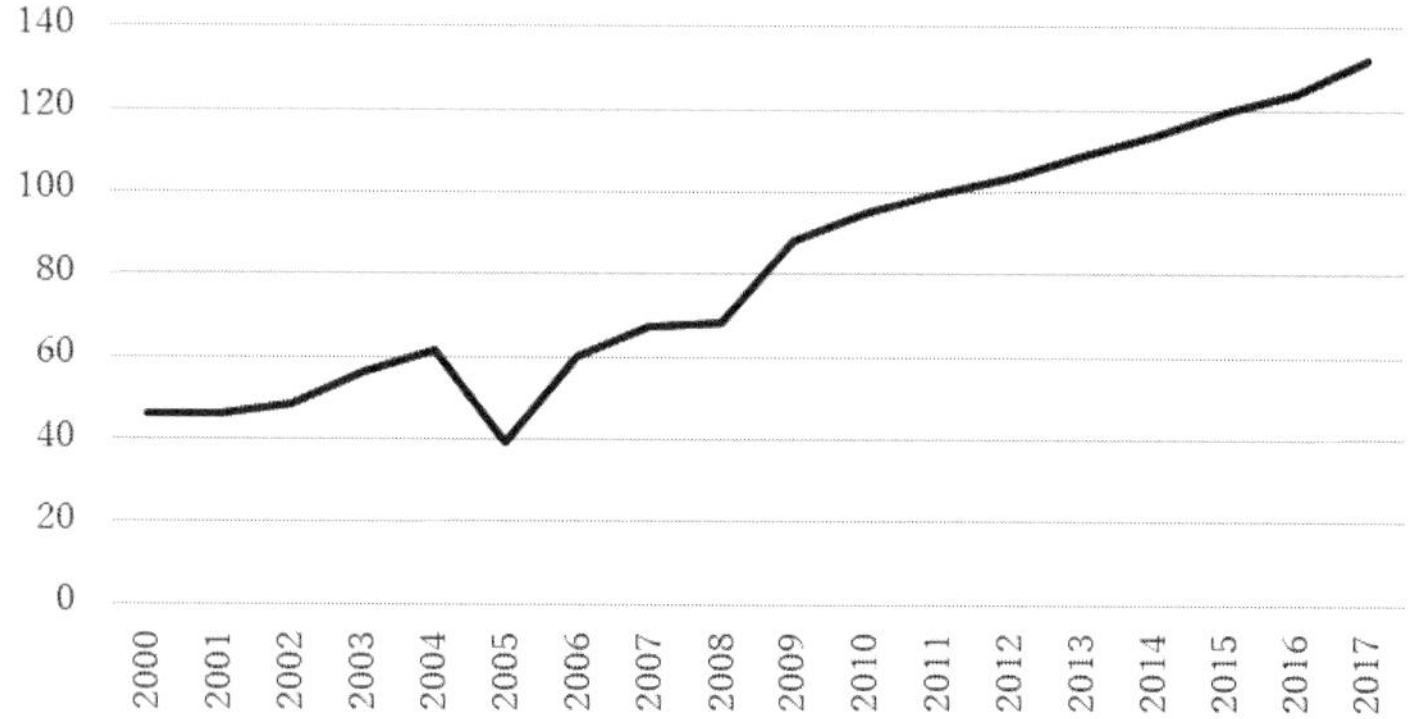

（出所）Statistical Yearbook of Maldives（各年版）

表1　モルディブ観光客数上位10か国ランキング

順位	2007	市場シェア（%）	順位	2017	市場シェア（%）
1	イギリス	18.5	1	中国	22.1
2	イタリア	17.3	2	ドイツ	8.1
3	ドイツ	10.7	3	イギリス	7.5
4	フランス	6.7	4	イタリア	6.4
5	日本	6.1	5	インド	6.0
6	中国	5.3	6	ロシア	4.5
7	ロシア	4.7	7	フランス	3.0
8	スイス	3.9	8	日本	3.0
9	韓国	3.1	9	アメリカ	2.8
10	インド	2.6	10	韓国	2.5
	観光客総数	67.6 万人		観光客総数	132.2 万人

（出所）Tourism Yearbook of Maldives 2008,2018

表2　モルディブ観光の目的の変化

	2004	2008	2011	2015	2017
休暇・リラクゼーション	53	55	64	63	51
ハネムーン	30	28	20	15	25
ダイビング	15	11	10	8	6
シュノーケリング	—	—	—	11	5
その他	3	5	6	3	13
合計	100	100	100	100	100

（出所）：2004, 2008 and 2011 Maldives Tourist Opinion Surveys; 2015 and 2017 Maldives Tourist Surveys.

ンやダイビングの比重が下がり続けた。ただ、最近では、日本、インド、中国といったアジアの観光客には、ハネムーン目的で訪れる人が増えたため、2017年にハネムーンを目的とする観光客の比重が大幅に増える一方、休暇・リラクゼーションのために訪れる観光客の比重は2000年代の水準に戻った（表2）。なお、近年、シュノーケリングやサーフィン、ウィンドサーフィン、カタマラン（双胴船）セーリング、水上スキーなど、多様なウォータースポーツが楽しめるようになったため、シュノーケリングやエコツーリズムを含むその他目的の観光客の比重が高まっている。（コラム6参照）

国家戦略としての観光開発

モルディブの観光地は、ユニークな「一島一リゾート」方式を採用している。各サンゴ礁島の面積は1〜2平方キロメートル程度である。通常、一つの島の開発は一つのリゾートホテルに任されている。島の土地の所有権はモルディブ政府にあるが、使用権はホテル側にリースされている。各リゾートには、さらに運営会社を抱えている。各島では、建物や外観が統一されており、他の島と高度に差別化されている。どのリゾートにも、フルセットでレジャー施設がそろっており、電力、水道などのインフラ施設も整備されている。

観光業の後発国として、モルディブはリゾート開発を進めるにあたって、外資系ホテルを積極的に導入してきた。少し古い数字になるが、モルディブ観光及び民間航空省（Ministry of Tourism and Civil Aviation）の統計によると、２００６年末時点で89リゾートのうち、68リゾートは地元企業、14リゾートは外資との合弁企業、7リゾートは外資の独資企業に使用権が認められていたと報告される。しかしこれらのリゾートの運営会社についてみると、地元運営会社の比率は47％に下がり、外資および合弁の運営会社の比率は53％へ高まる。これらの外資系管理会社の大多数は、シンガポールや欧米に本社を置く国際的に知名度の高いホテルチェーンであり、グローバルな営業ネットワークを持ち合わせている。モルディブのリゾートはこうした外資系ホテルの経験やノウハウとともに、そのグローバルネットワークも活用しながら、良質な海外顧客を安定的に確保してきた。

モルディブは海外市場にむけて常に観光業のプロモーション活動を展開し続けている。これを遂行するために、モルディブ観光をPRする専門会社（The Maldives Marketing and Public Relations Corporation、MMPRC）も設立した。モルディブ政府とMMPRCは観光フェアに積極的に出展するほか、世界各地から海洋や生態学、地理学専攻の学生を現地調査や実習に招聘し、学生市場の開拓に取り組んだ。近年、アジアの企業は海外の観光地で会議やチームビルディングを行う傾向があるが、モルディブはこれらのアジア企業の誘致にも取り組んでいる。

モルディブ政府は、観光産業の発展を国家戦略として位置付けている。上記の観光産業へのテコ入れのいずれも、5回にわたる観光産業マスタープラン（Tourism Master Plan）の枠組みの下で実行されている。第1回のマスタープラン（当時は第1回モルディブ観光発展計画と称した）は、1983年に発表された。このマスタープランは、環境保護や社会経済との協調的発展といったモルディブ観光業発展の方向性を確立した。同プランは、リゾートの面積や建物の高さなどに対して、具体的な規制条件を設けており、リゾート施設や提供するサービスの品質に対してもガイドラインを制定した。

第2回のマスタープランは1996年に発表された。その趣旨は、観光業発展の恩恵をマーレ周辺から国全域、とりわけ南部と北部の環礁へ広げることにあった。また、このマスタープランでは、観光業の雇用における外国人労働者の比重の削減と女性参加の促進が提起された。この目標はその後のマスタープランで繰り返し強調されているが、いまだ重要な政策課題として完全に達成できたとは言えない。2007年と2013年に第3回と第4回のマスタープランが発表され、そして最新の第5回マスタープランは2019年7月30日に発表されている。これらのマスタープランでは、持続可能な成長路線の継続や人と自然の協調的発展、観光開発の社会的責任、観光業のグローバル展開の重要性などが引き続き謳われている。

水上コテージとリゾート島

外的ショックへの対応

モルディブは国土面積が狭いうえに、観光業という単一産業に強く依存しているため、外的ショックには非常に脆弱である。こうした脆弱性を克服するために、的確な観光戦略とともに、外部環境の変化に応じて柔軟な対策を打つことも求められている。

2004年のインド洋大津波で、観光客が激減し（図1）、モルディブ観光業は2・5億ドルにも上る被害を受けた。災害復旧策の一環として、モルディブ政府はビザ手続きの大幅な簡素化に踏み切った。観光客がパスポート、飛行機の往復チケットおよびホテルの予約票を提示するだけで30日の到着ビザを入手できるようにした。一方でモルディブ政府は、「モルディブは安全だ」というメッセージを世界に向けて発信した。

2008年の世界金融危機の時も、2004年と同様に、観光客数が減少し、観光業の売上が大幅に落ち込んだ。危機の衝撃から回復するために、モルディブ政府は、国際金融機関から緊急融資を受けたり、リゾート地の家賃の支払を12か月遅らせたりするなどの措置を取り、難局を乗り越えた。さらに、「モルディブで太陽の光に溢れた生活を」というメッセージを世界に発信した。

2020年に勃発した新型コロナウイルス危機によって、モルディブの観光業は新たな試練にさらされている。蔓延初期では、中国からの観光客が減った分、客単価の高いヨーロッパからの観光客で何とか凌いでいた模様だ。しかし、欧米を中心に、世界規模で感染が拡大する中、モルディブへの客足は完全に途絶えてしまった。モルディブは、大津波や金融危機の時のように、戦後最大の危機とされる今回の新型コロナウイルス危機をスムーズに乗り越えられるのか、予断を許さない状況である。

（丁　可）

28

観光産業と経済発展

★重要な収入源と弱い波及効果のジレンマ★

国民経済を支える観光業

観光業は一貫してモルディブの主要な産業として、経済発展をけん引し続けてきた。図1が示すように、2000年代に入って以来、モルディブのGDPに占める観光業の割合は、4割近くの高い水準で推移してきた。近年、やや減少傾向にあるが、それは観光業の発展に伴って、リゾート開発や交通、通信インフラへの需要が拡大し、建築業と交通、通信部門が大きく躍進したためである。

観光業はモルディブ政府の最も重要な収入源でもある。政府収入は2004〜2018年の間に6倍以上拡大しているが、観光業の占める比率は、変動があるものの3割前後の高い水準を保っていた（図2）。政府の観光業収入はおもに土地のリース料と、各種観光関連税金に分けられている。モルディブのリゾートの土地は、すべて政府が所有している。一方で、使用権は国内外のリゾート業者にリースされており、土地リース料は重要な収入源になっている。なお、観光業の税金には、観光業物品サービス税やグリーン税、宿泊税（Tourist Bed-night Tax）といったものが含まれている。

図1　モルディブのGDPに占める観光産業の比重

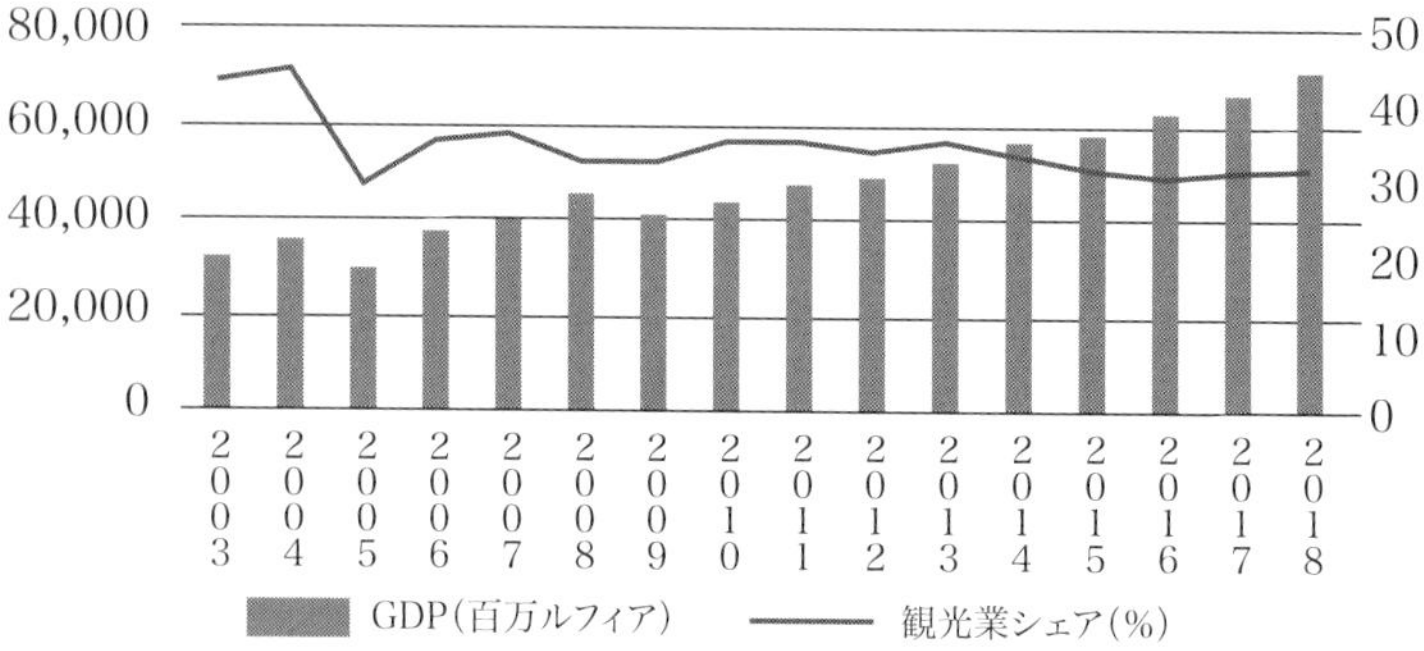

（出所） Statical yearbook of Maldives 2019

図2　モルディブの政府収入に占める観光業収入の比率

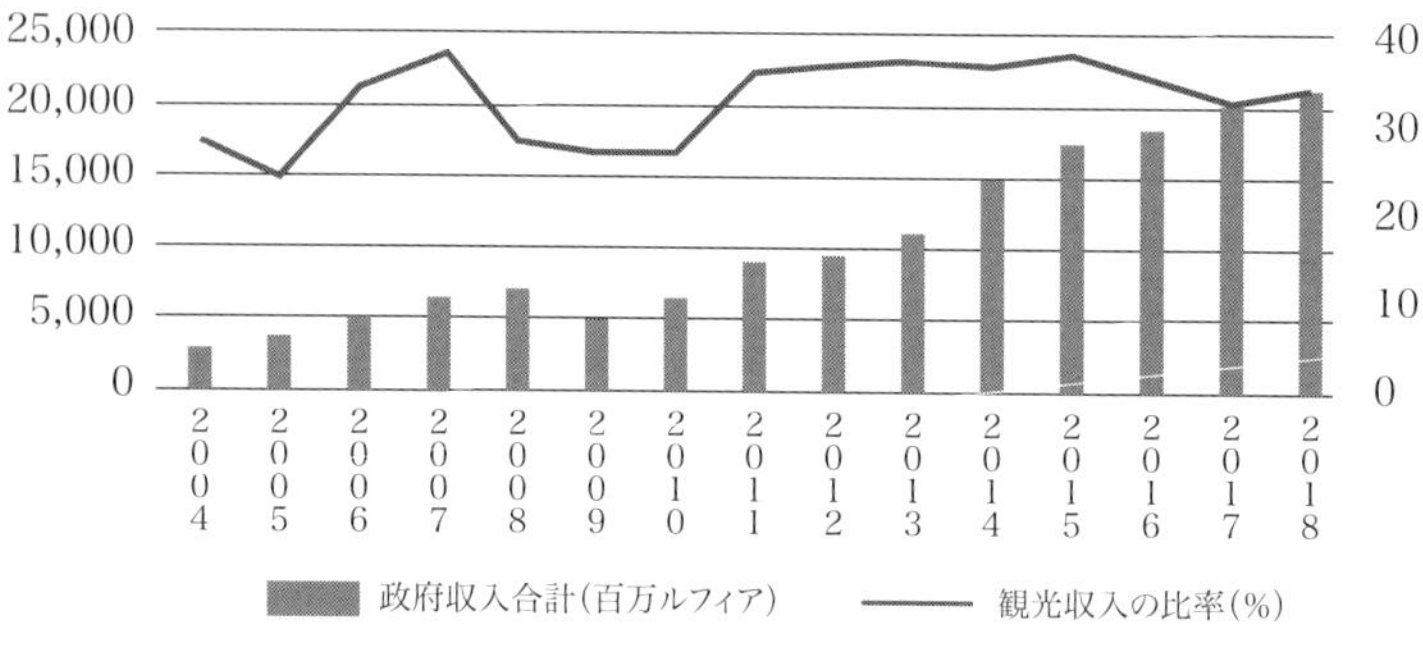

（出所） Maldives Tourism Yearbook 2009, 2014,　2019

表１　モルディブ GDP 構成比の変化

	2003	2018
漁業	8.3%	3.7%
建築	3.0%	6.8%
卸と小売り業	12.5%	8.4%
観光	30.2%	24.5%
交通、通信	7.8%	12.3%
金融サービス	1.7%	4.4%
不動産	5.9%	6.6%
公共管理	6.9%	7.5%
教育	2.9%	3.0%
健康と社会活動	1.2%	2.7%
その他	19.6%	20.0%
合計（百万ルフィア）	32549.8	71172.7

（出所）Statistical Yearbook of Maldives 2019

限られた雇用創出効果

しかし全体的にみると、観光業のモルディブ国民経済への波及効果はまだまだ限定的と指摘しなければならない。このことは、雇用創出、地域社会の関与、地場産業振興という３つの面に、象徴的に表れている。

まず雇用について詳しく検討しよう。データが把握できる２００６年と２０１４年センサスの結果をみると、８年の間に、モルディブ観光業の雇用者数は、２万２０００人から２万７８２２人へ増えたが、地元モルディブ人の就業者数は、１万９０５５人から１万１４４０人へほぼ横ばいで推移していた。それに対して、外国人就業者数は１万１０９５人から１万６３８８人へ大幅に増加している。観光業において通常、モルディブ人はリゾートや管理会社のトップ経営者層か、接客の職種に従事している。一方で欧米人は管理職と専門職に就くことが多く、レストランと清掃では、スリランカ人やバングラデシュ人が多い。

地元モルディブ人への雇用創出効果が弱い理由として、以下の要因が指摘されている。まず、住民島からリゾート地への出勤が不便である。一旦就業したら、11か月も自宅から離れ、リゾート地での泊まり込みを余儀なくされる。また、リゾートで勤務する主体が男性であるため、女性のほうは住民島に取り残され、重い家事負担を強いられる。次に、モルディブの労働法はあまり整備されておらず、同じリゾートの敷地内に位置しながらも、従業員の勤務と住環境は、リゾートの美しい空間とは全く別世界である。観光業の賃金水準もそれほど高くない。さらに、観光業は地位の低い職種とみなされる傾向が依然としてモルディブにある。このため、マーレでのオフィスワークなど比較的給与が高く、自由度も高い職業に就く可能性がある限り、地元住民は観光業に就労する魅力をあまり感じないと指摘されている。

地域社会や地場産業との希薄なつながり

観光業は個別の住民だけでなく、モルディブ地域社会とのつながりも希薄である。モルディブの土地所有権がすべて政府にあるため、地域コミュニティは土地開発等を通じて観光業から収益を得ることが不可能である。また、各リゾートの管理運営システムは高度に自己完結的になっており、地元住民がレストランやツアーガイド、もしくは手工芸品の製造販売といった観光ビジネスに参入しても、成功する可能性が低い。ただ、ソーリフ政権はこのことを問題視しており、2019年に土地の使用権の一部と観光から生まれる税収の一部を地域コミュニティに移譲する法案を提出した。同法案は間もなく国会で可決される見通しである。

モルディブを訪れる観光客は、チャンスがあれば、地元の住民島を訪問したり、モルディブ文化を体験する意向を示している。しかし、長い間、住民島での観光業の発展とホテルの建設は規制により

図３　モルディブの観光業の付加価値構造（百万ルフィア）

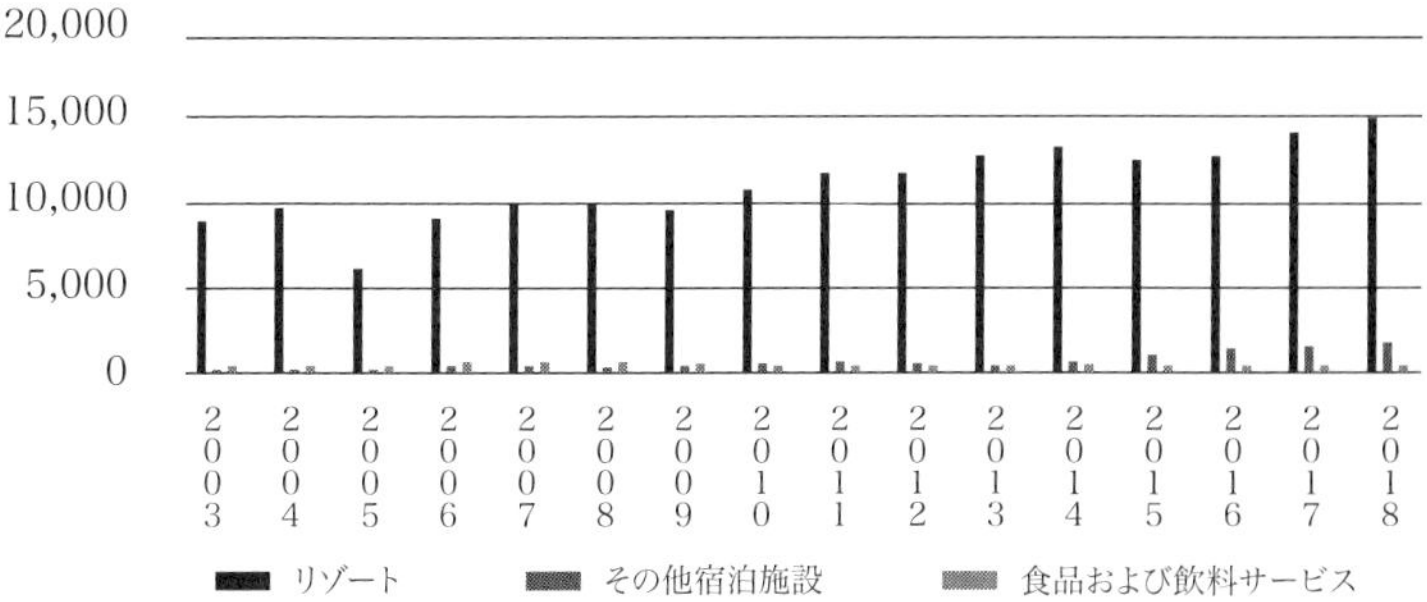

（注）その他宿泊施設には、ゲストハウス以外に、ホテルとサファリ船も含まれている。
（出所）Statistical Yearbook of Maldives 2019

禁じられていた。転機を迎えたのは２００８年の世界金融危機である。当時、中低価格帯の観光活動を推奨するために、規制緩和がなされて、住民島でも観光業の経営とゲストハウスの建設が認められるようになった。この措置は住民島の発展を大きく促進した。モルディブのゲストハウスの数は２００９年の22軒から２０２０年８月には６３３軒にまで爆発的に増えていった。中国人研究者の王芸夢と王首龍（２０１９）が実施した住民島の１つであるバア環礁のマーロス（Maalhos）島の島民21人に対するヒヤリング調査によると、７人の家庭ではすでに観光業および（関連する）サービス業が主たる収入源になっていると報告される。

観光業の発展は、建築材料、家具、飲食業などの関連する産業の成長にもあまり寄与していない。２０００年時点で、観光業で使用される商品のうち、約８割は輸入品だった。代表的な飲料水産業に関しては、輸入品比率が98％にも上っていた。モルディブの統計では、観光業の付加価値は、①リゾート、②その他宿泊施設、③食品および飲料サービスという３項目から構成されている。２００３年以降の観光業付加価値構成の推移をみると、リゾートとその他宿泊施設の付加価値額は、いずれも拡大傾向にある。しかし、食品および飲料サービス業に関しては、15年間、ずっと横ばいの状態が続いており、観光業から顕著な波及効果をほとんど受けてこなかった（図3）。この状況は、地域観光資源の開発を通じて、農業の振興、食品加工業の発展、といった連鎖を引き起こした日本における六次産業化の展開とは、非常に対照的である。

地場産業と観光業のリンケージの希薄さは、おもに以下の要因によってもたらされた、と指摘されている。まず、モルディブは小さな島嶼国であり、魚介類やココナッツを除いて、耕作地やその他、地場産業の発展に必要な天然資源には恵まれておらず、新鮮な野菜や果物の栽培すらできない。次に、リゾートの管理者やスタッフの大多数は外国人であり、地場製品や地元の食材などには必ずしも詳しくないし、積極的に採用する動機も持ち合わせていない。第三に、モルディブのリゾートは長い間、高級路線を堅持してきた。高級品にこだわればこだわるほど、輸入に頼らざるをえない、という状況が存在していた。第四に、地元の食品や食材を採用するためには、高品質かつ十分な量の商品を合理的な価格で長期安定的に供給することが求められている。しかし、小さな島嶼国ゆえに、こうした条件で食材を生産、加工するのに必要な最小限の生産規模を維持することも難しい。最後に、先に指摘した島と島をつなぐ交通条件の不備も、地場製品、とくに食品輸送の大きなネックになっていた。

政府の対策

モルディブ政府は、早い時期から観光業の波及効果の弱さを問題視していた。1996年に第2回観光マスタープランを発表して以来、地元住民による観光業への就業の促進、観光業と地場産業とのリンケージ強化などを訴え続けていた。しかし、現状を見る限りでは、2019年現在でも、これらの問題が完全に解決されたとは言えない。9月27日の「世界観光の日」に、ソーリフ大統領はスピーチで観光業による国民への恩恵を増やすよう聴衆に呼びかけた。大統領は、モルディブ観光業は長年の発展を遂げてきたとはいえ、国民へもたらした利益は依然として相対的に小さいことを指摘した。そして、モルディブで観光部門を育成するためには、新たなアプローチを取り入れる必要があり、とくにビジネス、文化遺産、スポーツとヘルスケアに関連する観光活動は、モルディブの観光業に今後、導入するべき新業態である、との見解を示した。このように、新政権は、従来の高級路線以外の新業態を発展させることにより、観光業の波及効果の強化を図ろうとしている模様だ。

（丁　可）

コラム6

エコツーリズムへの取り組み

重谷泰奈

バア環礁のダラバンドゥ島。ヴェラナ国際空港から国内線で30分、一周歩いて30分ほどの、国内線空港と美しい砂浜ビーチをもつ小さなローカル島（リゾート島ではない現地の人が住む島、住民島）だ。バア環礁の空の玄関口であり同環礁内にある各リゾートへの拠点島でもある。

そんなダラバンドゥ島に降り立つ大部分の外国人観光客の旅の目的、それはマンタ（エイの一種）乱舞との遭遇である。毎年雨季真っただ中にあたる6月から10月頃、ダラバンドゥ島からボートで15分ほどのところに位置するハニファル湾で数十匹、多い時には100匹以上のマンタが集まる自然現象が見られる。マンタの目当ては雨季の時期に大量発生する、餌＝プランクトン。そんなマンタの大群と一緒に泳ぐこ

ダラバンドゥ島で開催された第１回マンタフェスティバルの様子

とができるというのだから、この時期にモルディブを訪れる観光客はバア環礁内のリゾート島やローカル島を滞在地として選ぶ人は少なくない。

水面すれすれを泳ぐマンタと一緒に泳ぐことができる

バア環礁は生態系保存・維持の取り組みにおいて世界レベルのモデルエリアになることを目的にモルディブ政府により2009年に保護区として指定され2011年にはユネスコ生物圏保護区に認定された。

そんなバア環礁内に位置する200メートル四方のハニファァル湾はマンタ乱舞と時折姿を見せるジンベイザメの保全のため、同環礁内エイダフシ島に拠点を置くユネスコ事務所と現地の環境系NGO団体によりさまざまな取り組みがなされている。2018年にはダラバンドゥ島にて第1回マンタフェルティバルが開催され、マンタの生態系や乱舞のメカニズムの紹介はもとより地球温暖化やプラスチックごみによる環境問題や地域レベルの取り組みについてのワークショップや展示を通し、地元民や観光客への啓発活動が行われた。以降毎年1回開催されている。

最後にマンタ乱舞と一緒にぜひシュノーケルをしたい！という方へ、訪れる前に知っておきたい情報を紹介しておきたい。実はハニファル湾には他のポイントでは見られない規則がある。ダイビングは禁止でシュノーケルのみ可能（2012年〜）、シュノーケルで水中に入ることができるのは最大80人まで、1回の水中滞在は45分間まで、ユネスコ認定のレンジャー同行の義務。そしてこれはハニファル湾に限ったことではないが当然ながら珊瑚の上に立たない、水中生物の前を泳いで進路妨害をしない、触らない、餌付けをしない。また一人当たり20米ドルの入域料の支払いが発生し（2021年9月現在）、それはバア環礁環境保全活動に利用される。

モルディブでもハニファル湾だけでみられる時期限定のマンタの乱舞現象。もし雨季にモルディブへの旅行を計画することがあれば、政府レベルのみならず地域レベルでも積極的且つ持続的に取り組まれているエコツーリズムを体感してみてはいかがだろう。

マンタ乱舞目的でシーズン中は毎日多くの船が集まってくる

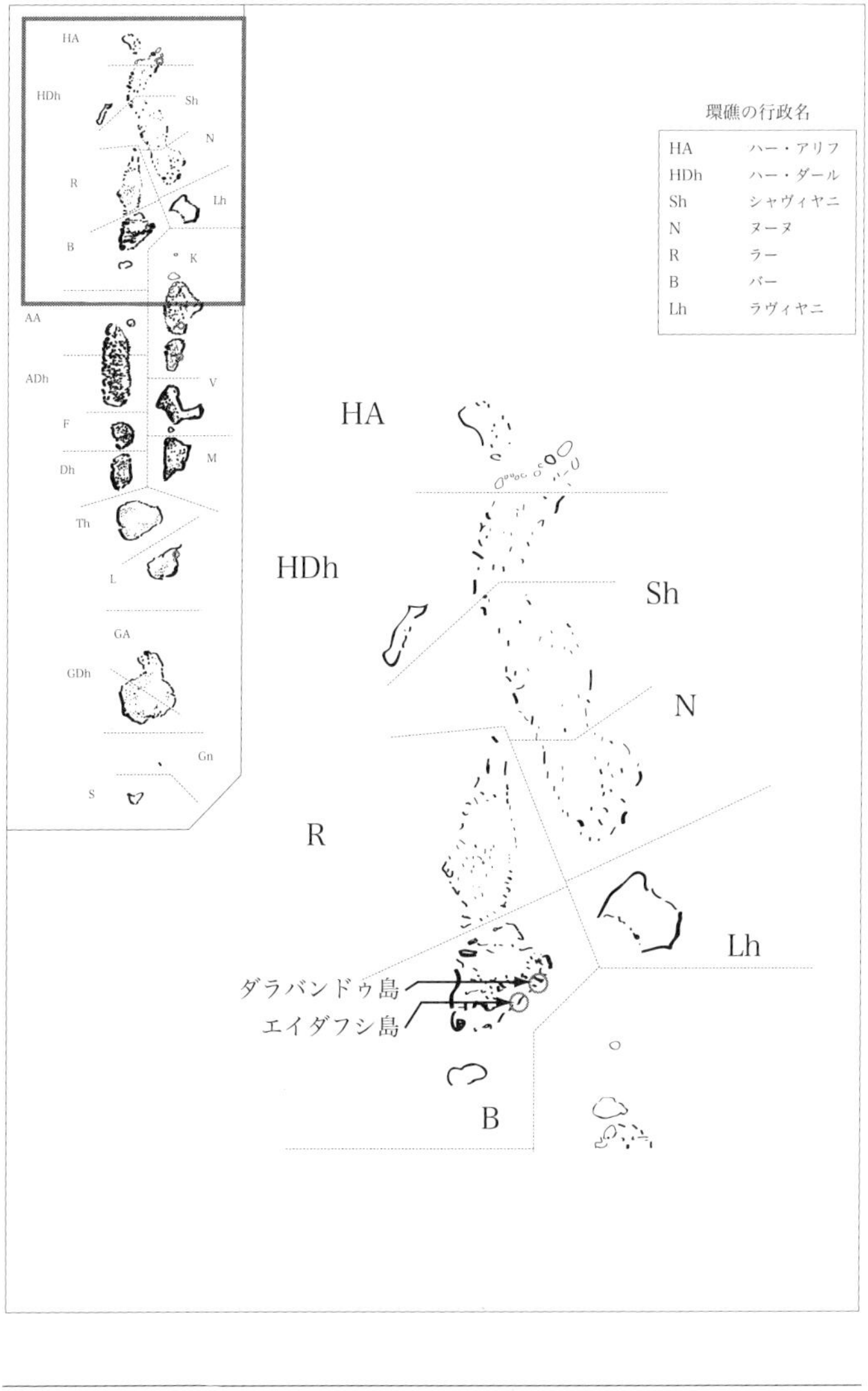
HA
HDh
Sh
N
R
Lh
B
K
AA
ADh
V
F
M
Dh
Th
L
GA
GDh
Gn
S
環礁の行政名
HA ハー・アリフ
HDh ハー・ダール
Sh シャヴィヤニ
N ヌーヌ
R ラー
B バー
Lh ラヴィヤニ
HA
HDh
Sh
N
R
Lh
ダラバンドゥ島
エイダフシ島
B

29

外国人労働者

★経済への貢献と社会的包摂の課題★

出稼ぎ受け入れ大国モルディブ

南アジアの大方の国々が、世界でも有数の出稼ぎ労働者の送出国であるのと対照的に、モルディブは外国人の受け入れ大国である。

人口に占める外国人比率は非常に高い。２０１９年の推定値では、全人口約54万人中約16万人と、約30％を占めている。つまり、ほぼ３人に１人が外国人ということだ。外国人労働者を受け入れているということでは、同じ南アジアの人口小国であるブータンも同様だが、ブータンの場合、２０１７年の人口約74万人のうち、外国人は４・５万人、国境の外に居住し就労のみブータン国内で行っている日雇い労働者１・６万人を加えても、外国人の比率は８・６％に過ぎない。モルディブにおける外国人労働者の存在感がいかに高いかが伺える。ちなみに２０１８年のシンガポールの外国人（恒久的居住者を除く）比率は３割弱だったので、モルディブはシンガポールに近い外国人比率を有していることになる。

第29章

外国人労働者

外国人労働者の内訳

外国人労働者（2019年現在15万7560人）の出身国をみると、最も多いのはバングラデシュで、約11万人と全体の7割を占める。以下インド（12・9%）、スリランカ（7・2%）、ネパール（2・8%）、中国（2・0%）と続く。男女比では、男性が94%と圧倒的なシェアを占める。女性労働者比率の高い国は、フィリピン、タイ、ブータン、ロシア、ウクライナなどと限られているが、日本もその1つで、同年の日本人労働者総数は82人、うち女性が66人と8割を占めていた。ただし絶対数（2014年センサス値）では、外国人女性労働者の45%がインド人、12%がスリランカ人である。

モルディブへの外国人流入は、観光業に主導された経済成長の開始とともに1980年代半ばから急増した。世界銀行データによれば、外国人流入者数は、1960年から1985年には1703人から2422人と緩やかな増加傾向であったものが、その後急増し、2015年には9万4086人に達した。この間の急増は、もっぱら男性労働者の流入によるものである。また、流入者の出身国にも変化が見られた。1960年時点ではほとんどがインド人およびパキスタン人であったが、1980年までにはバングラデシュの参入（バングラデシュは1971年にパキスタンから独立した）があり、2019年現在、パキスタンの割合は0・2%に過ぎない。また1990年代初めにはインド、バングラデシュを上回っていたスリランカ人も絶対数はあまり変わらないが、全体に占める割合は大きく減った（図1）。

外国人労働者がどの部門で働いているかを表1から見ていこう。男性の場合は建設が46・1%と半数近くを占めるのに対して、女性の場合、最も多いのが観光部門である。また男女差が表れている部

図1　国別外国人労働者の推移（人）

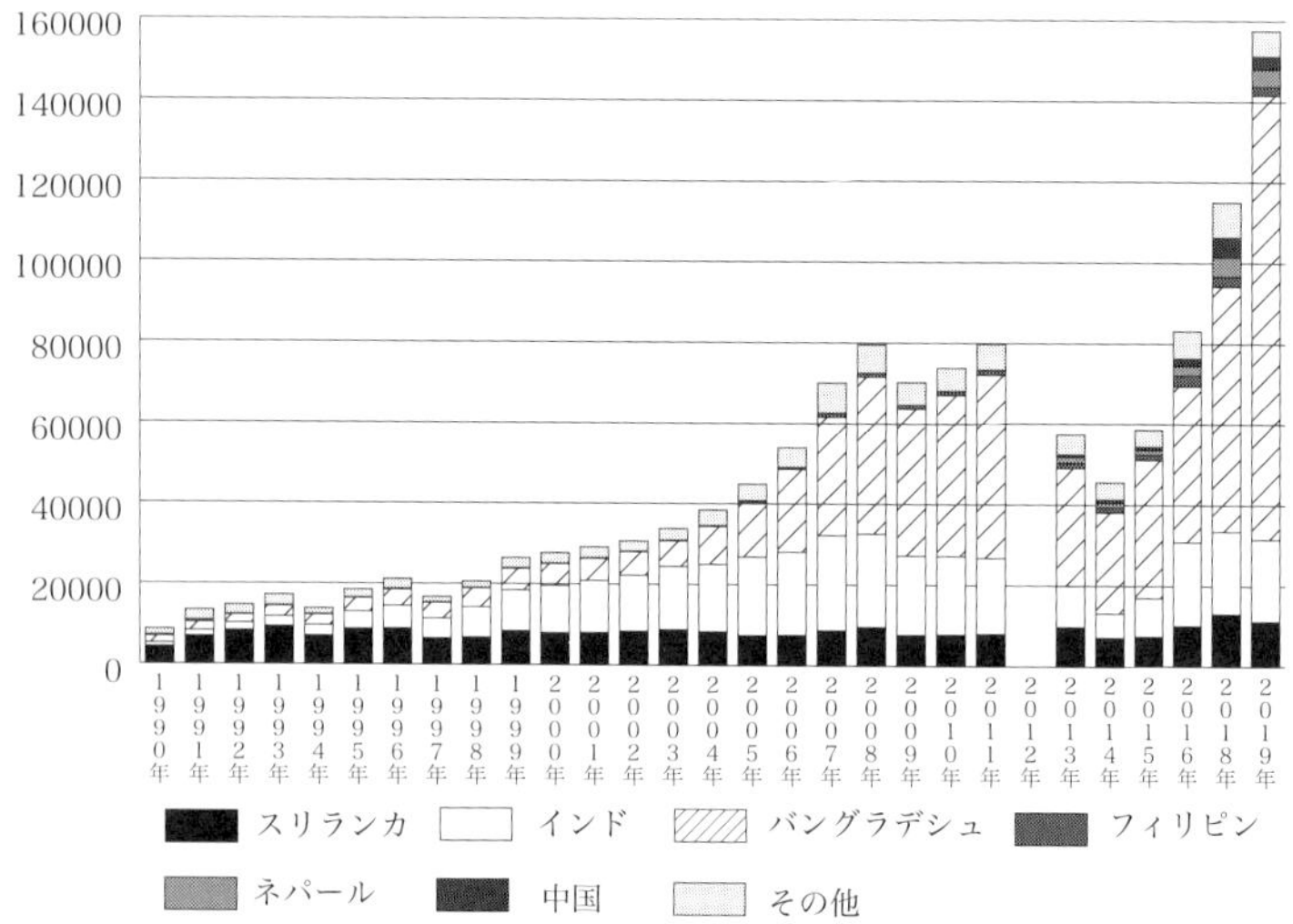

（注）2012年の数値は入手できなかった。
（出所）Statistical Yearbook of Maldives 各年度版より作成。

表1　セクター、男女別外国人労働者の分布、2019年（%）

	男性	女性
建設	46.1	2.8
観光	14.5	35.0
ホテル・レストラン	7.9	4.1
卸売り、小売り、自動車・二輪車・個人・家庭用品修理	7.4	3.5
製造	7.2	5.0
その他コミュニティ・社会・個人サービス	6.3	7.2
家事労働	2.3	19.6
運輸、保管、通信	2.0	2.1
行政	1.9	9.4
保健、社会福祉	1.1	7.5
教育	0.4	2.3
その他	2.9	1.6
合計	100.0	100.0

（出所）Statistical Yearbook of Maldives 2020より作成。

図2　教育分野の外国人労働者の推移（国籍別）

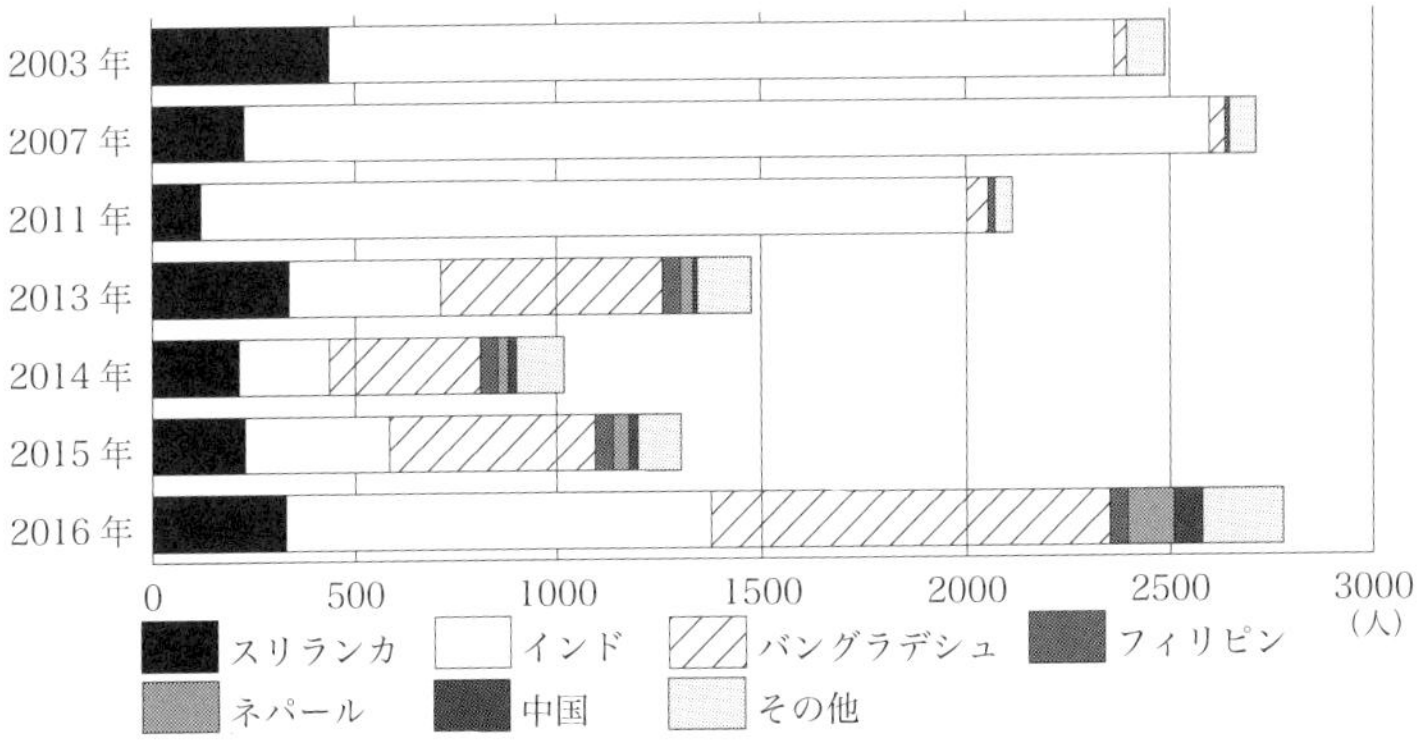

（出所）Statistical Yearbook of Maldives 各年度版より作成。

門としては、家事労働、行政、保健・社会福祉が挙げられる。女性の就労先としてはこれらの部門の比率が高い。国際移住機関（ＩＭＯ）の調べによれば、国別の特徴としては、バングラデシュ人労働者の37％が建設部門に従事しており、これにホテル・レストラン（10・8％）、製造業（9・4％）が続く。インド人労働者については、建設部門が17・8％と最も比率が高いのは同じだが、次いで多いのが観光部門（14・8％）、スリランカ労働者の場合は、観光部門が19・8％と建設部門（16・8％）を上回っている。近年、中国からの援助の増加に伴い、建設部門では中国人労働者が急増した。他方、ネパール、フィリピン、インドネシア等からの労働者は観光業に集中している。

非熟練労働力だけでなく、専門職、技術職においても外国人労働力が重要な役割を担っている。また、絶対数にすると少ないが、教育分野における外国人労働者の社会的貢献度は高い。この分野では、かつてはインド人、スリランカ人が大多数を占めていたが、近年はバングラデシュ人のシェアが高まっている（図2）。

モルディブ人の失業問題

なぜこれほどまでに外国人労働者を受け入れているのか。その理由は、質量ともに国内の労働力が不足しているためである。

たとえば、国内総生産への寄与度の最も高い観光業は、外国人を顧客とする。そこでは、英語の能力、多文化への理解などそれまでのモルディブ人の職業には求められていなかった能力、また酒や豚肉の提供、西洋的基準に合わせた接客など非イスラーム的なスキルが必要とされた。一方、モルディブ人の中には、観光部門での就労は文化的に下流の仕事という見方がある。また給与の高いポストは外国人労働者に占められているといった不平等イメージの問題もあった。さらに女性にとっては、家族から離れ、孤立した島に建設されたリゾートに駐在するという働き方そのものが高い障壁となった。結果、雇用者側からすると、外国人でポストを埋めるほうが容易ということになる。1982年以来5回出されたモルディブの観光マスタープランでも、人的資源開発の問題が重視されており、若者、女性の雇用増加が期待されているが、なかなか成果は上がっていない。

外国人労働者の豊富な供給が続く限り、モルディブ人が望むポストでの競争は激しく、同時に賃金、労働条件等の押し下げ圧力が続くことになる。2016年の失業率（15歳以上）は全体で6・1%だったのに対して、若年層のうち15～24歳の年齢層では16%、18～34歳は8%であった。若年層の失業率の高さはモルディブに限ったことではないが、外国人労働力への高い依存が、モルディブ人の失業問題、とりわけ若者の失業の高さと併存しているところに、モルディブの抱える大きな課題がある。

第29章
外国人労働者

バングラデシュ人出稼ぎ労働者

すでに述べた通り、モルディブの外国人労働者の大多数を占めるのがバングラデシュからの出稼ぎ労働者である。モルディブとバングラデシュ(ベンガル地方)は、古くから交易によって結びついていた。ただし記録があるのは、14世紀以後のことで、モルディブは、当時貨幣として使われていたタカラガイをベンガルに輸出し、代わりにコメ、木製品、繊維製品、砂糖などの日用品を輸入していた。

バングラデシュの誕生後、両国の正式な外交関係が樹立されたのは１９７８年だが、大使館の設立はバングラデシュが１９９８年、モルディブが２００８年とかなり後になってからだった。バングラデシュ人の出稼ぎ先としては圧倒的にサウジアラビアに代表される中東諸国が多く、バングラデシュ側の公式統計では、モルディブは「その他」に入れられているため詳細がわからない。しかしタカラガイに代わって労働力が、現在の両国を結ぶ最大の財であることは間違いない。

マーレにあるバングラデシュ大使館の労働者厚生班責任者によれば、モルディブにいるバングラデシュ労働者の4～5割が「書類のない労働者」つまり不法労働者であるという。不法化する理由は様々だ。来訪前に大使館からの許可を得られず、仲介業者によって観光ビザで入国させられたり、雇用者の賃金不払いに耐えられず、パスポートを雇用者に取られたまま脱走を余儀なくされ、結果的に不法労働者化させられたりというのは、その一例である。リゾートで働くとの約束が建設現場での仕事だったということもある。建設業界での労働力需要は大きいが、みな有期雇用であるなど労働条件や環境は不安定で、事故も少なくないという。家賃を含め決して物価が安いとは言えないモルディブで、建設現場で寝起きしている過酷な労働者の生活をモルディブのメディアは伝えている。他方、こうした不法労働者を国家安全保障上の脅威と呼ぶ政治家もいる。モルディブのあるＮＧＯの活動家は、バングラデシュ人労働者に対する強い差別意識がモルディブ社会に存在すると語っていた。

２０１９年9月、モルディブ政府はバングラデシュ人不法労働者の増加に対して、同国からの新規労働者受け入れを1年停止すると発表、翌２０２０年８月には、停止措置はさらに1年延長されることになった。なお専門職についてはその措置の対象とはなっていない。

現在、全世界を覆っているコロナ禍は、モルディブにおける外国人労働者にも深刻な打撃を与えている。マーレから船で1時間ほどの距離にある住民島のホテルで働く若いバングラデシュ人男性は、当初、給与はないが食べさせてはくれると述べていたが、２０２０年10月初めには、帰国を口にするようになっていた。その後7月15日のリゾート島に続き、10月15日からは住民島のホテルも営業再開が認められるようになった。

（村山真弓）

30

移りゆく水産業

★モルディブとカツオのはなし★

日本の食卓からインド洋を思う

日本の食卓に欠かせない味と言えば、みなさんは何を思い浮かべるだろうか。海外出張が多い仕事柄、私はよく「日本に帰ったら食べたいものって何ですか？　やっぱり寿司？」などと訊かれることがある。もちろん寿司は欠かせまい。しかし真っ先に脳裏に浮かぶのは、かつお出汁の効いた熱いかけそばである。蒸し暑く騒音に満ちたマーレの熱帯の夜も、ふと望郷に向かう心はつゆが絶妙に絡んだ蕎麦に思いをはせた。かつお節は日本人の心の味、その代表のひとつではないだろうか。つまり、カツオは日本人の食生活には絶対に欠かすことのできない食材なのだと言える。しかしそれは日本に限ったことではない。私の知る限り、世界中にもう一つだけカツオ無しでは生きていけない国がある。それがモルディブなのだ。

一般の人々にとってモルディブと言えば、やはり南国リゾートのイメージが強いだろう。美しい砂浜のプライベートビーチ、自然の景観になじんだ風通しのいいホテル、フルーツの添えられた冷たい飲み物……しかし、カツオを愛しカツオ無しでは生きていけないモルディブ人の姿もまた本当のモルディブの側面なのだ。

モルディブの魚食文化

２０１６年のモルディブの国民一人当たり水産物消費量は１４２キログラム（ＦＡＯ、２０１９）で間違いなく世界最高レベルだ。同年の日本で24・6キログラム（水産庁、２０１７）なのでその消費規模の大きさがお分かりいただけるだろう。そして消費される水産物の殆どがカツオである。なぜなら、モルディブ人はカツオ以外の魚にほとんど興味を示さないから。キハダマグロにハタ、アジ……美味い魚はいくらでも獲れるのに、彼らが愛するのはカツオだけなのである。食べ方もバラエティ豊かで、代表的なものとしてはスパイスたっぷりの激辛ソースで煮た「クリマス」、ココナッツミルクをベースにした「フィッシュカレー」、切り身を素揚げにしてから赤いチリソースで炒めた「デビルドフィッシュ」、ツナ缶（原料はカツオ）をココナッツと和えてトウガラシとタマネギで味付けた「マスフニ」、カツオ出汁の潮汁《うしおじる》「ガルディア」、カツオの煮汁を徹底的に煮詰めた旨味濃縮ペースト「リハークル」等々。ツナ缶を使ったカツオチャーハンも筆者の大好物定番料理のひとつである。基本的にカレー粉やトウガラシをふんだんに使ったスパイシーな味付けである。スパイシーなカツオ料理とは、日本人には想像しづらいかも知れないが。

そしてもう一つ、重要な水産加工品がある。モルディブ版のかつお節「ヒキマス」と、同じくなまり節「ワローマス」。丸のカツオを塩水で煮熟後、四冊に割ってココナッツ殻で半日程度燻煙し、これをガチガチに硬くなるまで干した物がヒキマス、水分含量が多く柔らかい物がワローマスとなる。

古くから保存食として利用され、まさに日本のかつお節と同様にモルディブ人の食生活に欠かせない存在である。ヒキマスは細かく砕いて出汁をとったり料理に混ぜたり。ワローマスは潮汁ガルディアの具に入れたり、カレーの材料になったり。これらを使った料理はまさにかつお出汁の味わい。カツオを愛する民族のソウルフードである。

モルディブの漁業

ではこれらの魚をどう獲っているのか、モルディブ漁業の概要を紹介する。２０１７年の全漁獲量は14万３千トンで、このうちカツオが８万９千トン（62・６％）、キハダマグロが４万９千トン（34・５％）で、この２種だけで漁獲量の97・１％が占められている（Statistical yearbook of Maldives 2018）。１９８０年には３万８千トンだった漁獲量は急激に増加し、２００５年頃にピークを迎えた。その後若干の減少が見られたものの、現在では概ね10万トン台前半で推移している（図１）。また漁獲量の68・６％が輸出に向けられ、観光業に次ぐ国の重要な外貨収入源となっている。２０１７年の漁業人口は１万７５８９人で労働人口の11％を占め、また水産業のＧＤＰに占める割合は５・１％である（ＦＡＯ、２０１９）。近年は世界的にカツオやキハダマグロの資源が減少傾向にあると考えられているが、モルディブではこの主たる原因のひとつにスペインやフランスの大型旋網《まきあみ》漁船による乱獲があると考えている。資源の減少が深刻になればモルディブにとって死活問題であることから、インド洋マグロ類委員会（ＩＯＴＣ）の場においてこれらの漁獲圧力の低減を訴え、また自国海域への外国漁船の入漁や旋網漁法を禁止するなど資源保護にも努めている。

図1　漁獲量

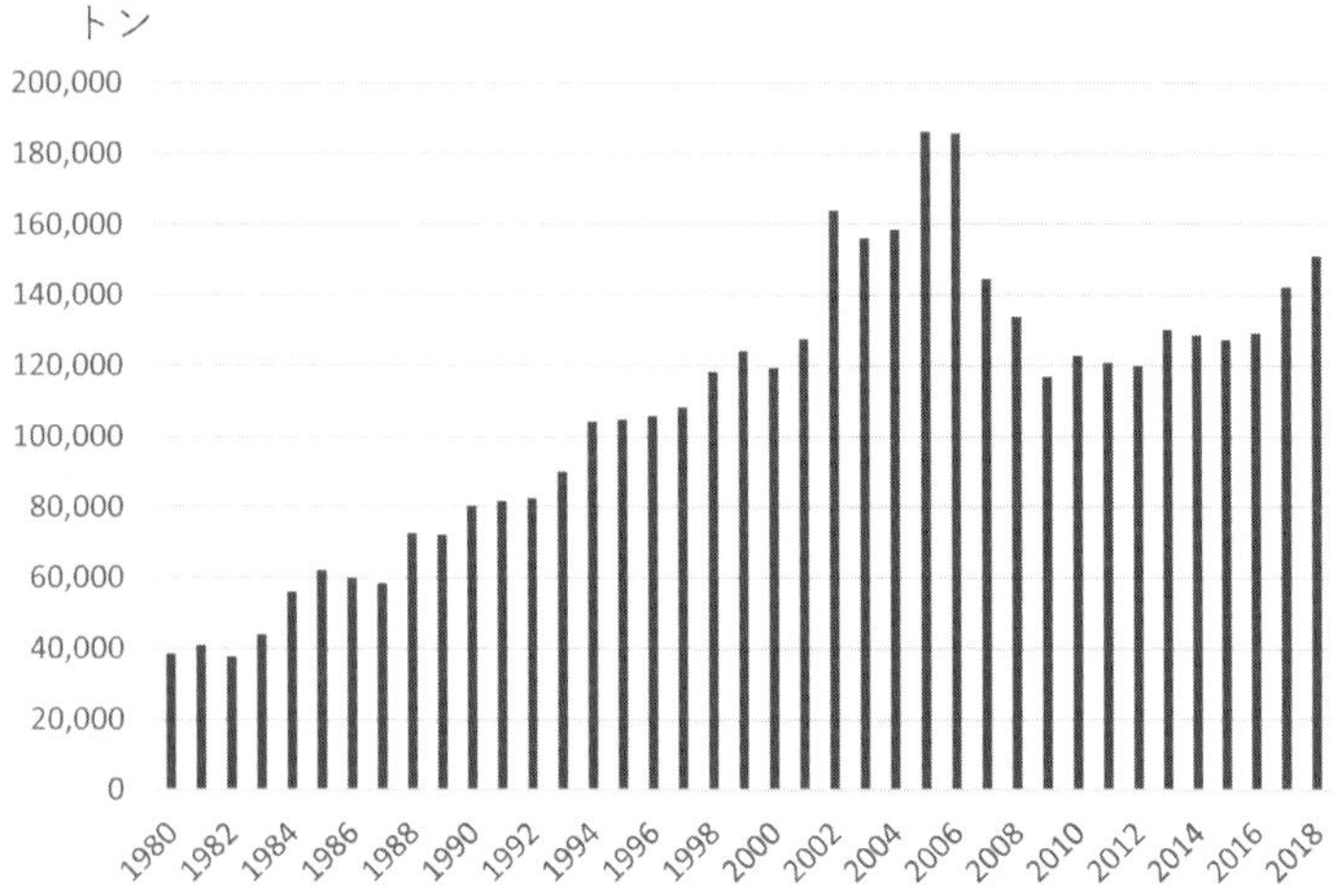

（出所）FAO：http://www.fao.org/fishery/facp/MDV/en#CountrySector-Statistics

カツオはその全量が「カツオ一本釣り」漁法で漁獲されている。これは日本でも「土佐の一本釣り」でお馴染みのもので、生きた小魚を海面に撒きつつ魚群を引き付け、船舷に並んだ漁師たちが豪快に釣り上げる。テレビなどでも紹介されているので、目にした事がある人も多いのではないだろうか。また、モルディブのカツオ一本釣りで漁獲されるカツオと小型のキハダマグロは、2014年に適切な資源管理下での漁獲物であるとしてMSC（Marine Stewardship Council、海洋管理協議会）の認証を受けている。モルディブ政府と水産加工・輸出業界はこれでモルディブ産水産物のブランド力を高め、付加価値の高い商品開発に繋げたい意向である。実際、モルディブ最大の缶詰加工会社であるホライズン・フィッシャリーズは、イギリスの小売業チェーン大手のマークス&スペンサーのプライベートブランド品として「環境に配慮された」ツナ缶を生産・販売している。このブランドのみならずモルディブで生産される（あるいはモルディブ水産会社ブランドでタイや中国で生産される）ツナ缶の多くはMSCと、イルカの混獲がない漁法で漁獲されていることを示す「ドルフィン・セーフ」認証のマークが付いている。世界中で消費されるカツオの多くは巨大な旋網漁船で漁獲されているが、この漁法がイルカの混獲を伴っていることが問題意識の根源となっている。

キハダマグロに関しては、小型の個体はカツオと同じ漁法で漁獲されるが、大型のものは竿を使わない手釣りで獲られている。アジなどの小型の魚を生きたまま餌として使い、食いついた数十キロの大物をひたすら人力で釣り上げるというなかなかワイルドな漁法である。モルディブ人はキハダマグロを好まないので、漁獲物のほぼすべては輸出用となる。

カツオ・マグロの加工と輸出

モルディブにとって水産物はほぼ唯一の輸出産品だ。主力はもちろんカツオとキハダマグロ、その他に香港など中華圏向けのハタ活魚にナマコ等がある。カツオは缶詰の原料として冷凍加工されたものが中心であるが、スリランカ向けには前出のヒキマスに加工されたものが大量に輸出されている。

カツオの冷凍加工は全国に数カ所ある水産加工場で行われる。漁獲物は工場の港に直接水揚げされ、ブライン凍結（氷点下の高濃度塩水に魚を漬けて急速に凍結する方法）したものを冷凍庫に保管、その多くは専用の冷凍輸送船でタイの缶詰加工会社に販売されている。近年では国内でツナ缶やレトルトパック詰めまでの最終加工も行われていて、前述のとおり一部は高付加価値商品としてヨーロッパ向けに輸出されている。低価格の原料輸出から高付加価値の最終加工品生産への転換は今後大きな潮流となるであろう。

ヒキマスのスリランカへの輸出は千年以上も前から続けられてきたとも言われ、スリランカでは「モルディブフィッシュ」と呼ばれて深くその食文化に浸透している。一方でモルディブではスリランカから香辛料や米、小麦等を輸入してきた。現代のモルディブではこれらは生活に欠かせないものであるが、土地や水が限られているため自前では絶対に生産できないものでもある。また、この交易を通じて両国の文化的・政治的な交流が進んできたことは想像に難くない。すなわち、モルディブの文化や歴史は少なからずカツオを通じて形成されてきたと言っても過言ではないだろう。

モルディブ水産業と日本

そんなモルディブの漁業・水産業であるが、近代においては日本からの影響も大きかったのである。日本がモルディブ水産業へのテコ入れを始めたのは1970年代のことである。世界的な潮流として各国が領海の外側200海里までを排他的経済水域に宣言して資源の囲い込みを行い、漁業国である日本は水産開発の方向転換を余儀なくされた時代であった。このような背景のなか、日本の大手商社と水産会社が共同で水産加工施設の建設やエンジンの導入による漁船の機械化、漁具漁法の近代化等の投資と支援を進め、生産量の拡大と日本への輸出を目指した。その加工施設はのちにモルディブ水産公社（Maldives Industrial Fisheries Company, MIFCO）となり、漁船は大型化が進んでカツオ生産量の飛躍へと結びついた。当時カツオ輸送船として導入された中古の日本のカツオ一本釣り漁船は、今でも水産加工場のある離島の港で見ることができる。

マグロ漁業に関しても、沖縄を拠点とする水産会社が洋上式のマグロ冷凍加工場を導入したことが契機となって2000年以降急激に発展しているのである。この洋上加工施設は日本で建造され太平洋のソロモン諸島で使用された後にモルディブに持ち込まれたものであるが、現在も現役で稼働している。

また、水産公社への技術移転を通じて日本式のかつお節生産システムをモルディブに導入したのも日本人である。この取り組みは現在も民間事業として継続されており、日本の大手かつお節会社の出資によってモルディブ最南端のアッドゥ環礁に工場が建設され、かつお節生産と日本向けの輸出を行っている。

おわりに

このように水産業はモルディブの文化・歴史に大きな影響を与えており、また現代においても重要な産業であることは間違いない。しかしながら、今の主要産業は何と言っても観光業である。観光開発の成功で経済発展の真っ只中にあるモルディブでは、若者たちの視線が漁業に向くことは少なくなってきた。多くの若者は生まれた島を離れ、首都マーレやリゾートホテルでスマートな仕事に就くことを夢見ている。観光客が年間約140万人（2017年、Tourism Yearbook 2018）も押し寄せる観光立国モルディブにおいて、水産業の占めるGDPシェアは相対的に5％程度にまで落ちているのだ。

首都から遠く離れた離島で聞いた、ある漁船の漁労長の言葉である。

「良い漁師になるためには若いうちから船に乗らなければならない。若い者は学校なんかに行かずに

モルディブの漁船は舷が低いのが特徴。船を走らせながら船尾に並んだ漁師が一斉にカツオを釣り上げる。

漁師になれ！」

　漁業の衰退や高齢化が心配されるのは日本ばかりではない。伝統文化の継承のためにも若者の漁業への参入は絶対に必要なことであるし、職人技を習得するためにはなるべく若いうちに師匠に付くことも重要であろう。漁業者の立場から見ればこの漁労長の言うことに一理あるが、それがままならないことも本人はよく分かっているのだろう。庶民の生活が劇的に豊かになっていく中、子どもたちが夢を持って島から出ていく喜びと寂しさ。若者が徐々に減っていく漁業の現場で、漁労長はどのような結論を導いて行くのだろうか。

　最後に、カツオが結んだ日本とモルディブの架け橋について触れておきたい。２０１１年の東日本大震災の直後、モルディブから69万個ものツナ缶が援助物資として日本に届けられたのだ。このときモルディブ政府が強調したのは、２００４年のスマトラ沖地震による津波から首都を守ったのが日本の援助で作られた防波堤だったこと、そしてモルディブ水産業近代化の基礎を築いた日本からの投資と支援に対する恩返しであること。カツオの国の人達は、感謝の気持ちもカツオで表したのである。

（越後　学）

コラム７

モルディブのかつお節

稲田明宏

大海の中の島国と言う事だけでなく、モルディブ共和国と日本には意外な共通点があります。モルディブ共和国と日本が地理的に約７５００キロメートルも離れており、また歴史的＆文化的にも共通点がほとんど無いにもかかわらず、両国それぞれの食文化の中心となる伝統的な食品として、カツオを煮た後、煙で燻して乾燥させる工程を持つ、非常に似ている保存食が存在します。日本では、和食の要とも呼ばれているかつお節、また、モルディブではヒキマスと呼ばれるカツオを乾燥した食品です。日本のかつお節はカツオの身を煮たものを広葉樹の薪で燻しながら乾燥させて保存性を高めた、日本人にはなじみ深い食品です。

ヒキマスは、カツオを海水で煮た後、燻製し、天日で乾燥したカツオの加工品です。燻製を行う燃料が広葉樹の薪とヤシの実の殻を乾かした物と異なりますので、その香りや風味は同じではありませんが、ヒキマスとかつお節は、外観も似ており、非常に類似性の高い食品です。遠い2つの国でこの様な非常に共通点のある伝統的な食べ物をいつどのように思いついたかは誰も知る所ではありません。日本における、かつお節の製造方法を示す最初の文献は15世紀以降に出てきますが、14世紀にモルディブを訪れたイブン・バットゥータの書いた「三大陸周遊記」にヒキマスの製法や使い方を記述した文章がある事から、日本のかつお節の起源はモルディブであると言う説もあります。しかし、日本には製法の記載は無いものの、かつお節と思われる言葉が8世紀頃から使われている事から、カツオの資源が豊富であった両国から共に独自に見

図1　モルディブから日本へのかつお節輸出額の推移（通関統計データより）

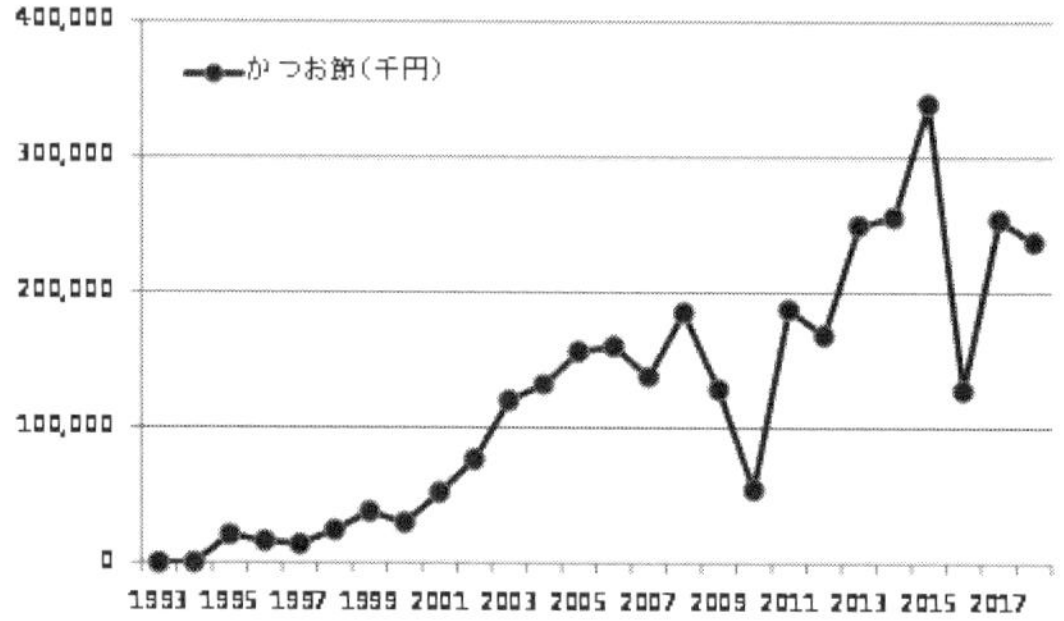

いだされた伝統的保存食であると思われます。

このように、モルディブ共和国は、昔からカツオが豊富に漁獲される漁場として非常に恵まれています。カツオ漁業はモルディブの中でも重要な産業であり、カツオの漁獲方法は国策で一本釣に限定されており、なおかつ持続可能な漁業として、国際的にも認められているMSC認証を取得しおり、長年にわたり品質の良いカ

モルディブ近海で水揚げされた鮮度の良いカツオ（一本釣）

モルディブのかつお節

ツオが水揚げされています。インド洋赤道近辺で漁獲されるカツオは、脂肪分が少なくかつお節加工に向く原料としてかつお節の業界では広く知られています。これらの品質の良いカツオを利用して、モルディブ国内で日本のかつお節と同じ製法で製造されたかつお節が日本に輸出されています。

モルディブでの日本向けのかつお節の生産は、1990年代初めからスタートし、徐々に生産規模を拡大してきました。モルディブ共和国から日本への総輸出額は、年間約3・5億円〜5・5億円くらいですが、その金額のおよそ半分程をかつお節が占めています。

モルディブでは、魚質の良い、低脂肪&高鮮度の一本釣りカツオが安定して確保可能であり、この原魚を使って製造されたかつお節は、良質で非常に高い評価を得ています。モルディブ産のカツオを使った日本向けかつお節の生産&輸出は、モルディブのカツオの付加価値を高めると共に、新たな雇用の創出など、モルディブ国への貢献が期待されています。

上記カツオを用いて製造された日本向けかつお節

コラム8

社史に残る水産業への日本の貢献

今泉慎也

モルディブにおける産業としての漁業の発展は1970年代に遡ることができる。その変化には日本の政府や企業が大きな影響を与えた。日本との国交樹立50周年を記念してモルディブ外務省がまとめた「モルディブ・日本50年」（英語）には、日本製の船用エンジンの導入が1つの基盤となったことが記述されている。モルディブの伝統的な輸出品は「モルディブ・フィッシュ」と呼ばれる乾燥魚であり、そのほとんどがスリランカに輸出されていた。しかしながら、スリランカが1971年に乾燥魚の輸入禁止をとったことから、モルディブ漁業は大きな転換を迫られることになった。当時の漁業では、伝統的な木造の帆船であるドーニーが用いられていた。商業的な漁業を立ち上げるため、モルディブ政府は、UNDPの支援を受けて、このドーニーの「機械化」を進めようとしたのである。その支援として、日本政府は1975年から1976年にかけて116台のヤンマー製の船内機をモルディブに供与した。その後、エンジンを搭載したドニーは、1978年までに548隻、1987年までに1334隻に拡大した、という。また、1970年代にヤンマー社は7つの環礁にディーゼルエンジン・サービスセンターを設け、ディーゼルエンジンのメンテナンス・修繕などの研修を行い、その普及を後押しした。50年史には触れられていないが、この時期には日系他社の製品もモルディブに入ってきたようである。たとえば、船外機などヤマハ製品の販売総代理店であるモルディブ企業ウェブサイトによれば最初に契約を締結したのは1974年頃とある。これら日本企業の社史にはモルディ

コラム8

社史に残る水産業への日本の貢献

カツオ漁船から海上で買い付けする冷凍船（アッドゥ環礁、筆者撮影、2019年11月）

ブについての記述はないものの、アジア・アフリカ諸国において船用エンジンなどを販売するだけでなく、それを利用した漁業技術などの研修もあわせて行ったことが記されている。モルディブでも企業による支援も行われたのであろう。

他方、1970年代にモルディブに進出した日本の水産会社がモルディブの水産業に与えた影響も大きかった。たとえば、宝幸水産（現在マルハ・グループ）の社史によれば、同社は1972年にモルディブ政府との間にカツオ・マグロの買魚契約を結び、冷凍船2隻を派遣して、買い付けを開始した。買付量が拡大したことなどから1975年には現地法人としてホーコー・モルディブ社を設立した。しかしながら、「モルディブ政府は日本の進出企業が複数になったため、買付価格の釣り上げなど条件をつけて競争をあおったため、事業の採算性は非常に厳しいものとなった」（『宝幸水産50年史』1996年）ことから、1983年に冷凍船2隻を政府に売却して現地での買付けから撤退し、輸入へと切り替えた、とある。また、日本水産の社史にもモルディブについての記述がある。日本水産は、1977年にモルディブ・ニッポン社を設立し、北米・欧州への輸出向けのカツオ・マグロ缶詰の生産を1978年から北部の環礁で開始したが、収益性が課題となり、1982年に同社を政府に売却して撤退した（『日本水産100年史』2011年）。これらの事例は先駆者たる企業の努力と海外での事業の難しさを示すものと言えよう。日本の水産会社との共同事業によって移転されたノウハウ、冷凍船や缶詰工場などの施設もモルディブ水産業の基盤となったのである。

VIII

国際関係

31

国際関係

★地球温暖化問題で世界をリードするモルディブ★

モルディブはアラブやアフリカとインド、東南アジアを結ぶインド洋上にあり、古くから多くの国と交易を行い、文化も取り入れてきた。同時に海外からの介入や攻撃、侵略も頻繁にあった。19世紀にはモルディブはイギリスの保護国となりイギリスが国防および外交を行い、侵略から保護されるなかで、国内政治はスルタン等が担った。この状態は1965年7月の独立まで継続した。そのため、独立前のモルディブにとって国際関係と言えばイギリス、スリランカ、インド等に限られていた。

南アジアの国々にとってインドとの関係が特別である点においてイギリスの保護国であったモルディブも例外でなかった。たとえば、イギリス空軍基地交渉や南部の独立（第4章参照）に関する経緯については、モルディブは1959年にアハメド・ザキ首相をインドに派遣しジャワハルラール・ネルー首相に状況を説明し、インドの支持を確保した。

1965年の独立以降のモルディブ外交は非同盟・多国間主義を標榜し、歴史的・地理的・文化的な特性を共有する国際的な組織における活動に積極的である。モルディブは、独立のわずか56日後（1965年9月）に国際連合に加盟した。首相のイブラーヒム・ナシールは、独立の目処が立った時点から国連加盟を念頭におき、準備を進めていた。国際社会の仲間入りすることにより、貿易の多様化、技術支援を獲得するという意図がナシールにあった。同じく65年に独立したシンガポールも同時に加盟申請した。当時モルディブの人口はわずか9万6000人であり、安全保障理事会でウ・タント国連事務総長はシンガポールやモルディブのような非常に小さな国家が国連に加盟を希望するにあたり、与えられる一票に比してその果たしうる役割（予算の分担金や活動できる人員数など）が小さいことについて検討を要する、と表明した。1970年代に、モルディブの主たる輸出品である魚の輸出が落ち込み、財政的に難しい状況になった。その結果、苦労して加盟した国連の総会に数年間代表を送ることができなかった。国連での足場を固めたのは、1976年に、後に大統領となるアブドゥル・ガユームが常駐代表となってからである。

1976年には、イスラム協力機構（OIC）に加盟した。非同盟諸国運動についてはイギリス空軍（RAF）基地が国内にある点が加盟のネックになり、76年4月のRAF撤退後の同年9月に加盟が受理された。1982年には英連邦（コモンウエルス）に加盟した。イギリスの植民地下にあった国々の多くは、独立後比較的早い時期に英連邦に加入したが、南部独立運動の平定にあたりイギリスとの交渉に苦労したナシール首相はその在任中に加入することに消極的であったためである（なお、モルディブは英連邦を2016年10月に脱退。2020年2月再加盟）。1985年に設立された南アジア地域協力連合（SAARC）は創設メンバーである。

日本との関係

モルディブは独立後間もない1967年11月に日本と国交を樹立している。これはイギリス、スリランカ、インド、アメリカ、イタリア、ドイツ、パキスタン、ロシア、韓国に次いで10番目である。国交樹立直後から日本はモルディブに対し漁業支援、人的資源開発、各種インフラ建設を行い、モルディブにとって長い間日本が最大の援助国であった（第35章参照）。

多方面で協力関係にあったモルディブと日本であったが、在日モルディブ大使館の開設は外交関係樹立40周年をむかえた2007年だった。他方、日本がマーレに大使館を開設したのは2016年1月で翌年に外交関係樹立50周年記念式典が行われた。

近年のモルディブとの要人往来や交流をみると、2013年には新藤義孝総務大臣がモルディブを訪問しワヒード大統領と会談し、再生可能エネルギーや持続可能な開発を活性化するための協力拡大に関して意見を交換した。同年には両国の間で低炭素成長を実現させることを目的とした二国間クレジット制度（JCM）に関する合意書に署名した。2014年4月にはヤーミーン大統領が、同国大統領として初めて日本を公式訪問した。2013年の大統領就任後、南アジア域外初の外遊先であった。安倍晋三首相との首脳会談では「40年以上にわたる友情と信頼に基づく協力の新たな段階に向けて」と題する共同声明に署名した。2018年1月には、河野太郎外務大臣がモハメド・アーシム外相と会談し、安倍首相が掲げる「自由で開かれたインド太平洋戦略」を説明して戦略の共有と緊密連携を要請した。2019年10月にはソーリフ大統領が即位礼正殿の儀に参列した。

地球規模の環境問題への対応でリーダーシップ

モルディブ外交を特徴づけるのは気候変動など地球規模の環境問題についてリーダシップを発揮したことである。小規模島嶼国として直面する、気候変動などの環境問題・持続可能な開発およびテロ問題等に関してモルディブは、国連や国際会議の場で、地球規模の問題であるとして積極的に働きかけている。

モルディブの地球温暖化と海水面上昇への取り組みは、１９８７年4月に発生した高波の被害を受け、自らの乗った車も波に流されそうになったガユーム大統領がこの経験をきっかけに国際会議を利用して矢継ぎ早に問題提起し国際協力を訴えたことに始まる。まず、87年10月15日の英連邦首脳会議（ＣＨＯＧＭ）では、このままでは「国家の死」であり、温暖化においては工業化した国が開発途上の低地国を救う義務がある、と国際協力を求めた。10月19日の国連総会では全世界に向けて、さらに11月にはＳＡＡＲＣでも南アジアの加盟国に環境保全を呼びかけた。そして１９８９年11月にモルディブで開催された海面上昇にかんする小国会議(Small States Conference on Sea Level Rise)がきっかけとなって、小島嶼国連合（ＡＯＳＩＳ）が１９９０年に設立された。ＡＯＳＩＳは小島嶼国の利益代表として、気候変動問題に取り組んだ。ガユームに次いで大統領に就任したモハメド・ナシードも環境問題について積極的に取り組み、２００９年にコペンハーゲンで開催された気候変動枠組条約第15回締約国会議（ＣＯＰ15）で対立する国々と困難な交渉を行った（次頁写真）。

気温の上昇幅を摂氏 1.5 度以内、大気中の二酸化炭素濃度を 350ppm 以内に抑制すべきと主張

近年の対外関係——複雑化するインド洋をめぐる環境

海水面上昇を巡る困難な交渉において国際社会でリーダーシップを見せたモルディブであるが、近年の国際関係は、国内政治の影響を色濃く受けて不安定な状況にある。

ガユーム政権は、基本的に親インドだったが、徐々に中国寄りとなった。ナシード政権はインドの後ろ盾を得て、中国とは距離を置いた。２０１２年の政変後に副大統領だったワヒードが大統領に就任したが、インドとの関係は急激に悪化した。そしてヤーミーン政権は中国やサウジアラビアとの関係を強化した。２０１６年にサウジとイランの対立が激化したことをきっかけに、イランとの国交を断絶した。さらに国内の人権状況や民主化の進展の遅さを問題視されたことから、２０１６年10月に英連邦を脱退した。２０１８年11月に大統領に就任したソーリフ大統領は、インドと良好な関係を保っている。また、２０１８年12月に英連邦再加盟の意図を表明し、２０２０年2月に再加盟した。

以上のように国連や国際社会のなかで、モルディブは小国にも関わらず地球規模の問題をめぐる議論の中で存在感を示し、小島嶼国をまとめ、先進国や大国と困難な交渉をこなした。しかし一方で、国内の政治的不安定性・混乱が国際関係・外交に直接反映するなどの脆弱な面を併せ持つ。独立後からナシールとガユームの長期政権時代には、対外関係に大きな変化はなかったが、その後ナシード、ワヒード、ヤーミーン、ソーリフと政権交代が頻繁に起きるようになったのにともない、国際関係もめまぐるしく変化している。

さらに近年、モルディブが位置するインド洋をめぐる環境は複雑化している。世界経済を支えるシーレーンがあり、世界のコンテナ貨物の半分以上がインド洋を通過する。にもかかわらずインド洋に適用されるシステムや仕組みは確立されていない。安全保障面では南アジアの大国インドがある程度の影響力を行使し、アメリカやフランスも海軍基地を持っているものの、インド洋は広く、これらがカバーできない空白域がある。このような状況下で海賊、海上テロ、麻薬取引、人身売買など、国家以外の主体による脅威も大きい。さらに自然災害や環境問題などもインド洋の国々にとって生命にかかわる脅威である。ましてやインド洋を舞台として「一帯一路」構想を実現しようとする中国の役割を無視することはできない。モルディブは、インド洋の小さな島国として直面する問題と国内問題のバランスを取りながら対外政策のかじ取りをすることになる。

（荒井悦代）

32

インドとの関係

★外交関係多角化の追求★

モルディブの基本的外交方針の1つは多国間主義である。独立した1965年に国連に加盟し、1976年には非同盟運動、1978年には世界銀行および国際通貨基金、1982年に英連邦に加盟した。しかし、モルディブにとって、1965年11月に外交関係を樹立したインドとの関係は特別であった。イギリスが1968年1月にスエズ以東から、また1971年3月にはモルディブのガン島からも撤退することを表明したことは、インドの存在をさらに大きくした。歴代のモルディブ政権の外交の基本的な特徴はインドのプレゼンスの大きさを認識した上でその立ち位置を決めるという姿勢である。本章では独立後両国の関係の軌跡を鳥瞰したい。

独立直後のモルディブ・インド関係

独立後、モルディブにとって安全保障、経済発展のためにもインドが重要なことは明らかであった。インドにとってもイギリスがスエズ以東からの撤退を発表し、インド洋で戦略的な空白が広がろうとするときモルディブの戦略的重要性は明らかであった。このような中で両国間関係は展開する。

モルディブで最初の銀行としてインド・ステート（State Bank of india）銀行の支店が1974年2月に開設された。1974年3月にザキ首相の最初のインド訪問ではモルディブの漁業の近代化のために援助を求めたが、訪問はインド首相のモルディブ訪問に道筋を開いた。インド首相として初めてインディラ・ガンディー首相が1975年1月にモルディブを訪問した。歓迎の挨拶でザキ首相は前年のインドの「平和的」核実験の成功を祝し、インドが原子力を持つことはどの国にも脅威とならないと述べた。1976年7月にインドはマーレに駐在使節（大使館）をおいた最初の国となり、同年7月から12月にかけてはモルディブ、スリランカおよびインドの間で領海が確定された。1978年2月にはインド国際空港公団がフルレ国際空港の拡張工事を請負い1981年9月に完成させている。

ガユーム政権期

ガユーム政権期もインド重視の姿勢は基本的に変わらなかったがパキスタンや中国など他の国との交流も活発となった。大統領は1983年1月に初めてパキスタンを訪問し、1984年10月には初めて中国を訪問した。しかし、モルディブにとって地理的、戦略的にインドの存在が圧倒的に大きいことからインド重視の基本線には変化はなかったといえる。

ガユーム大統領は1980年6月の最初の訪問以来たびたびインドを訪問する。両国は1981年3月に貿易協定をむすび互いに特恵的な通商上の待遇を与えること、インドはモルディブに対して生活必需品の供給を保証することなどを定めた。1982年7月に、ラクシャドウィープ諸島ミニコイ島（モルディブの北に位置する諸島）の帰属に関して両国間に論争があったが、モルディブは同島に関して要求はしないと明確にした。１９８５年12月に設立された南アジア地域協力連合（ＳＡＡＲＣ）の場でも、インドと他の国の意見が分かれた時、モルディブは度々インドに賛同した。インドのラジーヴ・ガンディー首相が来訪した１９８６年２月には経済・技術協力が合意され、両国間で合同委員会が定期的に開催されることになり、第１回会合が１９９０年１月に開催された。

インドと戦略的に緊密な関係を維持する姿勢も明確であった。インドは１９８７年６月にタミル人地域のジャフナに食糧を空輸しスリランカの内戦に介入するが、モルディブは非難せず両国の自制を求めるのみであった。印パ両国の懸案であるカシミール問題に関しても基本的に二国間の問題であるとしてパキスタン、あるいはイスラーム協力機構（ＯＩＣ）の主張には与していない。また第18章で述べたように１９８８年11月の政権への不満分子とスリランカ傭兵によるクーデター事件ではガユーム大統領が介入をもとめたのは結局インドであった。インドのラジーヴ・ガンディー政権は軍を派遣し速やかに鎮圧した。アメリカなどもインドの介入を歓迎した。事件後モルディブは沿岸警備を強化し、１９９１年以降インドの沿岸警備隊と合同演習「ドスティ（ヒンディー語で友情を意味する）」を各年で行うこととなった。演習には２０１２年以降スリランカも参加する。２００４年10月にはデリーにモルディブ高等弁務官事務所（大使館）が開設された。

しかし、ガユーム大統領の姿勢は民主化を求めるモルディブ民主党（ＭＤＰ）などとの対立が深まった２０００年代後半に微妙に変化する。民主化を求めるＭＤＰ指導者モハメド・ナシードはインドの支持を得ていたと見られ、その反発としてガユーム大統領は中国への接近姿勢を見せたのである。大統領は２００６年９月に中国を訪問し胡錦濤国家主席と会談し、また、２００７年８月には北京にモルディブ大使館が開設された。

民主化後のモルディブ外交（2008年〜）

民主化後の外交の特徴は内政と外交関係がリンクした点である。2008年10月に成立したナシード政権はインドとの関係を重視した。2009年9月には軍事協力合意が結ばれインド海軍とモルディブ国防軍が合同で排他的経済水域の監視などを定期的に行うこととなった。また10月には合同軍事訓練「エクヴェリン（ディベヒ語で友人）」が開始されインド軍とモルディブ国防軍の第1回の合同演習がインドのカルナータカ州で行われた。

もっとも、ナシード政権はインド以外の外交オプションも追求する姿勢を見せたことが特徴である。ナシード大統領は2010年5月に中国を訪れ胡錦濤国家主席と会談を行い8月に経済協力合意を結んだ。中国が2011年11月にマーレに大使館を開いた後、両国関係はさらに発展していく。ただし、2012年2月の政変でナシード大統領が一時インド大使館に避難したようにインドとナシード政権の緊密性は明らかであった。

中国寄りの姿勢を鮮明にしたのは次のワヒード政権のときであった。第19章で説明したようにワヒードは大統領に就任後、前政権が国際入札によってきめたインドのインフラ建設マネージメント会社GMRの連合に国際空港刷新事業を任せる契約を2012年11月にキャンセルした。そして翌12月には国防大臣モハメド・ナジムが中国を訪問し中国から軍事援助をえる合意に署名した。ワヒード政権にインドが不快感を抱いたことは間違いない。

2013年11月に就任したヤーミーン大統領の対インド姿勢は当初は慎重であった。最初の外国訪問は2014年1月のインドであった。しかしヤーミーン政権は次第に中国よりとなった。そこには2つの要因がある。1つはヤーミーン政権が、インドがナシード元大統領など民主派勢力を支援しているとの認識から反発し中国との関係を強化したことである。もう1つは中国がインド洋への影響力拡大のためモルディブへの接近を意図した点である。それは2014年9月に習近平国家主席が中国国家主席として初めて来訪したことで明らかであった。習主席の訪問に併せてGMR連合との契約が破棄された空港刷新プロジェクトは中国の北京都市建設会社と契約が結ばれ、また中国・モルディブ友好橋建設プロジェクトが合意された。中国は11月に一帯一路構想を正式に打ち出すが、インドが同構想に冷淡な姿勢を示した中で、ヤーミーン政権は翌月に同構想に支持を明らかにした。

インドはヤーミーン政権の中国シフト、そしてナシード元大統領の逮捕など反民主主義的姿勢に不快感を示し、2015年3月にモディ首相は予定されていたマーレへの訪問を取り消した。しかし経済援助を梃子として影響力拡大を試みる中国を前にしてアプローチを変え関係強化を模索する。2000年3月を最後として開かれていなかった両国合同委員会を2015年10月に再開し、外務大臣スシマ・スワラージを送ったのはその例である。また2016年2月には海軍艦艇をマーレに親善派遣し、4月のヤーミーン大統領のインド訪問中、両国は二重課税の回避、観光旅行促進などの協定・覚え書きに署名した。

しかしヤーミーン大統領の中国よりの姿勢は徐々に明確になる。2017年8月には中国海軍艦艇のマーレ入港を許し、同年12月には自由貿易協定（FTA）に署名し中国を訪問した。中国もその姿勢に呼応し、ヤーミーン大統領が２０１８年2月に非常事態宣言を発し反対派を抑圧したとき民主派はインドに介入を求めたが、中国はいかなる国も内政干渉すべきでないと牽制した。

インドとの関係が修復されるのは２０１８年9月にイブラーヒム・ソーリフが新大統領に当選してからである。11月の就任式にはモディ首相が出席し、翌12月にはソーリフ大統領がインドを訪問した。両国間の関係改善の象徴はインド洋の船舶の動きを監視する沿岸監視レーダーシステム（ＣＳＲＳ）の設置事業の再開であった。同システムは２０１６年4月の防衛協力合意で設置が決まったが、ヤーミーン大統領のインドへの不信から凍結されていた。事業は２０１８年11月に再開されインド企業によって10基のレーダー施設が完成した。スリランカ、モーリシャス、セーシェルでも同様なレーダー施設が設置されており、ＣＳＲＳによってこれらインド洋諸国の関係は戦略的に緊密化される。また２０１９年3月にはインドが8億ドルの融資を行うことが決まり、中国プロジェクトで巨額の債務が重荷となっているモルディブの負担軽減に貢献することとなった。4〜5月に行われたインドの総選挙で勝利したモディ首相の最初の訪問国はモルディブとなり、6月の訪問ではモルディブの発展のために様々な覚え書きが交わされ、共同声明では両国の領土内で双方にとって有害な活動を許さないと宣言された。

以上のようにソーリフ政権成立後、インド・ファーストの姿勢が再び確立されたように見えるがそれはかつてと同じではない。モルディブ外交はインドの戦略的枠組に引き込まれつつも多角化を模索し可能な限りの自律性を追求しているように見える。物の輸入額でみると２０１６年以降、中国からの輸入がインドからの輸入を追い越し以後急速に増加しており、もはや中国の経済的プレゼンスは無視できない。またアメリカや日本の「自由で開かれたインド太平洋」(ＦＯＩＰ)戦略にも積極的に関与していこうとする姿勢が見える。ソーリフ政権のシャヒード外務大臣は２０１９年2月にワシントンを訪問しＦＯＩＰを支持することを確認し、航行の自由に関して覚え書きを結んでいる。今後の行方が注目されよう。

(近藤則夫)

33

中国との関係

――★一帯一路への参加と政権交代による波乱★――

一帯一路構想への参加

モルディブは1972年に中国と外交関係を確立したが、本格的に貿易活動を始めたのは1982年である。中国製品は当初、おもにドバイやシンガポール経由でモルディブに輸出されており、1億ドル以下の小規模で推移していた（表1）。

両国間の経済交流が活発化した契機は、2014年の中国国家主席習近平によるモルディブ訪問だった。習近平は、2013年9月7日のカザフスタンのナザルバエフ大学での演説で陸のシルクロード構想、同年10月3日のインドネシア国会での演説で21世紀海のシルクロード構想を提唱した。前者は中国からユーラシア大陸を経由してヨーロッパにつながる広域経済圏（一帯）の形成、後者は中国沿岸部から東南アジア、南アジア、アラビア半島、アフリカ東岸を結ぶ広域経済圏（一路）の形成を目指すものであり、両者は併せて一帯一路構想と称されている。インド洋航路の要衝に位置するモルディブは、当然ながら海のシルクロード構想において、重要な地政学的意義を持つ国になった。

2014年9月14～16日、習近平は中国の国家首脳として初

表1　中国とモルディブの貿易の推移（万ドル）

	貿易総額	中国からの輸出額	中国の輸入額
2012	7667.3	7648.8	18.6
2013	9785.6	9737.6	48.0
2014	10439.0	10400.9	38.0
2015	17284.5	17266.3	18.2
2016	32096.8	32073.0	23.8
2017	29625.0	29563.0	62.0
2018	39721.0	39617.0	103.0

出所：中国国家統計局

めてモルディブを訪問した。これを受けて、モルディブは21世紀海のシルクロード構想への参加を正式に表明した。それ以来、両国間の経済交流が一気に活発になった。貿易についてみると、中国側の統計では輸出入額は2014年の1億ドル程度から2018年には4億ドル近くにまで急増している（表1）。貿易の大部分を占めるのは、中国からの輸入で、とくに電気機器、鉄鋼製品、ボイラー・機械類部分品、セメント、家具、寝具、照明器具が多い。2018年の中国からの輸入額は、アラブ首長国連邦に次いで第2位となっている。中国への輸出額は少額とはいえ、自由貿易協定が結ばれた2017年から急速に拡大している。

中国によるモルディブへの直接投資は当初、おもに水産加工や飲食店、医療などの分野で小規模で行われていた。習近平の訪問を受けて本格的に増え始めたのは2016年である。データは限られているが、中国商務部の統計によると、2016年の直接投資額は3341万ドルに上っており、2016年末までの直接投資累積額（3578万ドル）のほとんどを占めていた。

一帯一路構想への参入を契機に、モルディブでは、中国を主体に実施するインフラ工事が大々的に展開するようになった。表2のとおり、

表２　モルディブにおける中国のインフラ請負工事と労働者状況

	請負工事売上（万ドル）	請負工事年末駐在者数（人）	労務協力年末派遣者数（人）
2016	24700	342	
2017	41467	724	123
2018	63923	3920	1246

注：
請負工事年末駐在者数：中国企業が請け負う工事に従事する中国人労働者の年末時点での人数を指す。
労務協力年末派遣者数：海外の企業によって雇われる中国人労働者の年末時点での人数を指す。モルディブの場合、雇い主が現地企業であるものの、中国関係のインフラ工事等のビジネスに従事する労働者が多いとみられる。
出所：中国国家統計局

インフラ整備から生まれる請負工事の売上や中国側の労働者数などは、いずれも２０１６年以降急増している。ただ、モルディブ全体では13万人に上る外国人労働者を雇用していると指摘されており、５０００人程度の中国人労働者は、まだまだ少数派である。

モルディブと中国の一帯一路協力を象徴するインフラプロジェクトは、首都のマーレ島、フルマーレ島および空港が所在するのフルレ島を結ぶ「中国・モルディブ友好大橋」である。全長２・１キロメートルでメインブリッジの長さが７６０メートルあるこの大橋は、世界で初めてサンゴ礁をベースに建造された海洋橋で、高度の建造技術が凝結されていた。

大橋の建造は２０１５年12月30日に始まったが、２０１８年８月30日に竣工し、９月７日に正式に開通した。大橋の完成により、交通の便がもたらされたとともに、地元経済にも新たな活力が注がれた。たとえば、マーレ島の住民は、出前サービスを通じて、平日でもフルマーレの飲食店や喫茶店を利用できるようになった。このほか、大橋を管理する警察、橋梁エンジニアといった新たな職種も生まれ、自動車整備士の需要も増えた。

一帯一路関連で中国企業を主体に展開しているモルディブのイン

フラプロジェクトはほかにも多数ある。現段階で把握しているものとしては、中国からの直接投資として、モルディブ3000軒住宅プロジェクト（中国冶金科学集団）、モルディブIRUFEN島リゾートホテルプロジェクト（中国交通建設集団）、ナサドゥラホテルマンション総合プロジェクト（中天建設集団）といったものが挙げられる。また、中国からの融資を受けて進めているプロジェクトとしては、フルマーレニュータウン住宅プロジェクト第2期やヴェラナ国際空港拡張プロジェクトが挙げられる。

中国はさらに、モルディブの建築関係者を一帯一路インフラ建設国際人材研修コースに招聘した。同コースは上海建工集団や上海城建職業学院など、上海市の関係企業と教育機関を中心にこれまで3回実施しており、数十か国から80名近くの研修生が参加した。研修コースでは、インフラプロジェクトの計画から建設、運営に至るまでのすべてのプロセスに関する知識を講義するとともに、建設中の大型インフラプロジェクトへの見学も手配した。

2017年12月、アブドゥラ・ヤーミーン大統領は中国を訪問し、習近平主席と会談を行った。その際、中国とモルディブによる一帯一路協力を共同で推進する覚書が交わされたとともに、自由貿易協定（FTA）も締結された。この貿易協定は、中国にとって16個目のFTAであり、対南アジアとしてはパキスタンに次ぐ2か国目である。一方、モルディブにとっては初めての二か国間FTAとなった。同FTAにおいて、貨物貿易では最終的に96％の製品種目と96％の貿易額についてゼロ関税を実施することで合意した。

政権交代による波乱

モルディブと中国の外交関係は親中派のヤーミーン大統領の下で順調に進んでいたが、2018年2月に突然、亀裂が生じた。当時のモルディブの最高裁判事アブドゥラ・サイード長官（Abdulla Saeed）は、前大統領マウムーン・アブドゥル・ガユームによる「故意の政権転覆罪」は成り立たないとする判決を下し、ガユームを釈放した。この判決に現職の大統領であるヤーミーンは激怒した。サイード最高裁判官が釈放の代わりに巨額の賄賂を受け取ったとして、サイードを逮捕したと同時に、ガユームを再度、投獄した。その直後、モルディブ全土が15日間の緊急状態に入るとする宣言が出された。

この騒動の背景には、モルディブをめぐる中国とインドの勢力争いという現実が潜んでいたと指摘される。ヤーミーンとガユームは本来、異母兄弟だが、対中関係に関しては政見が完全に対立していた。ヤーミーンは親中派であるのに対して、ガユームはインドとの伝統的な外交関係をより重視していた。よって、インドの一部メディアは、今回の騒動を「中印の代理人の争い」と称していた。

2018年9月24日、モルディブで大統領選挙が行われた。大方の予想に反して、野党民主党の候補者であるイブラーヒム・モハメド・ソーリフは、現職のヤーミーンを破り、新大統領に当選した。その直後、与党になった民主党はロイター通信のインタビューに対して、中国と締結したＦＴＡは誤りだと指摘した。同時に、モルディブ議会でも、関税率をゼロに引き下げるための法案が否決された。

モルディブ新政権の中国批判は徐々にエスカレートしていった。2018年11月26日、同国の財務大臣であるイブラーヒム・アミールがインド・ニューデリーを訪問した際に、中国が進めているインフラ建設プロジェクトの工事費は、予定をはるかに上回っていると批判した。アミールが挙げた事例によると、中国が入札したマーレの病院プロジェクトの工事費はすでに1・4億ドルに上っているが、ほかの入札者の当初見積価格は5千4百万ドルに過ぎなかったと指摘される。

中国との債務問題は、とりわけモルディブ側に問題視されていた。モルディブ財務省の発表によると、２０１９年時点で、中国輸出入銀行からの借金はすでに同国における外国債務総額の36％を占めていたと報告される。これは、第2位の貸し手であるサウジアラビア一国（34％）をも上回った数字である。なお、中国からの借金総額について、確たる数字は公表されていない。選挙後の２０１８年11月18日の報道によると、ソーリフ大統領のチームは、政権交代の際、前政権から中国の債務が15億ドルに達していると告げられたという。また２０１９年2月1日の報道によると、モルディブ民主党の党首であるモハメド・ナシードは、中国の債務総額が30億ドルに上るかもしれない、と指摘したとのことである。同時期に、モルディブのアミール財務大臣は、債務の減免、利子率の軽減、そして返済期間の延長といったことを中国に要請すると発言した。

上記ナシードとアミールの発言は、2月1日のイギリスのフィナンシャルタイムズ（FT Times）に掲載されたが、それに対する反論として、3月6日、駐英中国大使館は「中国はモルディブの構造転換に貢献する」と題する文章を同紙に寄稿した。中国側は、一帯一路協力により「債務の罠」が生じるとする見方は無責任だと強く反発した。そのうえで、一帯一路構想の下で、中国モルディブ友好大橋、住宅プロジェクトなどがすでに開花しており、モルディブ政府は、引き続き中国側と一帯一路の枠組みの下で協力を行う意思がある、というシャヒード外務大臣の２０１８年12月のコメントを紹介した。

関係回復の兆し

　このように、モルディブと中国の関係はソーリフ大統領の就任以降、徐々に冷えていった。しかし、２０１９年６月に入ってから、改善の兆しが出始めた。２０１９年６月25日の中国の経済日報では、モルディブ駐中国大使館の副大使（Deputy Ambassador）であるラヒードのモルディブ観光フェアでの発言を取り上げた。ラヒードによると、中国からの観光客は８年連続で首位を保っており、２０１８年には全体の20％を占めるまでになっている。ラヒードはさらに、中国によるモルディブへの協力は、モルディブ国民の生活改善につながっており、モルディブ政府は中国政府との長期的な協力を十分に重視している、という見解を示した。

　２０１９年７月21日、新華社通信はさらにモルディブ外務大臣シャヒードへのインタビュー記事を発表した。同外務大臣は、モルディブと中国の平等互恵の関係は世界の舞台において、小国と大国の友好交流のモデルケースであり、今後、モルディブは引き続き中国と一帯一路建設で実務的な協力を継続する、との見方を示した。シャヒードは、とくに一帯一路をめぐる協力に関して、モルディブが一帯一路構想の緊密なパートナーと支持者であり、モルディブ国民は友好大橋など、一帯一路協力プロジェクトの恩恵を受けていると謝意を伝えた。

　２０１９年11月12日に一帯一路海外進出国際フォーラムが北京で開催され、46か国の外交官が参加した。これに出席したモルディブ大使は、中国が数億人の貧困削減に成功しており、持続可能な成長の手本であることを讃えた。一帯一路についても、大使は外務大臣と同様の高評価を行ったうえで、再生可能エネルギーなどの面で協力を要請した。

ただ、新政権がヤーミーン大統領時代のような中国一辺倒の政策に立ち戻ることは考えにくい。一つの大きな要素はインドとの関係回復である（第32章参照）。2018年の選挙以降、インドのモーディ首相が短期間に2回のモルディブ訪問を実現し、インド政府もモルディブに対してより積極的な経済支援を行うようになっている。今後のモルディブの対中関係は、インドという伝統的な友好国とのバランスを考慮しながら、模索されていくことになるだろう。

（丁　可）

34

モルディブとスリランカ

★経済的な依存から第２のホームタウンに★

モルディブにとってスリランカは政治・経済面でも人的交流の面でも強い関係を持つ最も近い隣国である。マーレとスリランカのコロンボの距離は766キロメートル、飛行機で1時間半ほどである。モルディブは国民すべてがイスラム教を信仰すであるとされるのに対して、スリランカは人口の70％以上が仏教徒である。宗教は大きく異なるものの、文化面では類似点が多い。たとえば、スリランカで用いられるシンハラ語とディベヒ語は、エル・プラクリット（紀元前3世紀〜8世紀頃にインドで用いられた言葉）を起源とし、似ている単語が多い。特にモルディブ南部のディベヒ語方言とシンハラ語はよく似ているように聞こえる。ところが、シンハラ語は左から書くのに対して、現在のディベヒ語は右から書く。両者は似ても似つかないものに見える。（次頁写真）

隣国であるにもかかわらず、スリランカの叙事詩マハーワンサのなかで、モルディブらしき記述はわずかしかない。紀元前500年頃「（インドから放逐されスリランカに到着した）ヴィジャヤ王の一行のうち子供たちはナッガディーパ（裸の島を意味する、現在のインド・ラクシャドゥイープ諸島）に、そして女性た

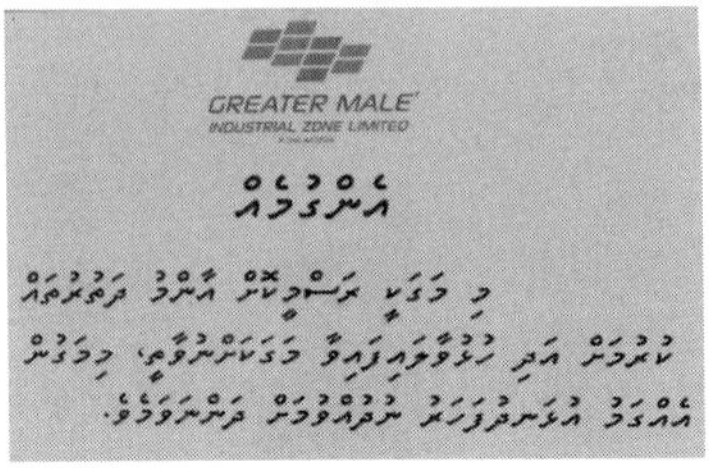

ディベヒ語文字

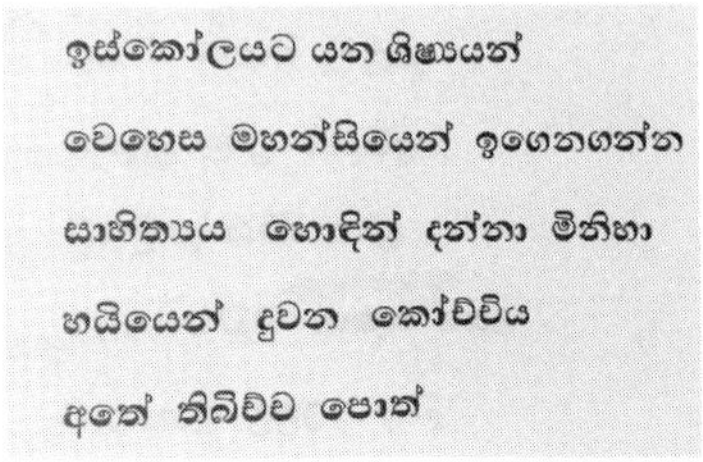

シンハラ語文字

ちが到着したのがマヒラーディーパ（女たちの島）であるという記述があり、それが今のモルディブを指すものと考えられているだけである。

他方、スリランカとモルディブはかつてポルトガル、オランダ、イギリスの影響下にあったという点で共通している。たとえばテーブルや洋服ダンスなどのポルトガル由来の単語を共有している。また、モルディブはセイロン（現在のスリランカ）のオランダ総督およびイギリス総督に毎年使節を送り、マット、漆器、リハークル（カツオの煮汁を煮詰めてペースト状にしたもの）などを献上していた。

政治・経済面での関係――歪な関係からの脱却

イギリス保護領時代のモルディブはセイロンを通じて監督されていたが、経済面においてもモルディブはセイロンに大きく依存していた。第二次大戦以降、モルディブの輸出・輸入の相手方はスリランカがほとんどを占めた。スリランカは、モルディブの輸出品目の98％を占めたヒキマス（モルディブ・フィッシュ・カツオの加工品）の独占的な買い手であり、その地位を利用してモルディブ・フィッシュの価格を安く固定した。モルディブの購買力は弱まり、第二次大戦後に価格が高騰した必需品の輸入を減らさざるを得ず、モルディブ側に強い不満が生じた。

モルディブが独立した1965年ごろには、輸出入のスリランカ依存も若干是正されていたが、輸入の6割はなおスリランカからのものであった。1970年代初め、スリランカで外貨不足が深刻となり輸入を減らした結果、スリランカへの魚輸出に依存していたモルディブは大打撃をうけた。これを契機にモルディブは1976年にコロンボの大使館を閉鎖（1979年に再開）し、その代わりに交易の足場をシンガポールに移した。この決断は、後に観光立国となるモルディブにとっては躍進のきっかけとなった。高級志向の観光立国を目指すモルディブにとって、シンガポールは世界の富裕層がモルディブに目を向ける適切な窓口となったからである。二国間の経済関係を特徴づけていた魚介類の貿易は大きく後退することとなったのである。

スリランカとモルディブの経済関係の変化を象徴するもうひとつの動きは、繊維産業であった。スリランカの大手衣類メーカーのＭＡＳ（エムエーエス）社は、アッドゥ（シーヌ）環礁のガン島に1996年に衣類縫製工場を設立した。ＭＡＳと並んでスリランカを代表する大手のブランディックス社も10年ほどモルディブで生産を行った。モルディブに付与された多角的繊維協定（ＭＦＡ、欧米などの先進国への繊維・衣類輸出に関して国ごとに量を定めたもの）枠を利用して欧米諸国に有利な条件で輸出するためであった。ガン島はイギリスの残した港、空港、建物、豊富な労働力があることから選ばれた。技術者や品質管理はスリランカ人だった。エデン社も、一時は600人を雇用していたが2004年末までに場を閉鎖した。衣類輸出額は1995〜2004年の総輸出の57・0％を占めるなどモルディブ経済に大きく貢献したものの、賃金が高く、原材料も全て輸入に頼っていたモルディブでの生産は、ＭＦＡの恩恵がなくなると立ちゆかなくなり、工場は撤退した。今でも建物はガン島に残っている。

モルディブにおける繊維産業は衰退したものの、さまざまな分野でスリランカ企業のモルディブ進出は盛んである。たとえば、スリランカの大規模複合企業であるジョン・キールズ社、エイトキン・スペンス社はモルディブ観光業の初期段階から投資を行い、現在はそれぞれ4、7件のリゾートを経営している。マウント・ラビニヤグループも1件のリゾートを経営している。

このほか、スリランカ大手のサンケン建設（Sanken, 日系）、シエラ建設（Sierra）、ナワローカ建設（Nawaloka）などのスリランカの建設業もモルディブでホテル建設や上下水道整備などの工事を行っている。スリランカの保険大手セリンコ（Ceylinco）社は損害保険を中心とした保険業務を行っており、マーレ島だけでなくフルマーレ島やアッドゥ環礁のヒタドゥー島にも支社を持つ。

公式な二国間関係は1965年のモルディブ独立以降とされているが、非公式な関係はそのかなり前から始まっていて、その一つが教育を目的とした往来であった。

現代モルディブの父と言われるアブドゥル・マジード・ディディ（スルタン在位1944～1952年）が1920年に息子や甥に高等教育を受けさせるためにスリランカに送った。自らもスリランカで学んだアミン・ディディは1946年にスリランカで教育を受ける学生等を滞在させるためにソスン・ヴィラ（建物・邸宅）を購入した。これにちなんで駐スリランカの外交官等が本国と通信するときスリランカ側を意味する単語として「ソスン」が用いられていた。後のナシール大統領やナシード大統領などもスリランカで学んだ。女子学生はバンバラピティヤ（コロンボの中心部）のカトリック系のホーリー・ファミリー・コンベントで学んだ。彼女らは当然イスラム教徒であったが、親たちは、女子教育の必要性を理解し娘がキリスト教系の学校で学ぶことに反対しなかった。1952年に帰国した女学生たちはマーレの学校で女性教員第1号となった。学生の教育だけでなく国軍の特別部隊や警察がスリランカの施設で訓練を受けている。

スリランカは、モルディブの政治活動家に行動の場所を提供することによって、間接的にモルディブの政治変化に影響を与えてきた。コロンボは、ヤーミーン政権時に野党モルディブ民主党（MDP）の活動拠点となった。2012年に逮捕されたナシード元大統領は2016年にイギリスで治療が認められ、亡命した後スリランカを拠点にして活動した。スリランカにいるモルディブ人の間で2017年からヤーミーン打倒の活動が活発になり、2018年には在スリランカ・モルディブ人による抗議活動も行われた。

2019年にモルディブを訪問したラニル・ウィクレマシンハ首相は、両国が地政学リスク、テロ、海賊、薬物などの課題・脅威を共有しているという認識を示し、アッドゥ環礁の薬物リハビリセンター設立やモルディブでの学校建設、職業訓練学校のための教員訓練を約束した。

スリランカに住むモルディブ人

モルディブ人のなかには留学、週末や長期休暇、病気治療などを目的に海外に滞在する者が多い。モルディブ人の海外滞在が一般的になったのは、1980年代後半くらいからと言われる。インドやマレーシアと並んでスリランカは人気の滞在先となっている。スリランカには1万5000人ほどのモルディブ人が居住していて、その多くはコロンボ市南部に集中するが、国際空港にほど近い西海岸のネゴンボ、スリランカ中央の山間部に位置する古都キャンディにも多く住んでいる。なかにはマーレの持ち家を賃貸にして、スリランカの広い家に住む者も少なくない。スリランカの物価はモルディブよりも安いため、モルディブ人にとって住みやすい場所なのである。２０１９年、両国はビザ協定を締結し、子どもがスリランカの学校に通学する場合、子どもが18歳以下なら親や後見人が滞在するためのビザ取得が可能だったが、子供の年齢が18歳以上の場合、祖父母もこのビザの対象とすることとなった。

滞在の目的は、インターナショナル・スクールへの通学、病気治療、週末や長い休みを利用した滞在などである。モルディブ人が集う場所も整備されている。ソスン・ヴィラの跡地に作られたモルディブ教育文化センター（ＭＥＣＣ）では学生向けのイスラム教、ディベヒ語の授業が行われている。中等教育資格試験も受験できる。併設の幼稚園には４５０人ほどが通っている。２０１５年にはフットサル場も建設された。これらのサービスは無料で提供され、独立記念日、ナショナルデーなどを祝う。また、モルディブ政府の提供する公的医療サービスとして、一定の手続きを踏めば海外での治療が安く受けられるので、スリランカやインドに多くのモルディブ人がやってくる。スリランカの私立病院で腎臓や肝臓移植さえ受けられる。

在外投票在留者のための投票所ももちろんあり、スリランカでの生活に不都合はなさそうだ。筆者は、スリランカ在住のモルディブ人がカツオをモルディブから空輸していると聞いて驚かされた。かつて１９７０年代にモルディブもスリランカも経済的に苦境にあった際には、スリランカ駐在のモルディブ人外交官が本国の家族に頼んでカツオを送ってもらったと言う逸話が残っている。しかしながら、現在のカツオの輸入は経済的な理由ではない。また、カツオの生息域は同じなので、スリランカでも同じカツオが入手できるはずである。わざわざ空輸するのは贅沢のように思えるのだが、スリランカ在住のモルディブ人が言うには、一本釣りでとったモルディブのカツオはやはり味が全然違うのだという。カツオの味に関しては譲れないらしい。

モルディブに住むスリランカ人

スリランカに住むモルディブ人が教育や医療を目的としているのに対して、スリランカ人は労働者としてモルディブに滞在する者が多い。スリランカの海外雇用局統計によると、年に6000人余りのスリランカ人（2014～18年の5年間平均）がモルディブで働くために出国する。2018年にスリランカ人は1万3000人余りが労働者として滞在し、うち男性が1万2000人、女性が900人余りである。職種としては会計事務、料理人などである。

多くが仏教徒であるスリランカ人にとって、国民の100%がムスリムのモルディブは住みにくそうにみえる。たとえば、宗教行事は、スリランカ大使館以外の場では行うことができないからである。ただし、シンハラ正月などのセレモニーは宗教行事にはあたらず屋外でも実施することが可能となっている。

食事にココナツや香辛料を用いる点など文化的な類似性が多いことから、スリランカ人にとって住みにくいということはないらしい。スリランカ人にとって、身近な食べ物であるコットゥ（薄いクレープ状の生地と野菜を鉄板の上で細かく切って炒めたもの）はモルディブでもよく見られる。また、スリランカ人にとって風邪の引き始めになくてはならない葛根湯のようなサマハンもモルディブのスーパーマーケットで簡単に入手できるからである。

（荒井悦代）

35

日本の対モルディブ国開発協力

★足跡と展望★

「日本」イコール「信頼」

1965年モルディブ独立後、我が国の開発協力は1965年度の技術協力（単独機材供与：釣り針）を皮切りに今日まで続いてきた。筆者は2019年5月上旬に独立行政法人国際協力機構（JICA）モルディブ支所に赴任し、半世紀以上に及ぶ日本の開発協力が築いてきた「重み」を知らされることになった。着任当初挨拶で訪ねた同国外務省の次官級幹部が、「私たちモルディブ人にとって、日本・日本人は「信頼」と表現できます。」と述べた。本章では、この重みについて、読者の皆様と共有できればと思う。多少とも筆者の推測の域を出ない部分もあると思うがお許しいただきたい。

南アジア地域でインド洋に広がる同国は、多くの日本人にとっては、依然として物理的にも心理的にも遠い国であると思うが、60年代から我が国が同国の発展を支援してきた背景には、スリランカとの関係が濃厚だったと筆者は考えている。開発協力の開始から2016年モルディブに日本大使館が開設されるまでの間、対モルディブ支援方針策定は在スリランカの日本大使館が担っていた。スリランカにいれば、たとえばスリランカ人の食卓に欠かせないモルディブ・フィッシュ（かつお節を細かく粉砕したもの）を通じて、モルディブの近さを実感できる。スリランカ在住の日本人にとっても、モルディブは親近感を覚える国なのだ。

協力は「漁業」分野から始まった

日本から毎年約4万人の観光客（おもにハネムーンやダイビング）が訪れ、インド洋の真珠の首飾りと称されるモルディブであるが、独立後は貧しく最貧国の状態にあった。保健衛生指標は悪く、飲み水の確保にも苦労するありさまであった。そのような国の窮状を改善すべく立ち上がったのが、モルディブ共和国初代大統領のイブラーヒム・ナシール（大統領在任期間1968〜1978年）であった。海洋国家モルディブの人々は、古くから漁業を生活の糧としてきたが、モルディブ政府はその豊富な漁業資源（とくに鰹）の漁獲増と活用を進めた。スリランカが輸出先となり、かつお節との交換で米、小麦等の基本的食糧品を調達してきたが、70年代に入りスリランカ政府の輸入規制を受け、新たな外貨獲得のための市場開拓に迫られ、ナシール政権は日本に救いの手を求める。これに日本の大手商社がモルディブ産のかつおの調達を決定し、70年代の漁船の動力化が進展し（無償資金協力―漁船動力化計画（1975、77、78年））、飛躍的に漁獲量が増加するとともに、保冷貯蔵施設も増設され、さらには付加価値製品作りへと進み缶詰工場がわが国大手民間水産企業の参画により1978年フェリワル島（ラヴィヤニ環礁）に開設された。このような画期的なモルディブ漁業の発展には、JICA及びOFCF（海外漁業協力財団）からの日本人専門家の派遣とモルディブ漁業関係者のJICA研修員受け入れによる、技術移転を通じた人材育成・体制強化があった。官民連携がうまく起動したと言えるのではないか。

80年代に入り、漁獲物の国際価格問題から本邦民間企業はモルディブから撤退を余儀なくされたが、モルディブ政府は日本からの資産を引き継ぎ自ら事業を継続・発展させ、これを我が国は無償資金協力―漁船発動機整備計画（1991）、南部沿岸漁業振興計画（91〜93）等で支えていった。

1985年時点で漁業はGDPの約24％、観光業は16％を占めていたが、1990年には漁業が16％、観光業が20％というデータ（「ODA白書」）が示すように、観光業が外貨獲得をリードする段階に移り、観光業がモルディブ経済を主導する状況が続いている。ただし、就業人口は、漁業が依然として第一位を占めており（Household Income and Expenditure Survey Analytical Report III:Employment 2016）、モルディブ国にとって漁業の持続的発展が国家的重要取組課題であることに変わりはないと言える。JICAは、そのようなモルディブ側の要請に応え、技術協力（「持続的漁業のための水産セクター・マスタープラン策定プロジェクト」：2014〜2018）を実施し、漁業の潜在的可能性の発掘を支援した。先進的な漁業技術を有するわが国に対し、モルディブ側からは引き続き同マスタープランに基づく技術協力等支援の期待が寄せられている。

観光業と環境の関係

2019年モルディブを訪問した観光客は170万人。国別順位では、中国、インド、イタリアと続いている。漁業と違い、観光業への我が国開発協力の直接的支援は限られてきた。日本語の普及のために海外協力隊を1987年から四半世紀以上にわたり派遣し、リゾート島等における日本語需要に応えてきた。リゾートを訪れた日本人観光客の方で、日本語を話すモルディブ人スタッフと交流を深められた方は多いのではないかと思う。

他方で、観光業を持続的な産業とするためには、海洋資源の保持が極めて重要である。筆者がモルディブを初めて訪問した1990年代前半は首都マーレに近いリゾート島でも色鮮やかなサンゴや多種多様な魚に出会うことができたが、その後の度重なる海温上昇からサンゴの白化現象がモルディブ全土で進み、2019年再訪した同島には死滅したサンゴが砂に埋もれ、昔の面影を残すテーブルサンゴの陰に少なくなった魚たちが身を隠す姿を見る状況であった。南マーレ環礁で1987年から2005年までリゾート島の経営に従事した阪本時彦氏は、同島の環境保全、とりわけタイマイの生態にかかる実証調査を行い、1999年に阪本いずみさんとともにご夫婦で外国人として初めてグリーン・リーフ賞（モルディブ環境賞）を授与された。阪本氏はモルディブを去った後も、島と海と住民が持続的に共生できる住民島の環境づくりを志向し人材育成等さまざまな取り組みを展開しており、気候変動を受けまったなしの環境対策に尽力するモルディブ国に支援の手を差し伸べるうえで、良きモデルを提示してくれているように思う。持続的島嶼社会づくりに向け阪本氏との協働も含めて、日本の官民挙げて臨む意義は大きいと感じる。その意味で、日本大使館所管の2019年度の草の根・人間の安全保障無償資金協力でヌーヌ環礁のホルドゥー島への導入が決まった小型焼却炉（沖縄県の中小企業が開発・製造した環境にやさしい製品）が、住民島のみならず、リゾート島でも廃棄物処理問題の改善に向けた「処方箋」として評価され、同島をモデルに廃棄物の分別も含めた島民主体の総合的な環境対策が進展することが期待される。

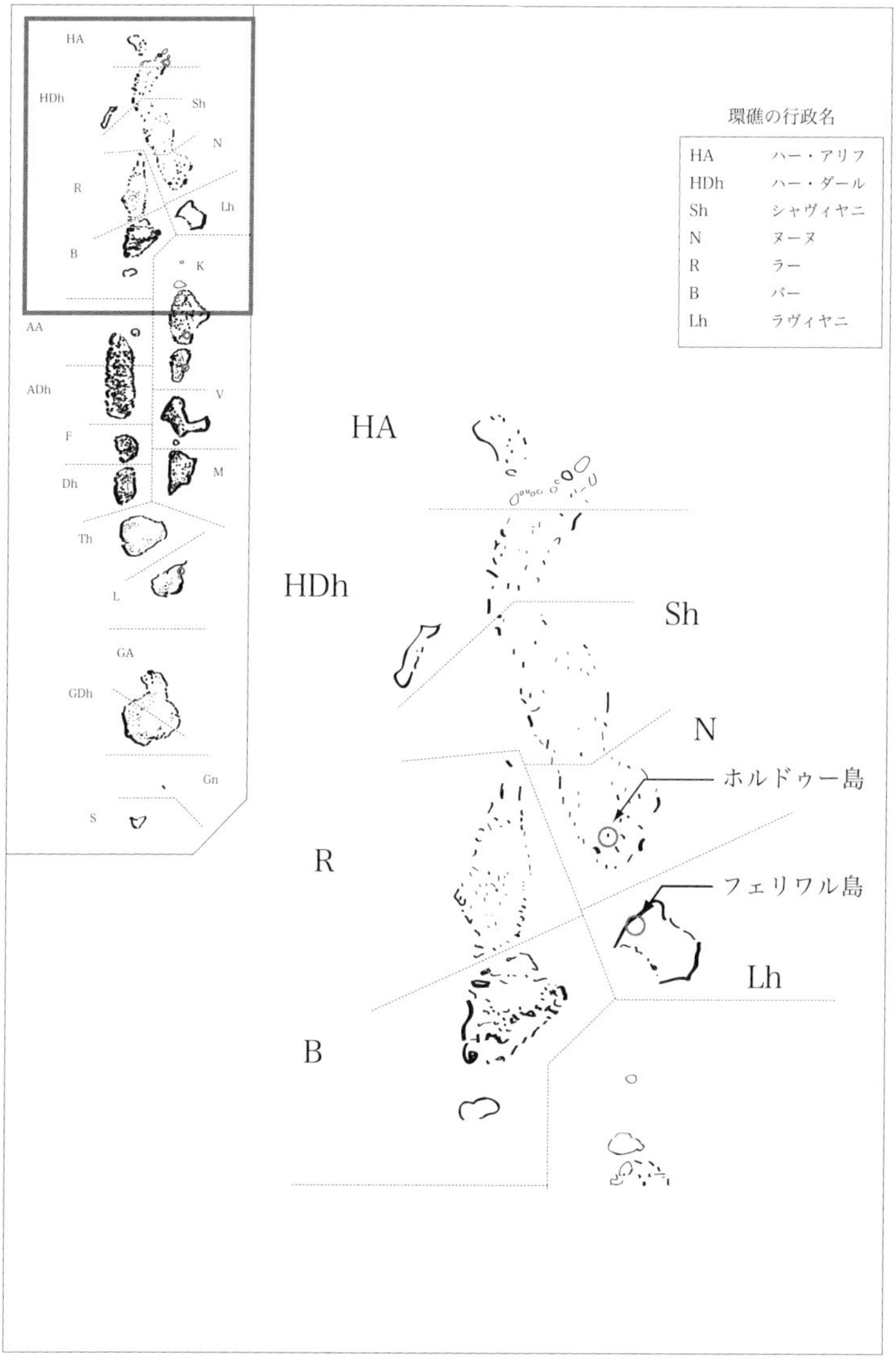
HA
HDh
Sh
N
R
Lh
B
K
AA
ADh
V
F
M
Dh
Th
L
GA
GDh
Gn
S
環礁の行政名
HA ハー・アリフ
HDh ハー・ダール
Sh シャヴィヤニ
N ヌーヌ
R ラー
B バー
Lh ラヴィヤニ
HA
HDh
Sh
N
ホルドゥー島
R
フェリワル島
Lh
B

また、気候変動に伴う海面上昇で、モルディブを含む島嶼国は国土が狭まっていく存亡の危機に瀕している。そのような中、モルディブでは、周辺海域の自然のメカニズムを考慮しないまま港湾や防波堤等を整備し、海岸侵食やリーフの死滅等をもたらしてきた。これらの課題に対応しながら長期的に国土を保持し、住民の安全な生活を守るためには、海岸域の土地利用やインフラ整備等の施策について、海岸環境に配慮する統合的な管理体制を定着させることが第一に必要であり、そのための支援についても日本側への強い期待が寄せられている。

モルディブ政府は、島嶼国を代表する気概をもって、2023年までにはSingle Use Plastics（ペットボトルやプラスティックバック等）の利用の廃止を世界に向けて宣言した（2019年9月国連総会でのソーリフ大統領演説）。地球温暖化対策に強い危機感をもって取り組むモルディブ国を、我が国の官民の英知と技術力を持って支援することが今こそ求められていると思う。

首都マーレを守った我が国無償資金協力の功績

2004年インドネシア沖地震で発生したインド洋津波は、首都マーレを含むモルディブ全土を襲い、多くの住民島で死者・行方不明者100名以上を含む甚大な被害に遭遇した。そんな中、マーレを最小限の被害にとどめたのが1987年から2001年まで四次に亘って実施された無償資金協力（マーレ島護岸建設計画）であった（写真参照）。そもそも本案件がモルディブ政府から日本側に要請されたのには、理由があった。1987年にマーレ島や空港島等を襲った高波による大きな被害（マーレ島は1／3が冠水）であった。JICAは本護岸建設計画を実施するにあたり、50年に一度の確率で発生する波高にも耐えられる強靭なインフラづくり（第四次マーレ島護岸）を計画した。これに応えた日本のコンサルタント会社と建設会社の真摯な取り組みがなければ本計画の達成はなかった。２００６年には、モルディブ政府よりグリーン・リーフ賞が日本に対し授与された。

なお、津波被害の復旧・復興に当たっては、20億円のノン・プロジェクト無償資金協力（社会イン

日本の無償資金協力（マレ島護岸建設）の記念版を見つめるモルディブ人親子

フラ復旧支援等。２００５年）と27億円の円借款の供与（港湾整備、下水整備。２００６年）がなされた。今後、防災分野の課題に対する取組として、地デジプロジェクト（無償と技術協力、詳細下記。）において災害予警報体制の強化支援が展開されることになっている。

通信・放送分野の土台を作ったのも日本

ナシール政権は、１９７２年にリゾート島第一号をクルンバ島に立ち上げたが、観光業を支える通信施設（電話）は貧弱であった。１９７６年当時、同政権の商務次官であったアリ・ウマル・マニク（Ali Umar Manik）氏は日本の大手通信会社と交渉し、当時最新鋭の衛星通信設備（Satellite Earth Station と International Switching Center）の導入を果たし、同国首都マーレでの通信サービスが飛躍的に改善することになった。また、１９７６年から１９９０年代まで日本の大手商社が当該通信設備の運用・維持に従事したが、１９７７年以降長期間に亘りＪＩＣＡは通信分野の研修員受け入れと専門家派遣を行いモルディブ側政府関係機関の技術力向上をサポートした。さらには、１９８５年から88年にかけて通信開発計画（無償資金協力）が実施され、首都マーレの通信センター及び地方環礁通信システムの整備により、島嶼間通信の基盤が築かれた。

放送分野では、右大手通信会社の力を得て、１９７８年3月に国立テレビ局（ＴＶＭ）が開局する。その後、ＴＶＭの番組作りに必要な施設や設備、機材が我が国無償資金協力により整備され、ＪＩＣＡ専門家、海外協力隊の派遣や研修員受け入れにより、ハードとソフト両面でＴＶＭの体制強化が図られていった。その後40年以上が経過し、公共放送の役割を担う公共サービスメディア（ＰＳＭ：２

015設立）となった現在も、同メディアの敷地内にはテレビ塔が現役で稼働している。2019年からは、PSMを拠点にわが国無償資金協力・技術協力（地上デジタルテレビ放送網整備・運用能力向上）が始動しているが、過去に築かれた信頼関係が土台にあればこそ、さまざま々な課題を克服しながら進められている。

結びにかえて

モルディブが後発開発途上国（LDC）を正式に卒業したのは、2011年であるが、中央と地方の経済格差の拡大、青年の失業問題、ドラッグの社会問題、気候変動・地球温暖化に伴う環境対策等の深刻な問題を抱えている。上記のとおり、我が国は官民連携して、モルディブの社会・経済発展を支援し（1980年代から2000年代まで日本が最大の援助国）、モルディブ政府・国民より「信頼」を得てきた。首都や住民島の通りですれ違うモルディブ人から、「あなたは日本人か！」と満面の笑顔で受け入れられたことは数知れない。1982年から今日までモルディブ全土で活動した海外協力隊400名弱の日本人ボランティアや阪本氏のような民間人を筆頭に、官民連携しての堅実な日本人の仕事ぶりが、盤石の信頼をモルディブの人々に醸成してきたのではないかと思う。

しかし、過去の協力実績に甘んじていては、人々の信頼感は薄れていくだけであろう。モルディブがかかえる喫緊の開発課題、とくにグローバル社会へ向けて放たれている「海洋環境保全対策」という重い課題に、日本がいかに寄り添い、協力の手を差し伸べていくか、我々は今重要な局面に立っていると感じる。

（河崎充良）

モルディブを知るための参考文献

第1章

United Nations, 2004, Report of a Mission to the Maldives Islands

Maps of Maldives The complete guide to the Atolls & Islands of Maldives second edition 2016年（water solution） http://www.atollsofmaldives.gov.mv/atolls/

チャールズ・R.ダーウイン（荒俣宏訳）２０１３『新訳　ビーグル号航海記（下）』平凡社

第2章

菅浩伸　２００９「モルディブ諸島にみる環礁立国崩壊の危険性――災害と開発の連鎖」日本地理学会災害対応委員会・平井幸弘・青木賢人編『温暖化と自然災害――世界の六つの現場から』古今書院 p.59-84.

Kan, H., Ali, M., Riyaz, M. 2007. The 2004 Indian Ocean tsunami in the Maldives: scale of the disaster and topographic effects on atoll reefs and islands. *Atoll Research Bulletin*, No. 554, p.1-65.

Stoddart, D.R.. 1971. Rainfall on Indian Ocean Coral Islands. *Atoll Research Bulletin*, No.147, 1-21.

Woodroffe, C.D. 1992. Morphology and Evolution of Reef Islands in the Maldives. *Proceedings of the 7th International Coral Reef Symposium*, Vol.2, p.1217-1226.

第3章

Bell, H. C. P. 1940. The Maldives Islands, Monograph on the History, Archaeology and Epigraphy. Colombo: Ceylon Government Press Printed in 1985. Male: National Center for Linguistic and Historical Research.

Naseema Mohamed, 2008. Essays on Early Maldives, National Centre for Linguistic and Historical Research. Male, Maldives.

Shihaabuddheen, A. c. 1588-1658. *Kitab fi Athaari Meedhoo el-Qadheemiyye.*（in Arabic）. Translation in : http://www.maldivesroyalfamily.com/maldives_meedhoo_history.shtml（http://www.maldivesroyalfamily.com/maldives_antiquity.shtml）

家島彦一　２０１７「イブン・バットゥータのマルディブ諸国訪問」『イブン・バットゥータと境域への旅――「大旅行記」を巡る新研究』第Ⅱ部第３章　名古屋大学出版会

竹内雅夫　２０１７『マハーワンサ――スリランカの大年代記』星雲社

第４章

Bell, H. C. P. 1940. THE MALDIVE ISLANDS. Monograph on the History, Archaeology, and Epigraphy. Colombo Ceylon Government Press.

Heyerdahl, Thor. 1986. The Maldives Mystery. Maryland Adler & Adler, Publishers, Inc.（木村伸義訳　１９９５『モルディブの謎』法政大学出版局）

岡村隆　１９８６『モルディブ漂流』筑摩書房

第５章

７年生の社会の教科書 https://www.moe.gov.mv/book/books/Social%20Studies%202（Forth%20Edition）%20-Grade%207/SS%20grade%207%20final.pdf

Rebellion of the Southern Atolls. https://twothousandisles.com/wp-content/uploads/2017/09/southern-rebellion.pdf

第８章

Muhammad, Naseema. 1999. Dhivehi Writing Systems, National Centre for Linguistic and Historical Research, Male, Maldives.

Fritz, Sonja. 2001. The Dhivehi Language: A Descriptive and Historical Grammar of the Maldivian and its Dialects, Heidelberg

De Silva, M W S. 1970. Some Observations on the History of Maldivian in Transactions of the Philological Society,

London.
Maniku, Hassan A, 1995. A Concise Etymological Vocabulary of Dhivehi Language, The Royal Asiatic Society of Sri Lanka. Colombo
Maumoon Yumna BA,MA. 2002. The general overview of the Dhivehi language, National Centre for linguistic and historical research Male',

第9章

森下稔　２０１６「モルディブの人々と教育」押川文子・南出和余編著『「学校化」に向かう南アジア――教育と社会変容』昭和堂、150―153ページ。
National Bureau of Statistics, Ministry of Finance and Treasury. 2015. Maldives Population and Housing Census Statistica Release III: Education 2014, Male, Republic of Maldives.
National Institute of Education, Ministry of Education. 2015. The National Curriculum Framework, Male, Republic of Maldives.
Shoko Yamada, Kiyoshi Fujikawa, and Krishna P. Pangeni. 2015. Islanders' educational choice: Determinants of the students' performance in the Cambridge International Certificate Exams in the Republic of Maldives, International Journal of Educational Development, no. 41, pp.60-69.

第10章

森下稔　２０１４「モルディブの障害児を対象とする学校教育――２０１０年～２０１３年の政策展開と現状」『アフリカ教育研究』第5号、アフリカ教育研究フォーラム、115―119ページ。
Athif, Ahmed 2012. Inclusive Education: Republic of Maldives, A paper for "Expert Meeting: Educational Policy Research on Equity and Inclusion in Asia, 27 September 2012, UNESCO Bangok, Thailand, CD-ROM.
Athif, Ahmed 2013 Impact of "Inclusive Education policy", A paper for "Expert Meeting: Educational Policy Research on Equity and Inclusion in Asia-Pacific-Focusing on Children with Disabilities, 20 September 2013, Holiday Inn Bangkok Sukhumvit 22 Hotel, Thailand.

第11章

Forbes, Andrew.; Ali, Fawzia. Weaving in the Maldive Islands, Indian Ocean: The fine Mat Industry of Suvadiva Atoll（illustrated by mats held in the collection of the Museum of Mankind）, British Museum, 1980.

Ministry of Education, Republic of Maldives, Maldives: Country Report for the 38th session of the International Conference on Education, Geneva, 1981.

Saeed, Sheema. "Listening to the Rhythm of Ancestors' Footsteps I Find My Way to the Future", Educational Insights, Vol.7, No.2, The Centre for the Study of Curriculum & Instruction, University of British Columbia, 2002.

Saeed, Sheema. Maldivian Ways of Knowing: An inquiry into Cultural Knowledge Traditions and Implications for Schooling, Dissertation in University of British Columbia, 2003.

箕輪佳奈恵 ２０１６「イスラムと美術教育をつなぐもの――ムスリムの教師たちとの対話をめぐって」『美術教育学』第37号, 2016, pp.401-413.

第12章

Department of National Planning, Ministry of Finance and Treasury. 2010. *Millennium Development Goals Maldives Country Report 2010*. Dept of National Planning

Gabriele Koehler, Deepta Chopra. 2014. *Development and Welfare Policy in South Asia*. Routledge

Ministry of Finance and Treasury and the United Nations Development Programme in the Maldives. 2014. *Maldives Human Development Report 2014*. UNDP

Nagpal, S. 2011. Madhana: The Maldives national health insurance scheme.

Maldives health policy notes（1）, World Bank.

Nagpal, S., Redaelli, S. 2013. Utilization trends and cost containment options for Aasandha（English）, *Maldives health policy notes*（1）, World Bank.

UNDP. 2019. *Human Development Report 2019*. UNDP

第13章

イブン・バットゥータ（家島彦一訳）２００１『大旅行記　第6巻』平凡社

Household Income & Expenditure Survey. 2016. National Bureau of Statistics, Maldives.

Jana El-Horr and Rohini Prabha Pande, *Understanding Gender in Maldives: Toward Inclusive Develoopment*, World Bank, 2016.

Naseema Mohamed, *Essays on Early Maldives*, National Centre for Linguistic and Historical Research, 2006.

Sixth Periodic Report on the Convention on the Elimination of all forms of Discrimination against Women, Ministry of Gender, Family and Social Services, 2019.

Statistical Pocketbook of Maldives. 2019. National Bureau of Statistics, Ministry of National Planning & Infrastructure.

第14章

Housing Development Corporation https://hdc.com.mv/

Aasandha Company Ltd.（n.d.）. About Us. https://aasandha.mv/en/company/overview

朝日新聞デジタル「モルディブ、移住受け入れる人工島　面積2倍へ拡張進む」https://www.asahi.com/articles/ASL3P41DTL3PULBJ002.html

朝日新聞デジタル「過密都市・焼却施設ないごみの島―楽園モルディブの裏側」https://www.asahi.com/articles/ASL3Q4TJML3QULBJ00P.html

第15章

Intergovernmental Panel on Climate Change（IPCC）. 2014. IPCC Fifth Assessment Report: Climate Change 2014（AR5）. IPCC

Ministry of environment. 2020. National Strategic Framework to Mobilize International Climate Finance to Address Climate Change in the Maldives 2020-2024. Ministry of environment

第16章〜17章

CCAC, 2018. Mitigating short-lived climate pollutants from the municipal solid waste sector. http://www.ccacoalition.org/en/initiatives/waste（accessed February 2020）.

European Investement Bank, 2016. Financial Report 2016, Imprimerie Centrale, Luxembourg. http://www.eib.org/attachments/general/reports/fr2016en.pdf（accessed January 2020）.

Government of Maldives. 2019. Strategic Action Plan 2019-2023. https://storage.googleapis.com/presidency.gov.mv/Documents/SAP2019-2023.pdf（accessed February 2020）

Ministry of Tourism., 2015. Assessment of Solid Waste Management Practices and its Vulnerability to Climate Risks in Maldives-Increasing Climate Change Resilience of Maldives through Adaptation in the Tourism Sector, Maldives.

NBS., 2016. Maldives population and housing census 2014; Statistical release: V1 Housing and household characteristics. Male', Maldives: National Bureau of Statistics, Ministry of Finance and Treasury.

Ministry of Environment, 2019. A Regional Waste Management Strategy and Action Plan for Zone 6, Republic of Maldives

Premakumara, D.G.J., Menikpura, S.N.M., Singh, R.K., Hengesbaugh, M., Magalang, A.A., Ildefonso, E.T., Valdez, M.D.C.M., Silva, L.C., 2018. Reduction of greenhouse gases（GHGs）and short-lived climate pollutants（SLCPs）from municipal solid waste management（MSWM）in the Philippines: Rapid review and assessment, Waste Management 80（2018）397–405.

Singh, R.K., Yabar, H., Mizunoya, T., Higano, Y., Rakwal, R., 2014. Potential benefits of introducing integrated solid waste management approach in developing countries: a case study in Kathmandu City. J. Sustain. Develop. 7（6）.

The World Bank., 2017. Maldives to Improve Solid Waste Management with World Bank Support. https://www.worldbank.org/en/news/press-release/2017/06/23/maldives-improve-solid-waste-management（accessed February 2020）.

Yabar, H., Hara, K., Uwasu, M., Yamaguchi, Y., & Zhang, H., 2009. Integrated resource management towards a sustainable Asia: Policy and strategy evolution in Japan and China. International Journal of Environmental Technology and Management, 11（4）, 239-256. http://dx.doi.org/10.1504/IJETM.2009.027609

第18章

Grover, Verinder（ed.）. 1997. Encyclopaedia of SAARC Nations 7-Maldives, Deep & Deep Publications: New Delhi.

Bansal, Alok. 2012. "Democratisation in Maldives" in Upreti, B.C. and Krishan Gopal（eds.）, Democracy in South Asia-Emerging Issues and Constraints, Kalinga Publications: Delhi, pp. 165-179.

第19章

Robinson, J. J. 2015. The Maldives-Islamic Republic, Tropical Autocracy, Hurst & Company: London.

Musthaq, Fathima. 2014. "Shifting Tides in South Asia - Tumult in the Maldives", Journal of Democracy, Vol. 25, No. 2（April）, pp. 164-170.

第20章

Kumar, Anand. 2016. Multi-party Democracy in the Maldives and the Emerging Security Environment in the Indian Ocean Region, Institute For Defence Studies & Analyses: New Delhi.

Commonwealth Observer Group. 2019. Maldives: Parliamentary Elections-Reports of the Commonwealth Observer Group. https://thecommonwealth.org/sites/default/files/inline/MaldivesFinalReport_13-06-19.pdf

第21章

Husnu Al Suood, The Maldivian Legal System（Male: Maldives Law Institute, 2014）.

モルディブ大統領府ニューズレター https://presidency.gov.mv・各種報道

第22章

イブン・バットゥータ（家島彦一訳）２００１『大旅行記　第６巻』平凡社

Husnu Al Suood, The Maldivian Legal System（Male: Maldives Law Institute, 2014）.
The Voyage of François Pyrard de Laval（English Translation）（London: Hakluyt Society）

第23章〜26章
GDP OUTLOOK 2019, Maldives Bureau of Statistics.
Statistical Yearbook of Maldives. 2019. National Bureau of Statistics, Ministry of National Planning and Infrastructure, Maldives.
Budget in Statistics. 2019. Ministry of Finance, Maldives.

第27章
李燕・黄正多　２００９「馬爾代夫旅遊業的発展及其原因」『南亜研究季刊』第４期、pp.65-70
Kundur, Suresh Kumar. “Development of tourism in Maldives.” International Journal of Scientific and Research Publications 2.4（2012）: 1-5.

第28章
王芸夢・王首龍　２０１９「馬爾代夫居民島経済発展現状及趨勢研究——以 Maalhos 為例」『中国市場』第９期、pp.28-29, 46.
Scheyvens, Regina. “The challenge of sustainable tourism development in the Maldives: Understanding the social and political dimensions of sustainability.” Asia Pacific Viewpoint 52.2（2011）: 148-164.
Scheyvens, Regina, and Janet H. Momsen. “Tourism and poverty reduction: Issues for small island states.” Tourism geographies 10.1（2008）: 22-41.

第29章
Statistical Pocketbook of Maldives 2020, National Bureau of Statistics, Maldives.
Statistical Yearbook of Maldives 2020, National Bureau of Statistics, Maldives.

Household Income & Expenditure Survey 2016, National Bureau of Statistics, Maldives.

第30章
Food and Agriculture organization (2019) Fishery and Aquaculture Country Profiles, The Republic of Maldives (prepared: May 2019). (http://www.fao.org/fishery/facp/MDV/en)
National Bureau of Statistics, Ministry of Finance and Treasury, Republic of Maldives (2019) Statistical yearbook of Maldives 2018, Fisheries and Agriculture. http://statisticsmaldives.gov.mv/yearbook/2018/fisheries-agriculture/
水産庁 ２０１７『平成29年度水産白書』
Ministry of Tourism, Republic of Maldives. 2018. Tourism Yearbook 2018.

第31章
「南の島の大統領」(ドキュメンタリー映画) モハメド・"アンニ"・ナシード(出演), アーメド・ナシーム(出演), ジョン・シェンク(監督)
小柏葉子 １９９４「ＡＯＳＩＳ——小島嶼諸国によるインターナショナリズムの展開と可能性」『広島平和科学』17
Maumoon Abdul Gayoom, 1998, The Maldives A Nation in Peril, Ministry of Planning Human Resources and Environment
Ali Naseer Mohamed, "Foreign Policy Making in the Early Years of Independent Maldives" in Fosim Quarterly, June 2017, Volume1, Issue 1 p17-21

第32章
Mishra, Vivek. 2018. "India-Maldives Ties: Carving the Path to Normalcy", Indian Foreign Affairs Journal, Vol.13, No.3 (July-September) pp.209-219.
Bussa, Laxminarayana. 2018. India-Maldives Relations, Avni Publications: New Delhi.

第33章
黄麗華　２０１９「一帯一路助力馬爾代夫旅遊経済発展研究」『２０１９中国海洋経済論壇論文集』
Kondapalli, Srikanth. "The Maritime Silk Road and China-Maldives Relations." China's Maritime Silk Road Initiative and South Asia. Palgrave, Singapore, 2018. 173-201.

第34章
MALDIVES 25 Years of Independence. Printed by Media Transasia Limited, Bangkok, Thailand
Ministry of External Affairs,1949, Ladies & Gentlemen…The Maldive Islands!, Printed by M.D.Gunasena& Co.Ltd., Colombo, Ceylon.
竹内雅夫　２０１７『マハーワンサ——スリランカの大年代記』星雲社
Built on Trust. https://brandix.com/images/built-on-trust.pdf

第35章
FOSIM Quarterly（モルディブ・日本国交樹立50周年記念）https://foreign.gov.mv/images/fosim/FOSIM%20QUARTERLY-%2050th%20anniversary%20of%20Diplomatic%20Relations%20between%20Japan%20-%20Maldives.pdf

1994年　地方評議会の委員選出に選挙を実施。
1996年　イスラーム最高評議会（後のイスラーム省）を設置。
1997年　フルマーレで埋め立てプロジェクト開始。
1997年　新憲法制定。
2001年　政府、工業化を目指す「2020ビジョン」発表。
2002年　マーレ島の護岸工事完成。
2003年　刑務所収容者死亡をきっかけに反政府暴動発生。
2003年　人権委員会設置。
2004年　マーレで大規模な反政府運動。
2004年　スマトラ沖地震で津波被害。
2005年　複数政党制導入。
2007年　在日モルディブ大使館開設。
2007年　マーレ島のスルタンパークで爆弾テロ発生。
2007年　低海抜諸国による気候変動に関する会議を開催。
2008年　国家固形廃棄物管理政策を策定。
2008年　新憲法制定。
2008年　反腐敗委員会設立。
2008年　モハメド・ナシード、大統領就任（～12年）。
2009年　国会議員選挙。
2009年　海底で二酸化炭素排出量削減を訴える決議。
2009年　ナシード、COP15で二酸化炭素排出削減を呼びかけ。
2009年　廃棄物管理公社設立。
2010年　地方分権法制定。
2011年　後発開発途上国から中所得国に移行。
2012年　国民皆保険制度Aasandha導入。
2012年　ナシード大統領辞任、副大統領モハメド・ワヒードが大統領に就任。
2012年　マーレ国立博物館が暴徒に襲われる。
2013年　アブドゥラ・ヤーミーン、大統領に就任。
2014年　習近平、中国国家主席として初めてモルディブ訪問。
2015年　ナシード、テロリズムに関連したとして、逮捕される。
2016年　在モルディブ日本国大使館開設。
2016年　国家反テロリズム・センター設置。
2016年　ジェンダー平等法制定。
2017年　中国とFTA締結。
2018年　モルディブ・中国友好大橋完成。
2018年　イブラーヒム・ソーリフ、大統領就任。ナシード、政界復帰。
2019年　ヤーミン前大統領、マネーロンダリングの疑いで逮捕される。
2019年　モルディブ政府、バングラデシュ人からの新規労働者受け入れを1年停止。
2019年　国会議員選挙でMDP単独過半数を獲得。
2020年　3月リゾートで外国人のコロナ感染者発生。
2020年　3月緊急事態宣言発出。
2020年　7月リゾート島における観光再開。
2020年　10月ゲストハウスの営業再開。

◆モルディブの100年◆

1920年　C.P.ベル、考古学的調査を行う（〜22年）。
1927年　マーレにマジーディヤ・スクール設立。
1932年　憲法制定。
1944年　マーレに女子校のアミニーヤ・スクール設立。
1945年　モハメド・アミン・ディディ、首相に就任。
1948年　イギリス保護領の地位を継続。
1952年　共和制導入に関する国民投票実施。新憲法制定。
1953年　アミン・ディディ大統領に就任（〜53年）。
1954年　新憲法制定。スルタン制に復帰。
1956年　イギリスにガン島の空港使用を認める。
1957年　イブラーヒム・ナシール、首相に就任（〜68年）。
1959年　スヴァディブ共和国独立宣言。
1962年　南部の独立運動終結。
1965年　イギリスより独立。国連加盟。
1967年　日本との外交関係樹立。
1968年　イギリス、スエズ運河以東からの撤兵を表明。
1968年　スルタン制を廃止し共和制へ。
1968年　イブラーヒム・ナシール、大統領に就任（〜78年）。
1968年　新憲法制定。
1969年　最初の国会選挙実施。
1972年　首相職導入。アハメド・ザキ、首相に就任（〜75年）。
1972年　ホテル開業。
1972年　中国と外交関係を樹立。
1975年　インディラ・ガンディー・インド首相インド首相として初めてモルディブ訪問。
1975年　非常事態宣言、首相職を廃止。
1976年　イギリス軍部隊、ガン島から撤退。
1976年　非同盟諸国運動に加盟。
1978年　フェリワル島に缶詰工場建設。
1978年　マウムーン・アブドゥルガユーム、大統領に就任（〜2008年）。
1979年　海外投資法、観光法制定。漁業公社設立。
1981年　フルレ島の国際空港拡張。
1982年　英連邦に加盟。2016年に脱退。2020年再加盟。
1983年　第一回モルディブ観光発展計画（マスタープラン）発表。
1985年　南アジア地域協力連合に加盟。
1987年　高波被害。これを受けてマーレ島の護岸工事開始。
1987年　国連総会で気候変動に取り組む必要性を提唱。
1988年　82年に設置の観光局を観光省に格上げ。
1988年　PLOTEによるクーデター勃発。
1992年　ティラフシ島で廃棄物による埋め立て開始。
1993年　環境保護保全法発布。
1993年　女子差別撤廃条約を批准。
1994年　宗教統一保護法によりイスラム教以外の宗教の自由を制限。
1994年　為替レート制度から固定相場制に移行。

Sultan Ali VII（1701-01）
Sultan Hassan X（1701-15）
Sultan Ibrahim Muzhiruddin（1701-03）
Sultan Muzaffar Muhammad Imaduddin II（1704-21）
Sultan Ibrahim Iskandar II（1721-50）
Sultan Mukarram Muhammad ImaduddinIII（1750-52）
Aimina Kan'baafaanu（1752-52）
Aimina Rani Kilegefaanu（1752-59）
Sultan Ghazi Hassan Izzuddin（1759-67）
Sultan Muhammad Ghiyasuddin（1767-73）
Sultan Muhammad Shamsuddin II（1773-73）
Sultan Muhammad Muizzuddin（1773-79）
Sultan Haji Hassan Nuruddin（1779-99）
Sultan Muhammad Muinuddin Iskandar（1799-1835）
Sultan Muhammad Imaduddin IV（1835-82）
Sultan Ibrahim Nuruddin（1st Acc）（1882-86）
Sultan Muhammad Muinuddin II（1886-88）
Sultan Ibrahim Nuruddin（2nd Acc）（1888-92）
Sultan Muhammad Imaduddin V（1892-92）
Sultan Muhammad Shamsuddin III（1stAcc）（1893-93）
Sultan Haji Muhammad Imaduddin VI（1893-1901）
Sultan Muhammad Shamsuddin III（2ndAcc）（1903-34）
Sultan Hassan Nooruddin II（1935-53）
第一共和政（1953-53）
Sultan Muhammad Fareed I（1954-68）

出所：Social Studies 2（Grade 7）七年生の社会の教科書 Educational Development Centre. P24

スルタン一覧（カッコ内は在位）

Sri Mahaabarana Maharadhun（1121-41）
Sultan Muhammad Ibn Adil（1142-66）
Sultan Muthe Kalaminja（1176-84）
Sultan Ali Kalaminja（1184-93）
Sultan Dinei Kalaminja（1193-99）
Sultan Dihei Kalaminja（1199-1213）
Sultan Wadi Kalaminja（1213-32）
Sultan（unnamed）Kalaminja（1232-57）
Sultan Hudei Kalaminja（1257-63）
Sultan Aima Kalaminja（1263-65）
Sultan Ali Kalaminja II（1265-66）
Sultan（unnamed）Kalaminja（1266-67）
Sultan Muhamad Audu Kalaminja（1268-77）
Sultan Ali Kalaminja III（1277-86）
Sultan Yusuf Kalaminja（1287-94）
Sultan（unnamed）Kalaminja（1294-1301）
Sultan Davud kalaminja（1301-06）
Sultan Jalaluddin Umar Veeru（1306-35）
Sultan Ahmad Shihabuddin（1335-41）
Sultana Rehendi Khadija（1st Acc）（1341-43）
Sultan Muhammad Jamaluddin（1344-43）
Sultana Rehendi Khadijah（2 Acc）（1344-54）
Sultan Abdullah I（1354-57）
Sultana Rehendi Khadiah（3 Acc）（1357-61）
Sultana Raadfathi Kan'baidi（1361-61）
Sultan Muhammad al-Maakurathi（1361-65）
Sultana Rehendi Dainu Kabadi（1365-70）
Sultan Abdullah II（1370-70）
Sultan Usman（1371-71）
Sultan Hilali Hassan（1372-82）
Sultan Ibrahim I（1st Acc）（1382-83）
Sultan Hussain I（1383-93）
Sultan Nasruddin（1393-94）
Sultan Hassan II（1395-97）
Sultan Easa（1397-97）
Sultan Ibrahim I（2nd Acc）（1397-1405）
Sultan Usman II（1406-06）
Sultan Danna Muhammad（1406-06）
Sultan Yusuf II（1407-30）
Sultan Abu Bakr I（1430-30）
Sultan Haji Hassan III（1st Acc）（1431-56）
Sultan Sayyid Muhammad（1457-57）
Sultan Haji Hassan III（2nd Acc）（1459-59）
Sultan Muhammad（1460-74）
Sultan Hassan IV（1st Acc）（1474-74）
Sultan Umar II（1474-77）
Sultan Hassan V（1478-80）
Sultan Hassan IV（2nd Acc）（1481-85）
Sultan Sheikh Hassan VI（1486-88）
Sultan Ibrahim II（1488-88）
Sultan Kalhu Muhammad（1 Acc）（1489-89）
Sultan Yusuf III（1490-90）
Sultan Ali IV（1490-92）
SultanKalhuMuhammad（2 Acc）（1493-1508）
Sultan Hassan VII（1508-08）
Sultan Sharif Ahmed（1509-11）
Sultan Ali V（1511-12）
Sultan Kalhu Muhammad（3 Acc）（1512-27）
Sultan Hassan Shirazi VIII（1528-1548）
Sultan Muhammad（1548-50）
Sultan Hassan IX（1550-51）
空位（1551-57）
Sultan Abubakr II（1555-55）
空位（1555 -57）
Sultan Ali VI（1558-58）
空位（1558 -72）
Sultan Muhammad Thakurufaan（1573-85）
Sultan Ibrahim III（1585-1609）
Sultana Kalhu Kamana（1609-13）
Sultan Hussain II Faamudeyri Kilegefaanu（1612-19）
空位（1620-20）
Sultan Shujai Muhammad Imaduddin I（1621-48）
Sultan Ibrahim Iskandar I（1648-87）
Sultan Kuda Muhammad（1687-91）
Sultan Muhammad Muhiuddin-ul-Adil（1691-92）
Sultan Sayyid Muhammad Shamsuddin I（1692-92）
Sultan Muhammad（1692-1701）

近藤則夫（こんどう　のりお）［第 18・19・20・32 章］
日本貿易振興機構アジア経済研究所地域研究センター　南アジアグループ　主任研究員。著書：『現代インド政治――多様性の中の民主主義』（名古屋大学出版会、2015）、『Indian Parliamentary Elections after Independence: Social Changes and Electoral Participation』（Development Perspective Series No.4）（Institute of Developing Economies, 2003）

重谷泰奈（しげたに　やすな）［コラム 3・4・6］
モルディブ現地旅行会社 S&Y ツアーズアンドトラベル

丁可（てい　か）［第 27・28・33 章］
日本貿易振興機構アジア経済研究所開発研究センター　企業・産業研究グループ　主任研究員。著書：『中国　産業高度化の潮流』（今井健一と共編著、アジア経済研究所、2008）

濱田美紀（はまだ　みき）［第 23・24・25・26 章］
日本貿易振興機構アジア経済研究所開発研究センター　センター長。著書：「インドネシア商業銀行の外資導入による変容」三重野文晴編『変容する ASEAN の商業銀行』（アジア経済研究所、2020）

プレマクマラ・ジャガット・ディキャラ・ガマラララゲ［第 16・17 章］
（公財）地球環境戦略研究機関（IGES）CCET　センター長

箕輪佳奈恵（みのわ　かなえ）［第 11 章］
筑波大学芸術系　特任助教。論文：「イスラムと美術教育をつなぐもの――ムスリムの教師たちとの対話をめぐって」『美術教育学』第 37 号、2016, pp.401-413.

村山真弓（むらやま　まゆみ）［第 13・29 章］
日本貿易振興機構アジア経済研究所　理事。著書：『Northeast India and Japan: Engagement through Connectivity』（共編 , Routledge, 2021）

モハメド・ハムダン［第 16・17 章］
スリランカ環境省プロジェクト調整員

森下稔（もりした　みのる）［第 9・10 章］
東京海洋大学学術研究院　教授。論文：「民主主義の定着過程における市民性教育の課題――モルディブの児童生徒の現状から」『九州教育学会研究紀要』vol.40, 2013、「モルディブの障害児を対象とする学校教育――2010 ～ 2013 年の政策展開と現状」『アフリカ教育研究』No.5, 2014

ラジブ・クマル・シン［第 16・17 章］
（公財）地球環境戦略研究機関（IGES）持続可能な消費と生産領域　研究員

【執筆者紹介】（五十音順。＊は編著者。［ ］内は担当章。）

アイシャット・シファーナ　［第7・8章、コラム2］
ダルマワンサ・スクール教諭

＊荒井悦代（あらい　えつよ）［第1・3・5・6・31・34章、コラム1］
編著者紹介参照

稲田明宏（いなだ　あきひろ）［コラム7］
ヤマキ株式会社原料部

＊今泉慎也（いまいずみ　しんや）［第21・22章、コラム5・8］
編著者紹介参照

越後学（えちご　まなぶ）［第30章］
インテムコンサルティング株式会社自然環境部　次長。論文：The Marshall Islands & Japan. In: In the Era of Big Change Essays about Japanese small-scale fisheries. TBTI Global Publication Series（2020）https://tbtiglobal.net/tbti-japan/ よりダウンロード可能

岡村隆（おかむら　たかし）［第4章］
探検家・NPO法人南アジア遺跡探検調査会　理事。著書：『モルディブ漂流』（筑摩書房、1986）、『狩人たちの海』（早川書房、1992）、『泥河の果てまで』（早川書房、1996）。2018年植村直己賞受賞

河崎充良（かわさき　みつよし）［第35章］
JICAモルディブ支所　支所長

菅浩伸（かん　ひろのぶ）［第2章］
九州大学浅海底フロンティア研究センター　センター長。九州大学大学院地球社会統合科学府　教授。著書：「モルディブ諸島にみる環礁立国崩壊の危険性――災害と開発の連鎖」日本地理学会災害対応委員会・平井幸弘・青木賢人編『温暖化と自然災害――世界の六つの現場から』（古今書院、2009）、「サンゴ礁景観の成り立ちを探る」小泉武栄・赤坂憲雄編『自然景観の成り立ちを探る』（玉川大学出版部、2013）

日下部尚徳（くさかべ　なおのり）［第12・14・15章］
立教大学異文化コミュニケーション学部　准教授。著書：『ロヒンギャ問題とは何か――難民になれない難民』（編著、明石書店、2019）、『わたし8歳、職業、家事使用人。――世界の児童労働者1億5200万人の1人』（合同出版、2018）、『バングラデシュを知るための66章』（編著、明石書店、2017）

【編著者紹介】

荒井悦代（あらい　えつよ）

日本貿易振興機構アジア経済研究所地域研究センター　南アジアグループ　グループ長。
著書：「スリランカにおける二大政党制と暴力――1987～89人民解放戦線（JVP）反乱深刻化の背景」武内進一編『国家・暴力・政治――アジア・アフリカの紛争をめぐって』（研究双書No.534、アジア経済研究所、2003）、『内戦後のスリランカ経済――持続的発展のための諸条件』（編著、アジア経済研究所、2016）、『内戦終結後のスリランカ政治――ラージャパクサからシリセーナへ』（アジア経済研究所、2016）

今泉慎也（いまいずみ　しんや）

日本貿易振興機構アジア経済研究所新領域研究センター　グローバル研究グループ　グループ長。
著書：『タイの立法過程――国民の政治参加への模索』（編著、研究双書No.601、アジア経済研究所、2009）、黒崎岳大・今泉慎也編『太平洋島嶼地域における国際秩序の変容と再構築』（研究双書No.625、アジア経済研究所、2016）、『現代フィリピンの法と政治――再民主化後30年の軌跡』（知花いづみと共著、アジア経済研究所、2019）

エリア・スタディーズ　186
モルディブを知るための35章

2021年12月22日　　初版第1刷発行

編著者　　荒井悦代
　　　　　今泉慎也
発行者　　大江道雅
発行所　　株式会社 明石書店

〒101-0021　東京都千代田区外神田 6-9-5
電話　03（5818）1171
FAX　03（5818）1174
振替　00100-7-24505
https://www.akashi.co.jp
装丁／組版　　明石書店デザイン室
印刷／製本　　日経印刷株式会社

（定価はカバーに表示してあります）　　ISBN978-4-7503-5285-5

エリア・スタディーズ

1 **現代アメリカ社会を知るための60章**
明石紀雄、川島浩平 編著

2 **イタリアを知るための62章【第2版】**
村上義和 編著

3 **イギリスを旅する35章**
辻野功 編著

4 **モンゴルを知るための65章【第2版】**
金岡秀郎 著

5 **パリ・フランスを知るための44章**
梅本洋一、大里俊晴、木下長宏 編著

6 **現代韓国を知るための60章【第2版】**
石坂浩一、福島みのり 編著

7 **オーストラリアを知るための58章【第3版】**
越智道雄 著

8 **現代中国を知るための52章【第6版】**
藤野彰 編著

9 **ネパールを知るための60章**
日本ネパール協会 編

10 **アメリカの歴史を知るための63章【第3版】**
富田虎男、鵜月裕典、佐藤円 編著

11 **現代フィリピンを知るための61章【第2版】**
大野拓司、寺田勇文 編著

12 **ポルトガルを知るための55章【第2版】**
村上義和、池俊介 編著

13 **北欧を知るための43章**
武田龍夫 著

14 **ブラジルを知るための56章【第2版】**
アンジェロ・イシ 著

15 **ドイツを知るための60章**
早川東三、工藤幹巳 編著

16 **ポーランドを知るための60章**
渡辺克義 編著

17 **シンガポールを知るための65章【第5版】**
田村慶子 編著

18 **現代ドイツを知るための67章【第3版】**
浜本隆志、髙橋憲 編著

19 **ウィーン・オーストリアを知るための57章【第2版】**
広瀬佳一、今井顕 編著

20 **ハンガリーを知るための60章【第2版】** ドナウの宝石
羽場久美子 編著

21 **現代ロシアを知るための60章【第2版】**
下斗米伸夫、島田博 編著

22 **21世紀アメリカ社会を知るための67章**
明石紀雄 監修　赤尾千波、大類久恵、小塩和人、
落合明子、川島浩平、高野泰 編

23 **スペインを知るための60章**
野々山真輝帆 著

24 **キューバを知るための52章**
後藤政子、樋口聡 編著

25 **カナダを知るための60章**
綾部恒雄、飯野正子 編著

26 **中央アジアを知るための60章【第2版】**
宇山智彦 編著

27 **チェコとスロヴァキアを知るための56章【第2版】**
薩摩秀登 編著

28 **現代ドイツの社会・文化を知るための48章**
田村光彰、村上和光、岩淵正明 編著

29 **インドを知るための50章**
重松伸司、三田昌彦 編著

30 **タイを知るための72章【第2版】**
綾部真雄 編著

31 **パキスタンを知るための60章**
広瀬崇子、山根聡、小田尚也 編著

32 **バングラデシュを知るための66章【第3版】**
大橋正明、村山真弓、日下部尚徳、安達淳哉 編著

33 **イギリスを知るための65章【第2版】**
近藤久雄、細川祐子、阿部美春 編著

34 **現代台湾を知るための60章【第2版】**
亜洲奈みづほ 著

35 **ペルーを知るための66章【第2版】**
細谷広美 編著

36 **マラウィを知るための45章【第2版】**
栗田和明 著

37 **コスタリカを知るための60章【第2版】**
国本伊代 編著

38 **チベットを知るための50章**
石濱裕美子 編著

エリア・スタディーズ

39 現代ベトナムを知るための60章【第2版】
今井昭夫、岩井美佐紀 編著

40 インドネシアを知るための50章
村井吉敬、佐伯奈津子 編著

41 エルサルバドル、ホンジュラス、ニカラグアを知るための45章
田中高 編著

42 パナマを知るための70章【第2版】
国本伊代 編著

43 イランを知るための65章
岡田恵美子、北原圭一、鈴木珠里 編著

44 アイルランドを知るための70章【第3版】
海老島均、山下理恵子 編著

45 メキシコを知るための60章
吉田栄人 編著

46 中国の暮らしと文化を知るための40章
東洋文化研究会 編

47 現代ブータンを知るための60章【第2版】
平山修一 著

48 バルカンを知るための66章【第2版】
柴宜弘 編著

49 現代イタリアを知るための44章
村上義和 編著

50 アルゼンチンを知るための54章
アルベルト松本 著

51 ミクロネシアを知るための60章【第2版】
印東道子 編著

52 アメリカのヒスパニック＝ラティーノ社会を知るための55章
大泉光一、牛島万 編著

53 北朝鮮を知るための55章【第2版】
石坂浩一 編著

54 ボリビアを知るための73章【第2版】
真鍋周三 編著

55 コーカサスを知るための60章
北川誠一、前田弘毅、廣瀬陽子、吉村貴之 編著

56 カンボジアを知るための62章【第2版】
上田広美、岡田知子 編著

57 エクアドルを知るための60章【第2版】
新木秀和 編著

58 タンザニアを知るための60章【第2版】
栗田和明、根本利通 編著

59 リビアを知るための60章【第2版】
塩尻和子 編著

60 東ティモールを知るための50章
山田満 編著

61 グアテマラを知るための67章【第2版】
桜井三枝子 編著

62 オランダを知るための60章
長坂寿久 著

63 モロッコを知るための65章
私市正年、佐藤健太郎 編著

64 サウジアラビアを知るための63章【第2版】
中村覚 編著

65 韓国の歴史を知るための66章
金両基 編著

66 ルーマニアを知るための60章
六鹿茂夫 編著

67 現代インドを知るための60章
広瀬崇子、近藤正規、井上恭子、南埜猛 編著

68 エチオピアを知るための50章
岡倉登志 編著

69 フィンランドを知るための44章
百瀬宏、石野裕子 編著

70 ニュージーランドを知るための63章
青柳まちこ 編著

71 ベルギーを知るための52章
小川秀樹 編著

72 ケベックを知るための54章
小畑精和、竹中豊 編著

73 アルジェリアを知るための62章
私市正年 編著

74 アルメニアを知るための65章
中島偉晴、メラニア・バグダサリヤン 編著

75 スウェーデンを知るための60章
村井誠人 編著

76 デンマークを知るための68章
村井誠人 編著

77 最新ドイツ事情を知るための50章
浜本隆志、柳原初樹 著

エリア・スタディーズ

78 セネガルとカーボベルデを知るための60章
小川了 編著

79 南アフリカを知るための60章
峯陽一 編著

80 エルサルバドルを知るための55章
細野昭雄、田中高 編著

81 チュニジアを知るための60章
鷹木恵子 編著

82 南太平洋を知るための58章 メラネシア ポリネシア
吉岡政德、石森大知 編著

83 現代カナダを知るための60章【第2版】
飯野正子、竹中豊 総監修 日本カナダ学会 編

84 現代フランス社会を知るための62章
三浦信孝、西山教行 編著

85 ラオスを知るための60章
菊池陽子、鈴木玲子、阿部健一 編著

86 パラグアイを知るための50章
田島久歳、武田和久 編著

87 中国の歴史を知るための60章
並木頼壽、杉山文彦 編著

88 スペインのガリシアを知るための50章
坂東省次、桑原真夫、浅香武和 編著

89 アラブ首長国連邦（UAE）を知るための60章
細井長 編著

90 コロンビアを知るための60章
二村久則 編著

91 現代メキシコを知るための70章【第2版】
国本伊代 編著

92 ガーナを知るための47章
高根務、山田肖子 編著

93 ウガンダを知るための53章
吉田昌夫、白石壮一郎 編著

94 ケルトを旅する52章 イギリス・アイルランド
永田喜文 著

95 トルコを知るための53章
大村幸弘、永田雄三、内藤正典 編著

96 イタリアを旅する24章
内田俊秀 編著

97 大統領選からアメリカを知るための57章
越智道雄 著

98 現代バスクを知るための50章
萩尾生、吉田浩美 編著

99 ボツワナを知るための52章
池谷和信 編著

100 ロンドンを旅する60章
川成洋、石原孝哉 編著

101 ケニアを知るための55章
松田素二、津田みわ 編著

102 ニューヨークからアメリカを知るための76章
越智道雄 著

103 カリフォルニアからアメリカを知るための54章
越智道雄 著

104 イスラエルを知るための62章【第2版】
立山良司 編著

105 グアム・サイパン・マリアナ諸島を知るための54章
中山京子 編著

106 中国のムスリムを知るための60章
中国ムスリム研究会 編

107 現代エジプトを知るための60章
鈴木恵美 編著

108 カーストから現代インドを知るための30章
金基淑 編著

109 カナダを旅する37章
飯野正子、竹中豊 編著

110 アンダルシアを知るための53章
立石博高、塩見千加子 編著

111 エストニアを知るための59章
小森宏美 編著

112 韓国の暮らしと文化を知るための70章
舘野晳 編著

113 現代インドネシアを知るための60章
村井吉敬、佐伯奈津子、間瀬朋子 編著

114 ハワイを知るための60章
山本真鳥、山田亨 編著

115 現代イラクを知るための60章
酒井啓子、吉岡明子、山尾大 編著

116 現代スペインを知るための60章
坂東省次 編著

エリア・スタディーズ

117 スリランカを知るための58章
杉本良男、高桑史子、鈴木晋介 編著

118 マダガスカルを知るための62章
飯田卓、深澤秀夫、森山工 編著

119 新時代アメリカ社会を知るための60章
明石紀雄 監修 大類久恵、落合明子、赤尾千波 編著

120 現代アラブを知るための56章
松本弘 編著

121 クロアチアを知るための60章
柴宜弘、石田信一 編著

122 ドミニカ共和国を知るための60章
国本伊代 編著

123 シリア・レバノンを知るための64章
黒木英充 編著

124 EU（欧州連合）を知るための63章
羽場久美子 編著

125 ミャンマーを知るための60章
田村克己、松田正彦 編著

126 カタルーニャを知るための50章
立石博高、奥野良知 編著

127 ホンジュラスを知るための60章
桜井三枝子、中原篤史 編著

128 スイスを知るための60章
スイス文学研究会 編

129 東南アジアを知るための50章
今井昭夫 編集代表 東京外国語大学東南アジア課程 編

130 メソアメリカを知るための58章
井上幸孝 編著

131 マドリードとカスティーリャを知るための60章
川成洋、下山静香 編著

132 ノルウェーを知るための60章
大島美穂、岡本健志 編著

133 現代モンゴルを知るための50章
小長谷有紀、前川愛 編著

134 カザフスタンを知るための60章
宇山智彦、藤本透子 編著

135 内モンゴルを知るための60章
ボルジギン・ブレンサイン 編著 赤坂恒明 編集協力

136 スコットランドを知るための65章
木村正俊 編著

137 セルビアを知るための60章
柴宜弘、山崎信一 編著

138 マリを知るための58章
竹沢尚一郎 編著

139 ASEANを知るための50章
黒柳米司、金子芳樹、吉野文雄 編著

140 アイスランド・グリーンランド・北極を知るための65章
小澤実、中丸禎子、高橋美野梨 編著

141 ナミビアを知るための53章
水野一晴、永原陽子 編著

142 香港を知るための60章
吉川雅之、倉田徹 編著

143 タスマニアを旅する60章
宮本忠 著

144 パレスチナを知るための60章
臼杵陽、鈴木啓之 編著

145 ラトヴィアを知るための47章
志摩園子 編著

146 ニカラグアを知るための55章
田中高 編著

147 台湾を知るための60章
赤松美和子、若松大祐 編著

148 テュルクを知るための61章
小松久男 編著

149 アメリカ先住民を知るための62章
阿部珠理 編著

150 イギリスの歴史を知るための50章
川成洋 編著

151 ドイツの歴史を知るための50章
森井裕一 編著

152 ロシアの歴史を知るための50章
下斗米伸夫 編著

153 スペインの歴史を知るための50章
立石博高、内村俊太 編著

154 フィリピンを知るための64章
大野拓司、鈴木伸隆、日下渉 編著

155 バルト海を旅する40章 7つの島の物語
小柏葉子 著

エリア・スタディーズ

156 カナダの歴史を知るための50章　細川道久 編著
157 カリブ海世界を知るための70章　国本伊代 編著
158 ベラルーシを知るための50章　服部倫卓、越野剛 編著
159 スロヴェニアを知るための60章　柴宜弘、アンドレイ・ベケシュ、山崎信一 編著
160 北京を知るための52章　櫻井澄夫、人見豊、森田憲司 編著
161 イタリアの歴史を知るための50章　高橋進、村上義和 編著
162 ケルトを知るための65章　木村正俊 編著
163 オマーンを知るための55章　松尾昌樹 編著
164 ウズベキスタンを知るための60章　帯谷知可 編著
165 アゼルバイジャンを知るための67章　廣瀬陽子 編著
166 済州島を知るための55章　梁聖宗、金良淑、伊地知紀子 編著
167 イギリス文学を旅する60章　石原孝哉、市川仁 編著

168 フランス文学を旅する60章　野崎歓 編著
169 ウクライナを知るための65章　服部倫卓、原田義也 編著
170 クルド人を知るための55章　山口昭彦 編著
171 ルクセンブルクを知るための50章　田原憲和、木戸紗織 編著
172 地中海を旅する62章　歴史と文化の都市探訪　松原康介 編著
173 ボスニア・ヘルツェゴヴィナを知るための60章　柴宜弘、山崎信一 編著
174 チリを知るための60章　細野昭雄、工藤章、桑山幹夫 編著
175 ウェールズを知るための60章　吉賀憲夫 編著
176 太平洋諸島の歴史を知るための60章　日本とのかかわり　石森大知、丹羽典生 編著
177 リトアニアを知るための60章　櫻井映子 編著
178 現代ネパールを知るための60章　公益社団法人 日本ネパール協会 編
179 フランスの歴史を知るための50章　中野隆生、加藤玄 編著

180 ザンビアを知るための55章　島田周平、大山修一 編著
181 ポーランドの歴史を知るための55章　渡辺克義 編著
182 韓国文学を旅する60章　波田野節子、斎藤真理子、きむ ふな 編著
183 インドを旅する55章　宮本久義、小西公大 編著
184 現代アメリカ社会を知るための63章【2020年代】　明石紀雄 監修　大類久恵、落合明子、赤尾千波 編著
185 アフガニスタンを知るための70章　前田耕作、山内和也 編著
186 モルディブを知るための35章　荒井悦代、今泉慎也 編著

——以下続刊

◎各巻2000円（一部1800円）

〈価格は本体価格です〉